1 MONTH OF
FREE
READING

at

www.ForgottenBooks.com

By purchasing this book you are eligible for one month membership to ForgottenBooks.com, giving you unlimited access to our entire collection of over 700,000 titles via our web site and mobile apps.

To claim your free month visit:
www.forgottenbooks.com/free1237215

ISBN 978-0-332-74485-8
PIBN 11237215

This book is a reproduction of an important historical work. Forgotten Books uses state-of-the-art technology to digitally reconstruct the work, preserving the original format whilst repairing imperfections present in the aged copy. In rare cases, an imperfection in the original, such as a blemish or missing page, may be replicated in our edition. We do, however, repair the vast majority of imperfections successfully; any imperfections that remain are intentionally left to preserve the state of such historical works.

Das Buch der Länder

von

Schech Ebu Ishak el Farsi el Isztachri.

al-Istakhrī

Aus dem Arabischen

übersetzt von

A. D. Mordtmann.

Nebst einem Vorworte

von

Prof. C. Ritter.

Mit 6 Karten.

HAMBURG 1845.

Druck und Lithographie des Rauhen Hauses in Horn.

DAS BUCH DER LÄNDER.

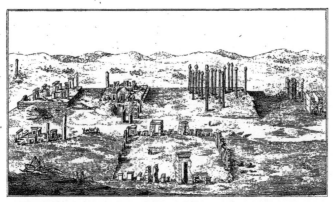

ISZTACHR

RAUHES HAUS, 1845.

Vorwort.

———

Die hiermit durch Herrn Mordtmann's sorgfaltigen Eifer darge-
botene deutsche Uebersetzung der Geographie des Isztachri (der
Titel ist: Liber Climatum auctore Scheicho Abu ishako el-faresi vulgo
El-Iszthachri, 126 Seiten in 4° mit 19 Landkarten in Querfolio herausgegeben von Dr. Möller, Gotha 1839) vervollständigt, auf eine sehr
erfreuliche Weise, die Reihe der Uebertragungen arabischer Werke in
abendländische Sprachen, welche für das Studium des Orients überhaupt
eben so unentbehrlich geworden sind, wie für das besondere Feld des
historischen und geographischen Wissens. Das Bedürfniss solcher
treuen und gründlichen Uebertragungen ist durch die Editionen des in
England gestifteten Oriental Translation Fund's, wie durch die dankens-
werthen Bestrebungen der Pariser Société Géographique, und Asiatique,
den reichen Schatz orientalischer Literatur uns immer zugänglicher zu
machen, zu deutlich hervorgehoben, als dass wir die daraus für alle
Zweige des Wissens hervorgehenden Vortheile hier noch näher zu be-
leuchten hätten.

Zur Verjüngung und Erfrischung jedweden wissenschaftlichen
Zweiges wird es aber vorzüglich wünschenswerth sein, zu den ur-
sprünglichen Quellen ihrer reichern Entfaltung zurückzukehren, wie
dies denn auch insbesondre auf die Erd - und Völkerkunde seine An-
wendung findet. Der Rückblick des Abendlandes nach dem Morgenlande
ist von jeher, bewusst oder unbewusst, ein Naturbedürfniss aller Völker,
ja des ganzen Menschengeschlechtes gewesen; in unsrer Zeit ist es auch

A

ein Bedürfniss der höhern Wissenschaft geworden. Schon eine reiche Fülle von Erkenntniss für Völker- und Menschen-Geschichte, für Sprache, Poesie und Wissenschaft, aller Art, ist daraus hervorgegangen, eine viel grössere Ernte steht noch dem ganzen Gebiete der Literatur und Geschichte bevor.

Die orientalischen Geographen sind in diesem grossen Gebiete für die Vergangenheit nothwendige Wegweiser geworden, ohne die auch die Gegenwart nicht vollkommen verstanden werden dürfte. Um so dankenswerther werden ihre Mittheilungen sein, je weiter sie in die nur dämmernde Frühe der Zeiten als Augenzeugen zurückgehen, und dadurch neues Licht über viele Jahrhunderte verbreiten, aus denen nur wenig, oft gar keine Stimmen zu uns herübergedrungen sind. Die ächten Geographen des Orients sind wie billig zugleich Historiker gewesen. In dieser Beziehung nimmt, in der Kette der arabischen Geographen, das Liber Climatum des Isztachri aus der Mitte des zehnten Jahrhunderts, als ältestes Glied derselben, eine sehr wichtige Stellung ein. Es ergänzt daher die gegenwärtige Uebersetzung eine wesentliche Lücke in der Reihe der verdienstvollen analogen Arbeiten, die wir Sam. Lee in englischer Sprache über Batuta's Wanderungen aus dem vierzehnten Jahrhundert, Reinaud's Bearbeitung der Geographie Abulfeda's, Jaubert's französischer Uebersetzung des Edrisi aus dem zwölften Jahrhundert verdanken, und W. Ouseley's Ausgabe der Oriental Geography des vermeintlichen Ibn Haukal, zu dessen wahrem Verständniss aber erst das Werk des Isztachri, als sein Vorgänger, den Schlüssel darbietet.

Dr. Seetzen hatte die früher im Abendlande unbekannt gebliebene Handschrift für die reiche Herzoglich Sachsen Gothaische orientalische Manuscriptensammlung erworben, durch den Bibliothekar Herrn Dr. Möller ward sie in musterhafter Originalform, jedoch nur in wenigen Exemplaren veröffentlicht; die von ihm in Aussicht gestellte lateinische Uebersetzung konnte nicht publicirt werden. Der Inhalt des so bedeutungsvollen Werkes blieb bei der sparsamen Verbreitung arabischer, geographischer Studien im allgemeinen fast unbeachtet, und doch ergab

sich bei dessen genauerm Studium und Vergleichung, dass das Werk
eine Hauptquelle für Ibn Haukal wie für Abulfeda's Arbeiten gewesen, dass Edrisi sehr häufig Gebrauch von dessen Daten gemacht
hatte. Um zu zeigen wie fruchtbar eine solche ursprüngliche Quelle
auf allgemeine Erdkunde der Gegenwart zurückwirken musste, brauchen
wir nur auf eine Anzahl Stellen des zehnten und eilften Bandes unsrer
Erdkunde von Asien zu verweisen, in welchen Gebrauch von Isztachri's
Nachrichten zu machen war (Erdk. Th. X. S. 1051 über Manbedj; 1071
über Balis, 1077 über das Schlachtfeld Siffin; 1085 über Callinicum;
1133 über Edessa; Th. XI. S. 47 über Amida; 68 Miafarekin; 100 Sert;
155 Djezireh; 156 über Dschudi; 179 Mosul; 268—273 über die Rou-
tiers in Mesopotamien und das Stromgebiet des Chabur, höchst wichtige
Ergänzungen zu Edrisi und Abulfeda; eben so S. 298 über Haran und
die Sabäer, 374 über Mardin; 383 Nisibin; 404—418 Dara; 445 Singara;
665 über Haditha; 696 Kerkisi am Khabur; 706 Malek; 717 Anah, und
a. O. m.). Noch fruchtreicher war das Ergebniss der critischen Be-
nutzung des Isztachri auf arabischem Boden, wie sich diess aus dem
Kapitel des zwölften Bandes der Erdkunde von Arabien, Seite 141—
167, das bloss der Vergleichung dieses Autors mit seinen Nachfolgern
gewidmet ist, ergeben wird. Aehnlichen Gewinn wird die Bearbeitung
der ältern und neuern Geographie aller andern Länder des Orients aus
dem Isztachri ziehen können.

Ein weiteres Lob des Herrn Uebersetzers, wie der Verlagshandlung,
die vereinigt das Interesse der Wissenschaft bei der Herausgabe dieses
Werkes im Auge hatten, würde hier am unrechten Orte sein, wo nur
das wissenschaftliche Interesse an der Sache und Dankbarkeit gegen den
Herrn Uebersetzer, der meiner Aufforderung zur Arbeit mit so uneigen-
nütziger Hingebung Folge leistete, mich zu dem gewünschten einlei-
tenden Vorworte bei der Veröffentlichung verpflichtete. Denn, dass
Text und Noten sich von selbst empfehlen werden, ist wol zu erwarten,
zumal da ihr Gebrauch durch die Ausstattung von Karten sehr wesentlich
an leichtern Verständniss gewinnen wird.

Hinsichtlich des lithographirten Generalblattes ist zu bemerken, dass
die Skizze dieses Kartennetzes, für mich, nach mancherlei neuen Origi-

nalien durch meinen jüngern Freund Herrn Kiepert zu diesem Behufe entworfen, vielfache Berichtigungen von Contouren, Flussläufen, Bergzügen und Positionen enthält, die man auf andern Generalblättern vergeblich nachsuchen wird, dass die Ortsnamen aber nach dem Isztachri vom Herrn Uebersetzer selbst eingetragen sind.

Berlin, den 4ten März 1845.

C. Ritter.

Inhalt.

B

In Betreff der Aussprache der Namen ist Folgendes zu bemerken:

Im Allgemeinen habe ich mich bemüht, die Eigennamen so zu schreiben, wie ein Deutscher, der sie mit dem Gehöre auffasst, niederschreiben würde. Daher lautet

    Ch wie das deutsche ch in Bach.

      sh „ „ „ sh „ Hausherr.

I und i „ „ „ I „ Insel.

J und j „ „ „ J „ Jugend.

      s „ „ „ s „ was.

      ſ „ „ „ ſ „ böſe.

Wo aber Laute vorkommen, die sich im Deutschen nicht finden, habe ich Zusammensetzungen gewählt, nämlich

    th lautet wie das englische th in thin.

    dh „ „ „ „ th „ thou.

    sz nähert sich fast dem deutschen z in zu, doch muss das s mehr als das t hörbar sein, so dass es nur unbedeutend schärfer ist, als das deutsche s in was;

    h ist überall auszusprechen (ausgenommen wo es auf t oder d folgt), also Ahmed ist fast wie Achmed, aber nicht wie Amed, Schehr fast wie Schechr, aber nicht wie Scher auszusprechen;

    w und v sind ohne Unterschied wie das deutsche w zu lesen.

    Diese Regeln gelten aber nur für die morgenländischen Formen und Wörter, also nicht für die europäischen Formen oder für die aus klassischen Schriftstellern entlehnten Namen.

Einleitung.

§ 1.

Unter den Handschriften, welche Dr. Seetzen auf seinen Reisen im Morgenlande für die herzoglich gothaische Bibliothek ankaufte, befand sich die Länderbeschreibung des Schech Ebu Ishak el Farsi el Isztachri, welche im J. 1839 von Herrn Dr. Moeller in einer treuen lithographirten Copie (nach einem besondern von Hrn. Uckermann in Erfurt erfundenen Verfahren) herausgegeben und mit einer ausführlichen Einleitung versehen war, wobei derselbe zugleich eine Uebersetzung mit Commentar versprach. Eine solche ist aber bis jetzt noch nicht erschienen, so wünschenswerth sie auch sein mochte, denn so gering auch die Ausbeute in philologischer Rücksicht ist, so wichtig ist das Werk für den Geographen und Historiker. Vor zwei Jahren sah ich mich durch Hrn. Prof. C. Ritter in Berlin veranlasst, demselben einige Auszüge aus diesem Werke Behufs seiner Beschreibung von Asien zuzustellen, und bei dieser Gelegenheit überzeugte ich mich von dem grossen Werthe der in diesem Buche enthaltenen Nachrichten, wesshalb ich mich zu einer Uebersetzung des Ganzen entschloss.

Hr. Dr. Moeller hat in seiner Einleitung zu dem Originaltexte in einer erschöpfenden Weise dargethan, dass der Verfasser des Werks kein anderer, als der von Ibn Haukal, Kafwini u. a. citirte Ebu Ishak el Farsi el Isztachri sei, und dass W. Ouseley im J. 1800 eine persische Uebersetzung dieses Werkes unter dem Titel: The Oriental Geography of Ebn Haukal in's Englische übertragen hatte. Die grosse Menge der Beweisstellen für diese Sätze überhob mich der Mühe, diese Untersuchung noch einmal anzustellen; dagegen hatte sich Hr. Dr. Moeller bei der Untersuchung über des Verfassers Lebensumstände und Zeitalter so kurz gefasst, dass ich mich der Arbeit noch einmal unterziehen musste, deren Resultate, so dürftig sie auch sein mögen, ich hier dem Leser vorlege.

Da der Verfasser von Ibn Haukal und Kafwini nur ganz beiläufig citirt
wird, und in andern biographischen, litterarhistorischen und geschichtli-
chen Werken sich nichts über ihn vorfindet, so sind wir lediglich auf das
vorliegende Werk beschränkt, um aus demselben diejenigen Notizen zu-
sammenzustellen, wo Isztachri von sich selbst spricht, oder wo sich aus
innern Kennzeichen einige Schlüsse auf den Verfasser ziehen lassen.
Nur im Ibn Haukal findet sich die ganz kurze Bemerkung, dass er den
Schech Ebu Ishak el Farsi antraf, der ihm eine Karte von Sind und andere von ihm verfertigte Karten zeigte und überliess. Wir sehen daraus
dass Isztachri ein Zeitgenosse Ibn Hanhal's war, und sich mit der Abfassung seines Werkes beschäftigte, als letzterer noch auf Reisen war*).
Ibn Haukal trat seine Reisen im J. 331 (943) an, und fing im J.
366 oder 367. (also etwa 977) seine Beschreibung an, so dass also Isztachri jedenfalls später als 943 und früher als 977 geschrieben haben
muss. Dass diese Zeitbestimmung nicht nur im Allgemeinen richtig sei,
sondern sich auch noch in engere Gränzen ziehen lasse, ergibt sich aus
folgenden Stellen.

1) S. 71 heisst es: „Ein glaubwürdiger Mann hat mir erzält, dass
im J. 324, wo er in Baszra war, ein Handelsschreiben aus Oman ankam
u. s. w." Ich habe in der Anmerkung 136 die Gründe auseinander gesetzt, wesshalb hier nur 324 zu lesen ist, und nicht 224 oder 424, indem
ich mich auf das Zeitalter Isztachri's berief, welches aus obiger Angabe
Ibn Haukal's im Allgemeinen sicher ist. Das Jahr 324 begann mit dem
29. November 935, und endigte den 17. Nov. 936. Aus den obigen
Worten geht aber hervor, dass Isztachri noch ziemlich lange nachher
geschrieben habe.

2) S. 124 sagt Isztachri: „Nichts desto weniger sind sie die besten
Menschen; sie sind ihren Vorgesetzten gehorsam, und äusserst dienstwillig gegen ihre Obern und gegen die Türken, die sich des Chalifats
von Mawarennahr aus bemächtigt haben, als Afschin, Ebu'l Schadsch
und Ichschid." — Von den hier genannten Personen kommt Afschin,
der ein ganzes Jahrhundert früher lebte, nicht in Betracht. Ebu'l Schadsch
ist mir unbekannt; vielleicht ist es Ebu Schudschaa Fatck, ein Sklave
Ichschid's der im J. 961 zu Fajum in Aegypten starb. Da aber die
Lesart zweifelhaft ist, so fällt die Beweiskraft derselben ebenfalls weg.
Ichschid endlich beherrschte Aegypten von 935 bis 945.

Aus diesen Gründen kann man also mit ziemlicher Sicherheit den
Schluss ziehen, dass Isztachri gegen die Mitte des zehnten Jahrhunderts

*) Liber Climatum, Einleitung pg. 3.

unserer Zeitrechnung schrieb, und dass dies nicht später geschah, ergibt sich ausser der obigen Stelle Ibn Haukal's noch aus andern Gründen. So z. B. kennt er als Hauptstadt von Aegypten Fostat, und nicht das erst im J. 969 angelegte Rahira; eben so wenig weiss er etwas von der in demselben Jahre erfolgten Eroberung Aegyptens durch die Fatimiden. Im J. 354 (965) eroberte Nikephorus Phokas Maszisza und Tarsus, welche Städte dem byzantinischen Reiche einverleibt wurden, während Isztachri sie noch als mohammedanische Festungen beschreibt. Auch weiss er nichts von der Belagerung Baszra's im J. 952 durch den Fürsten von Oman, Jusuf.

Hr. Dr. Moeller bestimmt in seiner Einleitung die Zeit der Abfassung des vorliegenden Werkes anders, indem er aus einigen Stellen desselben schliesst, dass Isztachri zwischen 303 und 307 (915 und 919) schrieb. Die Hauptstellen, worauf er sich stützt, sind

1) S. 22: „Mehdie, eine von dem Eroberer Magreb's, Obeidalla, neu erbaute Stadt." Mehdie wurde im J. 303 (915) angelegt; der Schluss, dass Isztachri sich nicht in dieser Weise ausdrücken konnte, wenn er nicht bald darauf geschrieben hätte, ist indessen irrig, denn das Zeitwort „hadath" bedeutet in der zehnten Form „neu anlegen, erneneru", so dass derselbe Ausdruck auch noch jetzt, 900 Jahre später, gebraucht werden kann, wie Isztachri denn wirklich sich desselben Ausdrucks S. 47 des Originals von Bagdad bedient, das doch damals schon 200 Jahre alt war.

2) S. 23, „Die grösste Stadt, welche zugleich die Hauptstadt ist, heisst Fes, wo Jabia der Fatemide herrscht; der Charedschite Obeidalla hat sie bis auf diesen Tag noch nicht erobert."

Es ist richtig, dass im J. 309 in Fes ein Fatemide, Jabia ben Idris von Masala ben Habus, einem General des Obeidalla, gefangen genommen wurde, worauf Masala die Stadt Fes besetzte; allein schon im folgenden Jahre 310 (922) wurde der von Masala eingesetzte Statthalter Rihan von Hasan ben Mohammed wieder verjagt; erst im J. 349 (960) wurde Fes von Dschewher, einem General der Schiiten, erobert. Bei den sonst höchst ungenauen Nachrichten Isztachri's über Westafrika hat indessen die ganze Stelle nicht die geringste Beweiskraft, zumal da im Laufe des Werkes andere Stellen vorkommen, welche von Begebenheiten reden, die sich nach dem J. 921 ereignet haben.

Von den übrigen Lebensumständen Isztachri's lassen sich nur wenige Notizen aus dem Werke selbst sammeln. Dass er aus Persien, und zwar aus Persepolis (Isztachr) war, zeigt schon sein Name; eben so beweist die Benennung Sektirer, welche er den Aliden an verschiedenen Stellen des Werkes (z. B. S. 80) gibt, dass er ein Sunnite

war. Einen grossen Theil der Länder, die er beschreibt, kennt er aus
eigener Anschauung; so z. B. Arabien (S. 10. 11.), Irak (S. 50. 52.),
Chufistan (S. 57. 58.), Dilem (S. 99.), Mawarennahr (S. 125). Andere
Länder dagegen scheint er nur aus Berichten zn kennen, z. B. Jemen
Oman, Sind, und namentlich Westafrika und Spanien, wovon er uns
höchst dürftige und dabei falsche Nachrichten gibt. In Arabien scheint
er nicht weiter, als nach Mekka gekommen zu sein, und zwar auf der
allen Mohammedanern zur Pflicht gemachten Pilgerreise; er muss diese
Reise noch sehr jung gemacht haben, denn während seiner Anwesenheit
war noch der schwarze Stein in der Kaaba, welchen die Karmaten im
J. 317 (Januar 930) vherausbrachen, und nach Hadschr führten.

Aus der Art und Weise, wie er von den Buiden, den damaligen Be-
herrschern von Chufistan, Pars, Irak u. s. w. spricht, scheint hervorzugehn, dass er im Dienste der in Bagdad residirenden Emire al Omra
war, die zugleich Chufistan besassen, indem er ihnen den Titel Sultan
$\varkappa\alpha\tau$ ' $\dot{\varepsilon}\xi o\chi\dot{\eta}\nu$ beilegt (z. B. S. 59), und sogar weiss, wo dieselben für
ihre Rechnung Fabriken besitzen (Ebendas.). Fast sollte man aus die-
sem letzteren Umstande und aus seiner genauen Bekanntschaft mit den
Steuerverhältnissen von Rufa, Baszra (S. 51), Kafwin (S. 100), Kirman (S. 80), schliessen, dass er im Finanzdepartement der Buiden eine
Anstellung hatte. Sollte sich dies wirklich so verhalten haben, so liesse
sich auch daraus erklären, woher er so manche statistische Notizen
und Angaben über Administrativverhältnisse hatte, die im Laufe des
Werkes hin und wieder auftauchen, und die er nur aus amtlichen Berichten kennen konnte. Unter den Ehrennamen, welche auf dem Titel
des Manuscripts von den verschiedenen ehemaligen Besitzern desselben
dem Verfasser zugeschrieben worden sind, führt Hr. Dr. Moeller (S. 16)
unter andern auch den eines Kadhi an, indessen scheint mir, dass Isztachri niemals Kadhi war; es fehlt ihm dazu die salbungsreiche Sprache,
welche den Schriftstellern dieses Standes zur andern Natur geworden
ist; seine nüchterne, phantasie- und bilderlose Sprache lásst auf einen
Mann schliessen, der sich mehr in Zahlen und Geldverhältnissen bewegte,
als den Koran zu seinem täglichen Studium zu machen hatte.

§. 2.

Bei der Abfassung seines Werkes hatte der Verfasser den Plan,
die Länder, in denen der Islam herrschte, zu beschreiben. In der Einleitung gibt er den Umfang derselben im Allgemeinen an, und beg'unt
darauf sofort mit Arabien, der Wiege des Islam. Von dem sogenannten
heiligen Gebiet spricht er grösstentheils aus eigener Anschauung; über
Jemen hat er ziemlich gute Nachrichten, und dient wesentlich zur Ver-

besserung Ibn Haukal's und Abulfeda's. Von den Karmaten liefert er manche brauchbare Nachrichten. Dann folgt die Beschreibung des indischen Meeres und der Küsten desselben, so weit letztere dem Islam angehören, indem er sich bei den andern Küsten nur ganz kurz fasst. Die Beschreibung von Magreb, das er in Ost-Magreb (Nord-Afrika) und West-Magreb (Spanien) eintheilt, ist der mangelhafteste Theil des Werkes, welches sich genügend daraus erklärt, dass die dortigen Herrscher, die Aliden im heutigen Marokko, die Fatemiden in der Berberey, und die Ommiaden in Spanien, von den Abbasiden in Bagdad, Isztachri's Oberherrn, für Ketzer erklärt waren, und also mit dem Hofe von Bagdad in keiner Verbindung standen. Aus derselben Ursache erklart es sich auch, dass Isztachri von Obeidalla, der im J. 934. starb, wie von einem Lebenden spricht, während er Ichschid, der doch erst im J. 935 zur Herrschaft von Aegypten gelangte, kennt; Obeidalla's Sohn wird dem Hofe von Bagdad keine Notifikation über seine Thronbesteigung und über das Ableben seines Vaters zugestellt haben.

Die Beschreibung von Syrien ist dagegen viel genauer, und namentlich scheint er Jerusalem und Damaskus aus eigener Anschauung zu schildern; das mittelländische Meer gehört wieder zu den schwächeren Parthien. Mesopotamien, Irak, Chusistan, Pars und Kirman gehören zu den wichtigsten Theilen des Werkes; vorzüglich reichhaltig ist die Beschreibung von Chusistan und Pars ausgefallen. Die fragmentarischen Nachrichten des Pseudo-Moses von Chorene und Abulfeda's über den Zuckerbau in Chusistan finden hier die vortrefflichste Erläuterung. Bei Pars, seinem Vaterlande, scheint er sich mit besonderer Vorliebe aufzuhalten, und die Beschreibung gewinnt hier sogar eine Art von systematischer wissenschaftlicher Form. Seine Nachrichten über die Gewinnung der Mumie bei Darabgerd und über den Dattelbau in Kirman geben Anlass zu interessanten Vergleichen mit Kämpfer, und dienen einander zur gegenseitigen Bestatigung. Die Beschreibung von Mehran ist durch die Schuld des Abschreibers verloren gegangen, und bei Sind ist es zu sehen, dass der Verfasser das Land nicht aus eigener Anschauung kennt. Dagegen finden wir wieder in seiner Beschreibung von Armenien, Arran, Aferbaigan, Irak Adschemi, Dilem und Tabaristan eine Fülle von Nachrichten, welche man anderswo vergeblich sucht, und die in vielen Fällen zur Berichtigung späterer Geographen dienen. Die Beschreibung des kaspischen Meeres ist in jeder Hinsicht ein wahres Curiosum; wir finden hier ein wunderliches Gemisch von geographischer Mythe und Wahrheit, und seine Nachrichten über den Chasarenstaat sind lauter Räthsel, die durch das Buch Kofri und durch Konstantin de administratione Imperii nur theilweise ihre Auflösung finden. Von der höchsten Wichtigkeit sind wieder seine Berichte über Segestan, Chorasan und Mawarennahr. Wer wird nach der Stelle S. 109 noch daran zweifeln, dass die Windmühlen eine orientalische Erfindung sind? Wie schön stimmen seine Nachrichten über die Ungläubigen in Gur S. 118 mit den Berichten von Sir Alex. Burnes überein! Und wenn er S. 126 mit dürren Worten sagt, dass der Dschihun (Oxus) sich in den Aralsee ergiesst, so bereitet er der neueren Wissenschaft, welche aus blosser Induktion aus geologischen und physikalischen Gründen die Sage von einer ehemaligen Bifurkation des Oxus und einer Abdämmung der Mündung bei dem kaspischen Meere bestritt, den schönsten Triumph. Bei dem äussersten Norden von Mawarennahr werden seine Nachrichten wieder unbrauchbar, vielleicht weniger durch eigene Schuld, als durch Unwissenheit des Abschreibers.

Eine sehr willkommene Zugabe sind die Karten, 19 an der Zahl. Nur von Arabien gibt er keine Karte, welchem Mangel indessen durch die Karte vom persischen Meere, die erste im Werke, theilweise abgeholfen wird. Bei aller Rohheit der Ausführung, bei allen Fehlern, von denen sie wimmeln, haben sie dennoch ein mehrfaches Interesse. Es sind die ältesten morgenländischen Karten, die wir kennen, und nächst der Peutinger'schen Karte überhaupt die ältesten, welche uns aufbewahrt worden sind. Schon aus diesem Grunde gewähren sie ein grosses Interesse, indem sie ein wesentlicher Beitrag zur Geschichte der Mappirungskunst sind. Wir lernen aus ihnen, welche Ansichten man sich damals von der relativen Lage der Länder machte, und die achtzehnte Karte dient gleichfalls zur Bestätigung der uralten Mündung des Oxus in den Aralsee. Aus diesen Gründen habe ich mich veranlasst gesehen, mehrere dieser Karten der Uebersetzung beifügen zu lassen, nämlich 1) die Karte No. V vom mittelländischen Meere in getreuester Kopie, um dem Nichtbesitzer des Originals eine Idee von den Karten im Allgemeinen zu geben, und zugleich als Curiosum, indem die dem Werke beigefügte Kiepert'sche Karte, welche nach den neuesten Forschungen bearbeitet ist, die Fortschritte der Mappirungskunst mit Einem Blicke zeigt. 2) Die Karte von Irak No. VII, wo die rohe Darstellung des Kanal- und Bewässerungssystems am untern Tigris und Euphrat nicht ohne Interesse ist. 3) Die Karte No. IX von Pars, dem Vaterlande des Verfassers. 4) No. XV, Karte vom kaspischen Meere, wieder ein wahres Curiosum. 5) Ein Theil der Karte No. XVIII, nämlich derjenige Theil, wo der Lauf des Oxus dargestellt ist, wobei ich die beweisenden Stellen mit diplomatischer Treue in arabischer Schrift habe kopiren lassen. Zugleich erhält der Leser die Karte von Segestan No. XVII, als Bei-

lage der Uebersetzung Madini's, welche nie in den Buchhandel gekommen ist.

§. 3.

Die Handschrift der Gothaer Bibliothek, welche Herr Dr. Moeller
herausgegeben hat, führt die No. 312, und besteht aus. 75 Blattern. Sie
wurde, laut der Unterschrift des Abschreibers, im J. 569 der Hedschra
oder 1484 der seleucidischen Aera, also in der letzten Hälfte des Jahres
1173 n. Chr. G. angefertigt. Die Beifügung der seleucidischen Aera
lässt auf einen christlichen Abschreiber schliessen, welches durch den
Umstand, dass nach dem gewöhnlichen Bismilla des Anfangs der üb-
liche Eingang zum Lobe Gottes und Mohammeds weggeblieben ist, bestätigt wird. Die Abschrift ist im höchsten Grade nachlässig, und
grösstentheils von diakritischen Punkten entblösst, wodurch das Verständniss des Werkes in vielen Fällen nicht nur erschwert, sondern
selbst unmöglich wird. Zu diesen an sich ungünstigen Umständen
kommen noch folgende Schwierigkeiten. Der Abschreiber fertigte seine
Kopie nach zwei Handschriften an, welche unter sich sehr schlecht
übereinstimmten, und der Kopist bewies dabei eine seltene Ungeschick-
lichkeit, indem er die Lesarten seiner beiden Originale oft auf die sinn-
loseste Weise zusammenwarf; zuweilen schien er von einem kritischen
Kitzel ergriffen zu werden, und sich zu erinnern, dass er nicht nur eine
Kopirmaschine, sondern auch ein denkendes Wesen war, und in einem
solchen Paroxysmus kommen die schnurrigsten Dinge zum Vorschein.
Der Leser wird solche Stellen in ziemlicher Anzahl finden. Auch die
Karten von No. VIII an hatte der Kopist in doppelten Originalen vor
sich, und bei der Auswahl der Lesarten derselben bewies er sich eben
so ungeschickt. Auch den Gebrauch des Löschpapiers oder Streusandes
scheint er nicht gekannt zu haben, indem er die Karten, sobald sie
fertig waren, ohne Weiteres in den Text legte, und dadurch oft die
grössten Verwüstungen anrichtete. So hat die Zeichnung des rothen
Meeres, des Nil und des Berges Sinai (Tab. III.) den Schluss der gegenüberliegenden Beschreibung von Magreb und den Anfang der Beschreibung von Aegypten S. 25 fast unleserlich gemacht; so der Libanon und
das galiläische Meer Tab. IV, einen Theil der Beschreibung von Syrien
S. 36; so der persische Meerbusen Tab. IX einen Theil der Beschreibung von Pars S. 68; so hat sich ein Theil des kaspischen Meeres
Tab. XV in die Wüste von Chorasan S. 98 ergossen, und ein Theil
des Aralsees Tab. XVIII auf Transoxania S. 112. Gegen das Ende
wird das Papier sogar durchlöchert, z. B. S. 123 und 124: lauter Dinge,
wodurch die Geduld des Uebersetzers, der Scharfsinn des Kritikers und

die Gelehrsamkeit des Kommentators auf die schwierigsten Proben gestellt werden. Am schlimmsten steht es dabei mit den Eigennamen,
weil hier sich aus dem Zusammenhange keine Conjekturen ziehen lassen.
Zur Ueberwindung dieser Schwierigkeiten bieten sich indessen dem
Uebersetzer mehrere Hülfsmittel dar; dahin gehören die Stellen, welche
der Herausgeber aus der persischen Uebersetzung des Werkes und aus
Ibn Haukal hinzufügte, wo die Handschrift Lücken liess; die Vergleichung mit Abulfeda und andern orientalischen Geographen; im Allgemeinen aber der Zusammenhang, und bei den Eigennamen die Karten
und neuere Reisewerke. Dass alle diese Hulfsmittel dennoch nicht
immer ausreichten, wird man an verschiedenen Stellen des Werbs sehen,
wo ich entweder gar keine Uebersetzung versuchte, oder wo sie fehlerhaft ward, wie ich solches bei späterer Durchsicht bemerkte; zuweilen
fand ich die richtige Uebersetzung erst, als der Druck bereits vollendet
war, in welchem Falle ich keinen Anstand genommen habe, in den Zu-
sätzen und Verbesserungen meinen Irrthum einzugestehn, und ich werde
mich wohl hüten, meine Uebersetzung überall als richtig ausgeben zu
wollen. Wer jemals eine ähnliche Arbeit versucht hat, wird die Schwierigkeiten derselben und die Möglichkeit des Irrthums kennen; es kommt
dabei ungemein viel, mehr als man glauben möchte, auf einen glücklichen Blick an, der oft in einem einzigen Moment heraus findet, was
stundenlanges Grubeln, Betrachten der Züge, Combiniren der Moglich-
keiten, Blattern in ahnlichen Werken u. s. w. nicht ermittelt. Es soll
dies keine Captatio Benevolentiae sein, deren es bei dem Kenner solcher
Arbeiten nicht bedarf, sondern blos demjenigen, der gewohnt ist, aus
hübschen pariser und londoner Ausgaben von Romanen Uebersetzungen
zu machen, einen Begriff von den Schwierigkeiten geben, mit denen
der Bearbeiter eines morgenländischen Manuskriptes zu kampfen hat.
Es würde mir sehr lieb sein, wenn durch vorliegende Arbeit andere
veranlasst würden, ihre Kräfte am Isztachri zu versuchen, und die noch
dunkeln Stellen desselben aufzuhellen.

Die Anmerkungen und Erlauterungen sind grösstentheils für Nicht-
kenner des Arabischen berechnet, und machen im Ganzen keinen Anspruch auf völlige Erschopfung des Gegenstandes; im Gegentheil habe
ich mich sehr oft darauf beschränkt, nur durch wenige Worte anzu-
deuten, was einen seitenlangen Kommentar erfordern könnte; manches
habe ich ganz übergangen, wahrend es vielleicht sehr oft dem Kenner
des Orients scheinen könnte, dass ich allbekannte Dinge erklare. Ueber-
haupt ist wohl kein Kommentar von dem Vorwurfe frei, dass er bald zu viel
und bald zu wenig erlautere, je nach der Fassungsgabe des Recensenten.

Bei dieser Gelegenheit kann ich nicht umhin, folgende Bemerkung zu machen. Trotz des grossen Reichthums der arabischen Sprache zeigt sich in den Ausdrücken, welche einzelne administrative und gouvernementale Verhaltnisse betreffen, als belad, medina, sowad, rabat, had, kirie u. s. w. (Land, Stadt, Weichbild, Vorstadt, Gränze, Dorf) eine Ideenverwirrung, welche dem europaischen Leser zwar unbegreiflich erscheint, nichts desto weniger aber wirklich vorhanden ist. Bei naherer Untersuchung wird man finden, dass diese Unbestimmtheit und Unsicherheit der Ausdrücke von der Ungewissheit und Unbestimmtheit der bürgerlichen Verhältnisse des Morgenlandes herrührt. Wo das Recht bloss für den Souverain da ist, während die Unterthanen rechtlose Wesen und blosse Besitzthümer sind, wo das Recht der Souveraine keine andere Basis, als das Glück und den Erfolg hat, wo man nur Sklaven und Herren kennt, da ist nicht der Boden, wo der dritte Stand seine Nahrung findet, und mithin alles, was sich auf den Bürgerstand bezieht, bis auf seinen Wohnort und selbst seinen Namen und seine Existenz, sind Ideen, die dem Morgenlander fehlen, und zu deren Ausdruck seine Sprache eine auffallende Unfahigkeit besitzt. Noch in neuester Zeit geben die Aktenstücke in türkischer Sprache, welche Verhältnisse der osmanischen Pforte zu den Hansestädten betreffen, einen Beweis davon, wo man sieht, wie sich die türkischen Philologen abmartern, um solche Begriffe wie Republik, Bürger u. s. w. in ihrer Sprache erschöpfend auszudrücken.

§ 4.

Bei der Uebersetzung habe ich mich bemüht, so viel als möglich den Wortlaut des Originals wiederzugeben. Bei der Uebertragung der Namen, wenn solche fehlerhaft oder gar nicht punktirt waren, habe ich, wie ich bei der Correktur bemerke, nicht dieselbe Consequenz beobachtet. Bald habe ich die fehlerhafte Schreibart des Originals beibehalten und in den Anmerkungen das Erforderliche erinnert, bald habe ich den Fehler stillschweigend verbessert, bald habe ich ihn stehen lassen ohne etwas zu erinnern. Entweder war es ein offenbares Versehen des Abschreibers, und dann habe ich, wenn die Sache nicht von Bedeutung war, den Fehler ohne Weiteres verbessert; in wichtigen Fällen aber habe ich allemal das Nöthige erinnert; oder ich war zweifelhaft, wo der Fehler seinen Ursprung hatte, und dann habe ich ebenfalls in den Anmerkungen etwas darüber bemerkt. Im Allgemeinen erwähne ich hier, dass ich bei der Uebersetzung die von Reinaud und Slane besorgte Ausgabe des Abulfeda*) bestandig zur Seite hatte; diese Ausgabe habe

---

*) Géographie d'Aboulféda. Texte Arabe publié d'après les Manuscrits de Paris et de Leyde aux frais de la Société Asiatique, par M. Reinaud et M. le Baron Mac Guckin de Slane. Paris, MDCCCXL. 4°.

ich immer citirt. Bei den einzelnen Ländern verglich ich solche Reisewerke, welche für dieselben als klassisch gelten, z. B. Niebuhr und
Burkhardt bei Arabien, Kämpfer, Sir W. Ouseley und Sir R. Porter
bei Persien, Sir H. Pottinger bei Sind u. s. w. Die Resultate dieser
Vergleichungen bilden den Haupttheil der Anmerkungen; das Uebrige
ist das Ergebniss gelegentlicher Lecture oder von Erkundigungen bei
solchen, die den Orient aus eigener Anschauung kennen. Ich kann nicht
umhin, bei diesem Anlasse die Liberalität, mit welcher die Schätze der
hiesigen Stadtbibliothek und Commerzbibliothek zu meiner Verfügung
gestellt wurden, öffentlich und mit Dank anzuerkennen.

Zum Schlusse füge ich das kurze Verzeichniss der Isztachri - Litte-
ratur hinzu.

1) The Oriental Geography of Ebn Haukal, an Arabian Traveller
of the Tenth Century. Translated from a Manuscript in his own Possession, collated with one preserved in the Library of Eton College, by
Sir William Ouseley, Knt. L. L. D. — Orbis situm dicere aggredior, impe-
ditum opus et facundiae minime capax. Pomp. Mela. London, Printed at
the Oriental Press, by Wilson & Co. Wild-Court, Lincoln's Inn Fields,
For T. Cadell Jun. and W. Davies, Strand. 1800. XXXVI und 328 S. nebst
einer Karte. 4°. Ueber dieses Werk ist bereits oben gesprochen worden.

2) Liber Climatum auctore Scheicho Abu-Ishako el Faresi vulgo
El-Isstachri. Ad similitudinem codicis Gothani accuratissime delincan-
dum et lapidibus exprimendum curavit Dr. J. H. Moeller. Praemissa
est Dissertatio de libri Climatum indole, auctore et aetate. Gothae in
libraria Bekkeriana. MDCCCXXXIX. 26 Seiten Einleitung und 126 lithographirte und 6 gedruckte Seiten Text, nebst 19 lithographirten Karten. 4°.

3) Il Segistan ovvero il Corso del fiume Hindmend secondo Abu
Ishak-el-Farssi-el-Isstachri Geografo Arabo. Edizione fuori di com-
mercio. Milano, 16. agosto 1842. Tip. Bernardoni. 24 Seiten nebst
einer Karte. 4°, und

4) dieses Buch.

Das sub 3) angeführte Buch ist eine Gelegenheitsschrift und nicht
in den Buchhandel gekommen. Hr. Madini hat den ganzen Rest der
Auflage dem Rauhen Hause geschenkt; sie wird, so weit der Vorrath
reicht, der gegenwärtigen Uebersetzung beigelegt, und dürfte ein nicht
unwillkommener Beitrag, theils wegen der schätzbaren Anmerkungen,
theils wegen der hübschen, meisterhaft kopirten Karte sein.

Ham, Ostern 1845.   A. D. Mordtmann.

Im Namen Gottes des Allerbarmers.

Mit Gottes Hülfe beginnt die Beschreibung der Gränzen der Länder, die Darstellung der Gegenden der Erde, und die Schilderung ihrer Städte, Meere und Flüsse.

Gränzen und Entfernungen der Länder.

Die Länder des Islam gränzen im Osten an Indien; im Westen an Kleinasien, Armenien, das Land der Alanen, Aran, Serir, die Länder der Chafaren, Russen, Bulgaren und Slaven, und an einen Theil des Türkenlandes[1]); im Norden an China[2]) und einen Theil des Türkenlandes; im Süden an das persische Meer[3]).

China gränzt im Osten und Norden an den Ozean; im Süden an die Länder des Islam und an Indien; im Westen aber, wenn wir Iadschudsch und Madschudsch[4]), und was hinter ihnen bis zum Meere liegt, zu diesem Reiche rechnen, an den Ozean.

Indien gränzt im Osten an das persische Meer; im Westen und Süden an die Länder des Islam und im Norden an China.

Die grössten Meere sind das persische Meer und das mittelländische Meer; das grösste von diesen ist das persische Meer, welches mit dem Meere von Kolfum[5]) verbunden ist.

Das eigentliche Römerland erstreckt sich von dem Ozean bis zu den Slaven, welche letztere von ihnen verschieden sind; doch haben sie dieselbe Religion.

„Das Land der Gufie liegt zwischen den Ländern der Chafaren, der Kaimak, der Charlechie und der Bulgaren. Dilem liegt zwischen Dschordschan bis Barab und Esbidschab; das Land der Kaimakie liegt jenseits der Charlechie im Norden; letztere aber zwischen den Gufie, den Charchif und den Slaven"[6]). Das Land der Charchif liegt zwischen

den Tagafgaf, den Kaimak, dem Ozean und den Charlechie. Baarar
liegt zwischen Tübet, den Charlechie, den Charchif und dem chinesischen
Reiche. China liegt zwischen dem Meere, den Tagafgaf, Tübet und
den Slaven und ist zwei Monate lang und breit. Die Russen wohnen
zwischen den Bulgaren und den Slaven. Ein türkischer Stamm hat
sich von den übrigen abgesondert, und wohnt jetzt zwischen den Chafaren und den Römern; sie heissen Bedschinak; ehemals hatten sie
hier keine Wohnsitze, sondern sie haben diese Gegenden angegriffen
und erobert[7]).

Im Süden der Erde ist das Land Sudan, welches im äussersten
Magreb am Ozean liegt, und an kein anderes Land gränzt; denn es
stösst theils an den Ozean, theils an die Wüste von Magreb, theils an
die Wüste von Aegypten auf der Seite, wo die Oasen liegen, theils an
die Wüste, welche, wie wir gesagt haben, wegen der grossen Hitze nicht
bewohnt ist. Ich habe gehört, dass die Länge dieses Landes vom Meere
bis zu den Oasen 700 Parasangen beträgt; die Breite ist geringer.

Nubien gränzt an Aegypten und an die Wüste zwischen Sudan und
Aegypten; ferner an Bedscha und die Wüsten zwischen Bedscha und
Kolfum, und endlich an jene unwegsame Wüste.

Bedscha ist ein kleines Gebiet zwischen Habesch, Nubien und
jener unwegsamen Wüste.

Das Land Sindsch[8]) ist länger als Sudan, und gränzt an kein anderes
Land, als an Habesch; es liegt Jemen, Fars und Kirman bis Indien
gegenüber.

Habesch liegt am Meere von Kolfum, und erstreckt sich der Länge
nach bis Sindsch; ferner gränzt es an die Wüste zwischen Nubien und
dem Meere von Kolfum, so wie an Bedscha und an die unwegsame Wüste.

Chafar ist der Name eines Volkes und nicht eines Landes; letzteres
heisst Atel nach dem Flusse, welcher durch dasselbe fliesst und sich in
das chafarische Meer ergiesst, und liegt zwischen dem chafarischen
Meere, den Russen, den Gufie und Serir[9]).

Tübet liegt zwischen China, Indien, dem Lande der Charlechie,
Tagafgaf und dem persischen Meere; ein Theil desselben gehört zum
indischen Reiche und ein Theil zum chinesischen Reiche; auch hat es
einen eigenen König, der von den Tobbas abstammen soll[10]).

Länder des Islam.

Allgemeine Entfernungen.

Die Länge der islamitischen Länder von Fergana durch Chorasan, Dschebal, Irak und Arabien bis an die Küste des Meeres beträgt ungefähr 5 Monate; die Breite von Kleinasien durch Syrien, Dschefíre, Irak, Fars und Kirman bis Manszure an der Küste des persischen Meeres ist ungefähr 4 Monate. Bei diesen Längenbestimmungen habe ich aber Magreb bis Andalus ausgelassen, da es gleichsam der Aermel am Kleide ist. Rechnet man aber dieses hinzu, so beträgt die Länge des islamitischen Reiches 310 Stationen [11]. Von Kolfum bis China beträgt die Reise in gerader Linie ungefähr 200 Stationen; denn von Kolfum durch die Wüste bis Irak sind ungefähr 2 Monate; von Irak nach Balch ungefähr zwei Monate; von dem Flusse von Balch bis zur äussersten Gränze des Islam und Fergana einige und zwanzig Stationen; von dort mitten durch das Land der Charlechie bis zum Eintritt in das Gebiet von Tagafgaf einige und dreissig Stationen, und von dieser Stelle bis zum Meere an der äussersten Gränze von China ungefähr zwei Monate. Will man aber die Strecke von Kolfum bis China zur See zurücklegen, so wird der Weg wegen der vielen Krümmungen und Umwege in diesem Meere weit länger. Das Mittelländische Meer ist ungefähr 7 Monate lang; es lässt sich diese Fahrt weit rascher zurücklegen, als die des persischen Meeres [12], da von einem Ende desselben bis zum andern nur Ein Wind weht. Von Kolfum, einem Busen des persischen Meeres, bis zum mittelländischen Meere über Farma, sind 4 Stationen [13]. Von dieser Stelle des mittelländischen Meeres bei Farma bis zur Mark sind einige und zwanzig Stationen. Von Aegypten bis zur äussersten Gränze von Magreb sind ungefähr 180 Stationen. Es sind also vom äussersten Punkt der Erde im Westen bis zum äussersten Punkte im Osten ungefähr 400 Stationen. Ihre Breite aber vom äussersten Norden bis zum äussersten Süden, d. h. von der Küste des Ozeans bis zum Lande Jadschudsch und Madschudsch, dann längs Slavonien, durch das Land der Bulgaren und Slaven, durch Rum und Syrien sind ungefähr 65 Stationen; von Syrien nach Aegypten bis zur Gränze Nubiens ungefähr 35 Stationen; dann durchschneidet man die Wüste von Sudan und Sindsch bis zum Meere. Dies ist die gerade Linie vom Norden zum Süden der Erde; was man davon weiss, ist folgendes. Von Jadschudsch bis zum Lande der Bulgaren und Slaven sind ungefähr 40 Stationen; von den

Slaven bis Kleinasien und Syrien ungefähr 60 Stationen; von dort nach
der äussersten Gränze von Nubien ungefähr 80 Stationen; das macht
also 220 Stationen durch lauter bewohntes Land[14]. Aber die Strecken
zwischen Jadschudsch und Madschudsch und dem Ozean im Norden,
so wie zwischen den Wüsten von Sudan und dem Ozean im Süden
sind öde, und ich habe nicht gehört, dass daselbst Wohnungen sind.
Auch habe ich nichts über die Entfernungen zwischen Britannien und
dem Ozean gehört, und die Wege daselbst werden wegen der über-
mässigen Hitze und Kälte nicht betreten. Wenn man um das chafarische
Meer reisen will, und von der Küste von Chafar aus nach Dilem,
Tabaristan, Dschordschan, durch die Wüste nach dem Siakuh geht, so
kommt man zu der ersten Stelle zurück, ohne auf andere Hindernisse,
als auf Flüsse zu stossen. Von dem See von Chowarefm[15], und von
ähnlichen in den Ländern von Sindsch so wie den Kanälen und Seen
jenseits der Griechenländer wird hier nichts erwähnt, weil sie jenen
Meeren nicht gleich kommen.

Das chinesische Reich hält 4 Monate in der Länge und 3 Monate
in der Breite. Wenn man von der Mündung des Kanals bis zum islamitischen Gebiete in Mawarennahr reist, so sind dies ungefähr 3 Monate;
und wenn man von der Ostgränze bis zur Westgränze in Tübet reist,
und ferner durch Tagafgaf, Charchif und längs den Kaimak bis zum
Meere, so beträgt es ungefähr 4 Monate. In China sind verschiedene
Religionen; aber alle verschiedenen Bewohner in den Ländern der
Tagafgaf, Charchif, Kaimak, Gufie und Charlechie haben nur eine Religion.

Indien hält der Länge nach von Mekran in dem Lande von Manszura,
von Jeddaha[16] und den übrigen Ländern von Sind bis Kanudsch und
Tübet ungefähr 4 Monate; die Breite vom persischen Meere nach Kanudsch ist ungefähr 3 Monate.

Alle östlichen Reiche gehören dem Könige von China, welcher in
Chamdan[17] residirt; die westlichen Reiche gehören dem Könige, welcher
in Konstantinopel residirt; die islamitischen Reiche demjenigen, welcher
in Bagdad residirt, und die indischen Reiche dem Könige, welcher in
Kanudsch residirt.

Wir wollen jetzt die Länder des Islam nach ihren Abtheilungen,
Klima für Klima, mit ihren Städten, so wie ihre Entfernungen und
Eigenheiten beschreiben.

Arabien.

Arabien beginnt bei Abadan, wo sich der Tigris in's persische
Meer ergiesst, und erstreckt sich längs dem Meere bei Bahrein bis

Oman; dann wendet sich die Küste längs Mahra, Hadhramaut und Aden nach Iemen, und von hier längs Dschidda, Har und Jemen [18]) bis Aila, welcher Ort an dem Meerbusen liegt, welcher das Meer von Kolſum heisst; hier stösst Arabien an Faran und Hilab. Dies ist die Ost-, Süd- und ein Theil der Westgränze. Dann erstreckt es sich von Aila, bei der Stadt des Volkes Lot, und dem See, welcher der See Sogar heisst, nach Schorah und Belka, welche zu Palästina gehören, Edraat, Hauran, Batanäa, Guta und der Umgegend von Baalbek, welche Orte zum Gebiet von Damaskus gehören, Tadmor und Salamia, welche zum Gebiet von Himsz gehören, Chunaszera und Balis, welche zum Gebiet von Kinnesrin gehören. Hier erreicht es den Euphrat, und erstreckt sich längs demselben bei Rakka, Karkisia, Rahaba, Ana, Haditha, Hit, Anbar und Kufa; dann bei den Sümpfen längs dem Gebiete von Kufa, Hira, Chawernak, Sowad Kufa bis Waset; eine Station von Waset vereinigt sich der Euphrat mit dem Tigris; von hier erstreckt sich Arabien längs Sowad Baszra und den Sümpfeu von Baszra bis Abadan. Dies ist der Umfang von Arabien. Von Abadan bis Aila wird Arabien von dem persischen Meere begränzt, welches ungefähr drei Viertel von Arabien umgiebt, nämlich auf der Ost-, Süd-, und auf einem Theil der Westgränze. Das Uebrige der Westgränze, nämlich von Aila bis Balis, gehört zu Syrien. Die Nordgränze geht von Balis bis Abadan; davon gehört die Strecke von Balis bis in die Nähe von Anbar zu Dschefíra, und von Anbar bis Abadan zu Irak. Bei Aila ist die Wüste Tih Beni Israil (die Wüste der Kinder Israel), welche an Arabien gränzt, aber nicht zu Arabien gehört; denn diese Wüste liegt zwischen dem Lande der Amalekiter, der Griechen und der Kopten; die Araber selbst haben hier keine Wasser- und Weideplätze, wesshalb sie nicht zu Arabien gerechnet wird [19]). Ferner wohnen zwar Stämme von Rebia und Modhar in Dschefíra, so dass sie dort Wohnsitze oder Weideplätze haben, doch werden auch diese nicht zu Arabien gerechnet, da sie sich an den Gränzen von Persien und Griechenland niedergelassen haben z. B. die Taglabiten aus Rebia in Dschefíra; die Gasaniten und Behriten oder Tenuchiten aus Jemen in Syrien.

Zu Arabien gehören: Hedschaf (welches Mekka und Medina enthält), Jemama mit seinen Distrikten, Nedschd el Hedschaf (das Hochland von Hedschaf), welches an Bahrein stösst, die Wüste von Irak, die Wüste von Dschefíra, die Wüste von Syrien und Jemen, welches Tehama (das Küstenland), Nedschd el Jemen (das Hochland von Jemen), Oman, Mahra, Hadhramaut, das Land von Szanaa und Aden, und die übrigen Distrikte umfasst. Jemen erstreckt sich von Sirrein [20]) bis Jelemlum, dann längs Tajef, Nedschd el Jemen, ostwärts bis zum persischen Meere; es umfasst ungefähr zwei Drittheile von Arabien. Hedschaf erstreckt sich von Sirrein, längs dem persischen Meere bis in die Nähe von Midian, dann rückwärts im Osten längs Hadschr zu den Bergen von Tai und längs Jemama bis zum persischen Meere. Nedschd erstreckt sich von der Gränze von Jemama bis in die Nähe von Medina, dann zurück längs der Wüste von Baszra längs Bahrein bis zum Meere. Die Wüste von Irak beginnt bei Abadan, und erstreckt sich bis Anbar, Nedschd und Hedschaf gegenüber, längs Asad, Taj, Temim und den übrigen Stämmen von Modhar. Die Wüste von Dschefira erstreckt sich von Anbar bis Balis, der syrischen Wüste gegenüber, längs der Breite von Tima und der Wüste von Choschaf bis in die Nähe von Wadi'l Kora und Hadschr. Die syrische Wüste erstreckt sich von Balis nach Aila, Hedschaf gegenüber, am persischen Meere, bis in die Nähe von Midian, längs der Breite von Tebuk bis zu dem Gebiete von Tai. Einige Gelehrte rechnen Medina zu Nedschd, weil es in dessen Nähe liegt, und Mekka zu Tehama el Jemen, ebenfalls weil es in dessen Nahe liegt.

In Arabien kennt man keinen schiffbaren Fluss oder See; denn das todte Meer oder der See Sogar gränzt an die Wüste, gehört aber nicht zu derselben; und die Wassersammlung in Jemen im Distrikt von Saba war ein überschwemmter Platz, an dessen Rande ein Damm erbaut war, und in welchem sich viel Wasser sammelte, dessen man sich in den Ortschaften und bei den Saatfeldern bediente, bis die Einwohner ungläubig wurden. Darauf versetzte Gott die Häuser der anstossenden Dörfer nach Syrien, so dass Unheil den Ort betraf, und das Wasser nicht mehr zu gebrauchen war.

Mekka liegt in einem Thale zwischen Gebirgen; die Kaaba ist in der Mitte der Moschee; das Thor der Kaaba ist ungefähr in Mannshöhe von dem Erdboden, und hat nur einen Flügel. Innerhalb der Kaaba ist die Erde in gleicher Höhe mit dem Thore, welches letztere der Kuppel Semfem gegenüber liegt. El Makam Ibrahim (der Ort Abrahams) liegt in der Nähe von Semfem in gerader Linie, und ist gleichfalls dem Thore gegenüber. Vor der Kaaba auf der Westseite derselben ist ein rundes Gebäude, welches zwar auch zum Hause gehört, allein man kann nicht hineingehen; es ist das Hidschr (Mauer) und der Umzug der Pilger geht um dasselbe und um das Haus herum. Von diesem Hause nach dem Hidschr reichen zwei Ecken; die eine heisst die Ecke von Irak, die andere die Ecke von Syrien; von den andern beiden Ecken ist die eine hei dem Thore, und in derselben ist der schwarze Stein, etwas niedriger als in Mannshöhe, und die andere Ecke heisst die Ecke von Jemen. Die Tränke der Pilger, welche die Tränke des Abbas ben Motalleb heisst, ist vor dem Semfem, und der Brunnen Semfem ist zwischen der Tränke und dem Hause. — Das Haus der Versammlung gehört zur Moschee el Haram, und ist der westliche Theil derselben hinter dem Hause des Befehls, auf dem Wege nach der Moschee, welche zu der Moschee el Haram gerechnet wird. Zur Zeit der Unwissenheit[21]) diente sie den Koreischiten als Versammlungsort. — Szaffa ist ein erhöhter Ort auf dem Berge Ebu Kobais; zwischen Szaffa und der Moschee el Haram ist die Breite des Wadi[22]), welcher als Weg und Strasse dient. Wenn man auf dem Szaffa steht, hat man den schwarzen Stein gegenüber vor sich. Der Raum zwischen Szaffa und Merwe heisst Mosaa. Merwe ist ein Felsen.von Kaikaan, und wenn man auf ihm steht, hat man die Ecke von Irak gegenüber vor sich, allein das Gebäude entzieht diese Ecke dem Blick. — Ebu Kobais ist ein Berg, welcher die Kaaba auf der Ostseite beherrscht. — Kaikaan ist ein Berg westlich von der Kaaba; der Ebu Kobais ist höher und grösser, als dieser; die Steine der Kaaba sollen von Kaikaan sein. — Mina liegt auf dem Wege vom Arafat nach Mekka, und ist drei Miglien von Mekka entfernt; es ist ein Thal, dessen Lange ungefähr 2 Miglien, und dessen Breite eine Station beträgt. In diesem Thale sind viele Wohnungen für die Menschen aus allen Ländern des Islam; die Moschee el Chaif liegt fast in der Mitte desselben, etwas mehr nach Mekka zu. — Dschemre el Akaba liegt am äussersten Ende von Mina nach Mekka zu, doch ist diese Dschemre el Akaba nicht diejenige, nach welcher die Dschemre von Mina benannt ist[23]). Dschemre el Avali und Dschemre el Waseti liegen beide oberhalb der Moschee el Chaif nach Mekka zu. — Mafdalefa ist ein Gebäude für die Hadsch und Gebetversammlungen, wenn man von Arafat zurückkommt; es liegt zwischen Batn Muhasr und Mafemein. — Batn Muhasr ist ein Wadi zwischen Mina und Mafdalefa, und gehört weder zu diesem noch zu jenem. — Mafemein ist ein Thal zwischen zwei Bergen, dessen äusserstes Ende bis nach Batn Orna[24]) reicht; letzteres ist ein Wadi zwischen Mafemein und Orna und gehört nicht zum Arafat. — Der Arafat liegt zwischen Wadi Orna, Hajet Beni Aamer, den Felsen, auf welchen der Imam steht, und dem Wege nach Hiszn. — Hajet Beni Aamer liegt bei dem Arafat, und in seiner Nähe ist die Moschee, in welcher sich die Imame zwischen dem Mittags- und Nachmittagsgebet versammeln, und besteht aus einem Palmenhain; es befindet sich dort eine Quelle; der Ort hat seinen Namen von Abdallah ben Aamer ben Kerir. — Der Arafat gehört nicht zum heiligen Gebiet, denn die Gränze des letzteren geht bis Mafemein, und der äusserste Punkt geht bis Ulemein el Madhrubein; was jenseits Ulemein ist, gehört zum Profangebiet; eben so gehört die Stätte, welche die Moschee der Ajescha heisst, nicht zum heiligen Gebiete, welches unterhalb derselben ist. — Das heilige Gebiet erstreckt sich auf ungefähr 10 Miglien, und ist auf seiner ganzen Gränze mit·Gränzzeichen versehen, um es von dem Profangebiet zu unterscheiden. — In Mekka ist nur wenig fliessendes Wasser, welches, wie ich nach meiner Abreise von Mekka gehört habe, aus einer Quelle dahin fliesst (vermittelst einer Wasserleitung), welche zur Zeit des Chalifen Moktader vollendet wurde. Sonst hat Mekka nur Regenwasser und keine Brunnen mit trinkbarem Wasser; das beste ist das des Brunnens Semfem, welches aber nicht zum Trinken dienen kann. — In ganz Mekka giebt es, so viel ich weiss, keine andere Bäume, als solche, die in der Wüste wachsen; sobald man aber die Gränze des heiligen Gebietes überschreitet, findet man Quellen, Brunnen, grosse Baumgruppen, Wadis mit Grün und Palmen, so wie einige einzeln stehende Palmen. Was aber das heilige Gebiet betrifft, so habe ich weder gesehen noch gehört, dass es dort Fruchtbäume gebe, ausser einigen Palmen mit Äpfeln und einigen einzeln stehenden Palmen. — Thebeir ist ein hervorragender Berg, der von Mina und Mafdalefa sichtbar ist. Zur Zeit der Unwissenheit fing man den Lauf von Mafdalefa nicht eher an, als bis die Sonne aufgegangen war und über Thebeir stand[25]. — In Mafdalefa ist Maschaar el Haram, ein Bethaus, wo·die Imame das Abend-, Mitternacht- und Morgengebet verrichten. — Hodaithie[26]) liegt zum Theil im profanen, zum Theil im heiligen Gebiet. Dies ist der Ort, wo die Götzendiener den Propheten von der Moschee el Haram abschnitten. Es ist der entfernteste Punkt des Profangebietes nach dem Hause; es liegt weder in der Länge noch in der Breite des heiligen Gebietes, sondern gleichsam in einem Winkel desselben, wesshalb die Entfernung desselben von der Moschee mehr als eine Tagereise beträgt.

Medina ist um die Hälfte kleiner als Mekka, und liegt in einer steinigen und salzigen Gegend; die Stadt hat viele Palmen, und das Wasser für die Palmen und Saatfelder wird von Sklaven aus Brunnen geholt. Sie ist mit einer Mauer umgeben, und die Moschee liegt ungefähr in der Mitte der Stadt. Das Grab des Propheten ist ostwärts von der Moschee, in der Nahe der Kibla; es ist die östliche Mauer der Moschee. Das Grab ist erhöht, so dass es mit dem Dach der Moschee in gleicher Höhe ist; es ist verschlossen und hat keine Thür. Es ruhen darin der Prophet, Ebubekr und Omar. Die Kanzel, auf welcher der Prophet das Gebet verrichtete, ist jetzt von einer andern Kanzel verdeckt;

zwischen ihnen und dem Grabe ist ein Garten. Das Bethaus, in welchem der Prophet an Festtagen das Gebet verrichtete, liegt im westlichen Theile der Stadt, innerhalb des Thores. Bekia el Garkad [27]) liegt ostwärts von der Stadt vor dem Thore Bekia. — Koba ist ungefähr 2 Miglien von Medina in der Richtung der Kibla [28]); es besteht aus mehreren Häusern der Anszarier [29]), und gleicht einem Dorfe. — Ohod ist ein Berg im Norden von Medina, und der nächste Berg bei dieser Stadt, von welcher er nur 2 Parasangen entfernt ist. In seiner Nähe haben die Bewohner von Medina Saatfelder. — Wadi Akik liegt zwischen Medina und Fora. Fora liegt 4 Tagereisen südlich von Medina; es ist hier eine Hauptmoschee; aber die meisten Fluren dieses Ortes sind wüste, gleich wie auch viele und grosse Fluren um Medina wüst liegen. — Akik ist ein Wadi von Medina, 4 Tagereisen davon entfernt auf dem Wege nach Mekka; die süssesten Brunnen dieser Gegend sind die des Akik.

Die Hauptstadt von Jemama ist kleiner als Medina, doch hat sie mehr Palmen und Früchte, als Medina und das übrige Hedschaf.

Bahrein gehört zum Gebiete von Nedschd; die Hauptstadt heisst Hadschr; es wohnen hier viele Juden, da sie nicht zu Hedschaf gehört; sie liegt am persischen Meere. Hier ist das Gebiet der Karmaten, welches aus vielen Ortschaften besteht; die Stämme von Modhar, welche früher hier zahlreich waren, sind jetzt verschwunden.

In Hedschaf giebt es keine grössere Stadt nach Mekka und Medina, als Jemama, welche an Grösse Wadi'l Kora gleich kommt.

Wadi'l Kora hat Palmen und Quellen.

Dschar ist der Hafen von Medina, wovon es 3 Stationen entfernt ist; es liegt am Meere und ist kleiner als Dschodda [30]).

Dschodda ist der Hafen von Mekka, wovon es 2 Stationen entfernt am Meere liegt. Es ist bevölkert, treibt vielen Handel und ist sehr wohlhabend. Nächst Mekka giebt es in Hedschaf keinen Ort, der so reich ist und so vielen Handel treibt; letzterer besteht vornehmlich in Pferden.

Tajef, eine kleine Stadt, nahe bei Wadi'l Kora; ihre meisten Früchte sind Rosinen; die Luft ist gesund; Mekka bezieht seine meisten Früchte von hier. Die Stadt liegt an dem Berge Gafwan [31]).

Auf dem Berge Gafwan sind die Wohnungen der Beni Saad und der Stämme von Hudheil. So viel mir bekannt ist, giebt es in Hedschaf keinen kälteren Ort, als den Gipfel dieses Berges; eben dadurch wird das Klima von Tajef sehr gemässigt. Ich habe gehört, dass das Wasser oft auf dem Gipfel des Berges gefriert; in Hedschaf giebt es keinen andern Ort, wo das Wasser gefriert.

Hadschr[32]) ein kleiner Ort mit wenigen Bewohnern, von Wadi'l
Kora eine Tagereise entfernt, zwischen Bergen. Hier war der Wohnsitz der Themuditen, wovon Gott sagt: „Und mit Themud, welche sich
Felsen ausgehauen im Thale"[33]). Ich habe diese Berge und ihre Skulpturen gesehen, von denen Gott spricht: „Sie bauten sich sinnreich Hauser
aus Steinen"[34]). Ich habe ihre Häuser gesehen; sie sind wie unsere
Häuser in den Felsengen; dieses Gebirge heisst Athalib; die Berge
scheinen in der Ferne zusammen hängend; reist man aber durch sie,
so sieht man jeden derselben für sich isolirt stehen, und man kann um
jeden herumgehen; um sie ist Sand, sie sind nicht zusammenhängend,
sondern jeder Berggipfel ist für sich, und nur mit vieler Mühe zu ersteigen. Dort ist auch der Brunnen von Themud, wovon der Herr sagt:
„Die Kamelin habe ihr Wasser, ihr aber das Wasser des jüngsten
Tages"[35]).

Tabuk zwischen Hadschr und der Gränze von Syrien, vier Stationen von letzterer entfernt, auf dem halben Wege nach Syrien, ist
ein befestigtes Schloss mit einer Quelle und Palmen, und einem Garten,
welcher nach dem Propheten benannt ist. Man sagt, dass hier die „Gefährten el Ajeka" wohnten, zu denen Gott den Schoaib[36]) schickte;
Schoaib gehörte jedoch nicht zu ihnen, sondern war aus Midian.

Madian (Midian) am Meere von Kolfum, etwa 6 Stationen von
Tabuk, dem es gegenüber liegt; es ist grösser als Tabuk. Hier ist der
Brunnen aus welchem Moses die Heerden Schoaib's tränkte; ich habe
diesen Brunnen gesehen; er ist jetzt bedeckt, und ein Haus darüber erbaut. — Madian ist auch der Name des Stammes, aus welchem der Prophet Schoaib war, und nach welchem der Ort benannt wurde. Gott
sagt: „Und (wir sandten) nach Madian ihren Bruder Schoaib"[37]).

Dschohfah ist eine grosse bewohnte Station, 2 Miglien vom Meer,
und kommt an Grösse und Bevölkerung Faid gleich[38]).

Faid liegt im Distrikte von Tai; Dschible Tai (die zwei Berge
von Tai) sind 2 Tagereisen davon entfernt; die Tajiten haben hier einige Palmen und Saatfelder; es ist aber nur wenig Wasser da; der
Ort wird von Taitischen Beduinen bewohnt, welche einen Theil des
Jahres sich von hier auf die Weide begeben.

Dschile eine Festung am Ende des Wadi Sitare. Wadi Sitare
liegt auf dem Wege von Batn Morr und Osfan, wenn man nach Mekka
reist. Die Länge dieses Wadi ist ungefähr 2 Tagereisen; es wohnt in
diesem Thale kein Mensch, und man sieht daselbst keine Palmen. Neben
diesem Wadi ist ein anderer ähnlicher Wadi, genannt Wadi Saba, auch
Saire. In Dschile war ein Treffen zwischen den Beni Temim und den

Bekr ben Wajel; am Rande dieses Thals kam Lafit ben Serare, Bruder des Hadscheb ben Serare um.

Chaibar, eine Festung mit vielen Palmen und Saatfeldern.

Jambo, eine Festung mit Palmen, Wasser und Saatfeldern. Hier hielt sich der Fürst der Gläubigen Ali ben Ebu Taleb auf, und seine Kinder waren hier Statthalter; die Datteln dieser Stadt sind besser, als andere Datteln.

Gaidh, ein kleines Schloss zwischen Jambo und Morr.

Asire, ein kleines Schloss zwischen Jambo und Morr, dessen Datteln besser sind, als die übrigen Datteln von Hedschaf, ausser den (Gattungen) Szeihani von Cheibar, und den (Gattungen) Berdi und Adschuh von Medina.

In der Nähe von Jambo ist der Berg Radhwa; es ist ein hoher Berg, voller Schluchten und Wadis; von Jambo sah ich ihn grün; und einer, welcher in den Schluchten umhergegangen war, erzählte mir, es sei daselbst viel Wasser und Bäume. Dies ist der Berg, auf welchem, nach der Meinung der Keisanie, Mohammed ben Ali ben Ebu Taleb noch am Leben sei. Von Radhwa werden Wetzsteine nach andern Ländern ausgeführt. In der Nähe des Berges, zwischen ihm und dem Distrikt Dschohaine liegt längs der Meeresküste der Distrikt der Hasanie; ich schlage die Anzahl der Zelte, die sie bewohnen, auf ungefähr 700 an; sie sind Beduinen, wie die arabischen Wüstenbewohner, und ziehen umher, um Weide und Wasser zu suchen — — — — —[39]). Ihr Distrikt reicht ostwärts bis Wadan.

Wadan ist eine Station von Dschohfa entfernt, und liegt auf dem Wege nach Abwa; letzteres liegt 6 Miglien westwärts von der Pilgerstrasse. Zur Zeit meines Aufenthalts an diesem Orte war hier ein Häuptling der Dschaaferiden, d. h. der Beni Dschaafer ben Ebu Taleb, welche in Fora und Saira viele Besitzungen und Anhänger hatten. Mit den Hasaniden führten sie beständige Kriege, bis ein Stamm aus Jemen, die Beni Harb, sich ihrer Ländereien bemächtigte, und sie sich unterwürfig machte.

Taima, eine Festung, welche bevölkerter als Tabuk ist, wovon sie nördlich liegt; es sind daselbst Dattelpalmen; hier ist die Scheide der Wüste; es ist 3 Tagereisen von Syrien entfernt. Zwischen Irak, Syrien und Jemen kenne ich, ausser diesem keinen Ort in den Distrikten der Araberstamme, wo sie Weiden und Wasser haben; denn zwischen Jemama, Bahrein und Oman jenseits Ebu Kobais ist eine Wüste ohne Brunnen, ohne Bewohner und ohne Weiden, eine Einöde, die weder bewohnt noch betreten wird.

Zwischen Kadesia und Schofuf der Länge nach, und zwischen Semawa und der Gränze der Wüste von Baszra wohnen Stämme der Beni Asad; jenseits Schofuf kommt man in den Distrikt Tai bis Maaden el Nokra der Länge nach, und von den Bergen Tai, Wadi'lkora gegenüber, bis zu den Gränzen des Hochlandes (Nedschd) von Jemama und Bahrein der Breite nach. Jenseits Maaden auf dem Wege nach Medina wohnen die Selim. Rechts von Medina sind die Dschohaina. Zwischen Mekka und Medina wohnen die Bekr ben Wajel mit Stämmen der Modhar, der Huseiniden und Dschaaferiden. In der Nähe von Mekka nach Osten wohnen meistens die Beni Helal und Beni Saad mit Stämmen von Hudheil und Modhar; im Westen die Modahadsch und andere Stämme von Modhar. In der Wüste von Baszra wohnen meistens Beduinenstämme, grösstentheils Temim, bis nach Bahrein und Jemama; jenseits derselben sind die Abd el Kais. In der Wüste von Dschefira wohnen Stämme von Rebia und Jemen, meistens Kelbiten aus Jemen; zu ihnen gehören die Beni Kalisz. Der Beherrscher von Syrien zog wider die Heere der Modhariten aus, und überfiel die Syrischen Truppen, bis ihn Moktafi selbst bei Rakka angriff und gefangen nahm. [40]) Die Wüste Semawa und Duka el Dschebel bis Ain el Jemen und die Wüste Choschaf, und von der Wüste von Dschefira, und die Wüste Choschaf zwischen Rakka und Balis, wenn man nach Syrien reist. [41]) Szeffin ist ein Ort in dieser Wüste in der Nähe des Euphrat, zwischen Rakka und Balis. Die syrische Wüste ist der Wohnsitz der Fafare, Lachm und Dschodham, so wie vermischter Stämme von Jemen, Rebia und Modhar; der grösste Theil ist aus Jemen. Die erwähnte sandige Strecke in Hedschaf gehört zu der Sandwüste, die sich der Breite nach von Schofuf bis Edschfar, und der Länge nach von jenseits der Berge Tai bis ostwärts nach dem Meere erstreckt. Es ist ein gelber feiner Sand, der sich kaum fühlen lässt, und zum Theil nur Staub ist.

Tehama ist ein Theil von Jemen von unregelmässiger Ausdehnung. Es erhebt sich über das Meer von Kolfum, welches seine Westgränze ist; im Osten gränzt es an Saade, Dschoresch und Nedschran; im Norden gränzt es an Mekka und im Süden erstreckt es sich bis ungefähr 10 Stationen von Szanaa.

Das Land Chaulan hat Dörfer, Saatfelder und Wasser, und ist bewöhnt und weit ausgebreitet; es wohnen hier verschiedene Stämme von Jemen [42]).

Nedschran und Dschoresch sind an Grösse ungefähr gleich; in beiden sind Palmen; es wohnen dort viele Stamme von Jemen.

Saade ist grösser und bevölkerter, als beide; es werden hier Felle bereitet, wie in Szanaa.

In Nedschran, Tajef und Dschoresch werden viele Felle bereitet, aber die meisten werden in Saade produzirt. Man findet daselbst viele Reichthümer und Kaufleute. El Hasani, genannt el Resi, hielt sich hier auf.

In ganz Jemen ist keine grössere, besser bewässerte und mehr bevölkerte Stadt, als Szanaa. Ich habe gehört, dass die Einwohner daselbst wegen der gleichförmigen Temperatur überall nichts von Winter und Sommer wissen, und dass die Stunden im Sommer und Winter beinahe gleich lang sind. Hier wohnten vor Alters die Könige von Jemen, und es ist hier ein grosses Gebäude, welches jetzt in Trümmern liegt; es ist ein grosser Hügel, Namens Gomdan, welches das Schloss der Könige von Jemen war; es giebt kein höheres Gebäude in Jemen.

Modidschera ist ein Berg der Dschaaferiden. Ich habe gehört, dass seine Höhe ungefähr 20 Parasangen ist; man findet daselbst Wasser und Saatfelder und die Pflanze Wars; der Berg ist befestigt und nur Ein Weg führte dahin, bis sich der Karmate Mohammed ben Fadhl, der sich in Jemen erhob, desselben bemächtigte [43]).

Schibam, ein stark befestigter Berg, auf welchem Dörfer und Saatfelder und viele Bewohner sind. Er ist berühmt unter den Bergen Jemens. Aus Jemen kommen Karneole und Onyxe; beide müssen abgeschliffen werden, denn sie sind gleichsam mit einer Steinhaut überzogen. Ich habe gehört, dass sie in einer Wüste, in welcher kleine Steine sind, zwischen den Steinen ausgelesen werden.

Aden ist eine kleine Stadt, aber berühmt, denn sie ist ein Seehafen, wo die Schiffer landen; es sind hier Perlenfischereien. Man findet zwar grössere Städte in Jemen, aber keine, die so berühmt ist.

Das Land Abadhia in der Nähe von Dschebwan (Cheiwan?) ist das bevölkertste dieser Gegend, und hat Saatfelder und Wasser in Menge.

Hadhramaut ist im Osten von Aden in der Nähe des Meeres; es ist dort eine grosse Sandwüste, Namens Ahkaf. Hadhramaut selbst ist eine kleine Stadt, hat aber ein weites Gebiet. Hier ist das Grab des Propheten Hud und in der Nähe der tiefe Brunnen Barhut, zu dessen Boden noch niemand gelangen konnte.

Im Lande Mahra ist die Hauptstadt Schahr; es ist ein wüstes Land; die Sprache (der Einwohner) ist sehr barbarisch und man kann sie nicht verstehen. In ihrem Lande sind weder Palmen noch Saatfelder; ihr Reichthum besteht in Kamelen; ihre Dromedare sind auf Reisen vorzüglicher, als andere Dromedare. Der Weihrauch, der nach

andern Ländern gebracht wird, kommt aus diesem Lande. Ihr Gebiet
ist eine ausgebreitete Wüste. Man sagt, dass es zu Oman gehört.
Oman ist sehr bevölkert und hat viele Palmen und Südfrüchte, als
Musa, Granatäpfel, Nebbek u. a. m. Die Hauptstadt ist Szohar, welche
am Meere liegt, und Seehandel und Schifffahrt treibt; es ist die volkreichste Stadt in Oman, und sehr wohlhabend; in allen islamitischen
Ländern am persischen Meere giebt es keine volkreichere und wohl-
habeudere Stadt, als Szohar[44]). Es sind dort viele Städte. Ich habe
gehort, dass ihr Gebiet sich ungefähr 320 Parasangen weit erstreckt.
Die meisten Bewohner waren Sektirer, bis zwischen ihnen und einer
Abtheilung der Beni Same ben Lawi, einem der mächtigsten dieses
Landes, mehrere Treffen geliefert wurden. Darauf begab sich ein Mann
aus diesem Stamme, Namens Mohammed ben Kasim es Sami zum Chalifen
Motadhed, der sich seiner Hülfe bediente und ihn mit dem Ebu Thur
zurückschickte. Oman wurde für Motadhed wieder erobert, und das
Kanzelgebet dort für ihn verrichtet. Die Sektirer aber zogen sich nach
dem Orte Berwi[45]), wo sie bis auf den heutigen Tag ihre Imame, ihren
Staatsschatz und ihre Versammlungen haben[46]). Oman ist ein sehr
heisses Land; im Innern, von der Küste entfernt, soll zwar ein dünner
Schnee fallen, doch habe ich niemanden gesehen, der es anders als von
Hörensagen bezeugt.

Im Lande Szanaa in Jemen sind Stämme von Himjar; eben so in
Hadhramaut.

Hamdan, Aschaar, Kenda und Chaulan sind Distrikte, welche
Jemen der Breite nach durchschneiden; sie enthalten angebaute Stellen,
Saatfelder, Wüsten und Dörfer, und liegen theils in Tehama, theils im
Hochlande von Jemen, ostwärts von Tehama[47]).

Tehama hat nur wenige Berge mit Thälern. Das Hochland (Nedschd)
von Jemen ist von dem Hochlande von Hedschaf zu unterscheiden; die
Südgränze des letzteren stösst an die Nordgränze des ersteren. Zwischen
beiden Nedschd und Oman sind einzelne Ortschaften.

In Jemen sind sehr viele Affen; sie ziehen in grossen Haufen umher[48]); „wenn sie sich versammeln, so haben sie einen Anführer, dem
„sie gehorchen und folgen, wie die Bienen ihrer Königin. Auch ist
„dort ein Thier, Namens Adar, welches den Menschen aufsuchen und
„angreifen soll, und wenn er einen Menschen verwundet hat, so füllt
„sich dessen Leib mit Würmern an, und berstet[49]). Von einigen
„Hyänen wird aber etwas erzählt, was nicht erlaubt ist wieder zu erzählen;
„denn derjenige, der etwas läugnet und nicht berichtet, ist eher zu ent-
„schuldigen, als derjenige, der etwas als wahr erzählt, was er nicht weiss.“

Entfernungen in Arabien.

„Wenn wir zuerst den Umfang von Arabien nehmen, so beträgt die
„Entfernung von Abadan nach Bahrein ungefähr 11 Stationen; von
„Bahrein nach Oman ungefähr 1 Monat; von Oman nach der Gränze
„von Mahra ungefähr 100 Parasangen; ich habe von Ebul Kasim el
„Baszri gehört, dass von Oman nach Aden 600 Parasangen sind, näm-
„lich 50 Parasangen nach Maskat durch bewohntes Land, 50 durch un-
„bewohntes Land bis zum Anfange von Mahra oder Schadschr; dann
„die Länge von Mahra, 400 Parasangen; auf dieser ganzen Strecke ist
„die Breite 5 Parasangen und weniger, alles lauter Sand; endlich von
„der aussersten Gränze von Schadschr nach Aden 100 Parasangen. Von
„Aden nach Dschidda 1 Monat; von Dschidda bis zur Küste von Dschohfa
„ungefähr 5 Stationen; von der Küste von Dschohfa nach Dschar 3 Sta-
„tionen; von Dschar bis Aila ungefähr 20 Stationen nach Baszra und
„von Baszra ungefähr 12 Stationen nach Abadan ungefähr 2 Stationen [50]).
„Dies ist der Umfang von Arabien. Der Weg von Kufa nach Mekka
„wird ungefähr um 3 Stationen abgekürzt, wenn man bei Maaden el
„Nukra den Weg nach Medina verlässt, und über Maaden Beni Selim
„und Dhat Erk nach Mekka reist. Von Baszra nach Medina sind 18
„Stationen; in der Nähe von Maaden el Nukra fällt der Weg mit dem
„von Kufa zusammen; von Bahrein nach Medina sind ungefahr 15 Sta-
„tionen; eben so von Damaskus nach Medina; von Falestin nach Me-
„dina ungefähr 20 Stationen; von Aegypten nach Medina längs der Küste
„ungefahr 20 Stationen; ihre Vereinigung mit den Syrern findet bei
„Aila statt; mit ihnen verrichten auch die Magrebinen die Wallfahrt
„auf diesem Wege; doch halten sie nirgends das Nachtlager zusammen,
„sondern sie sind entweder voraus oder zurück. Aila ist der Anfang
„der Wüste. Wenn die Pilger von Aegypten und Palästina zusammen
„kommen, so reisen sie auf zwei Wegen; der eine geht durch die Wüste
„über das Dorf Schagab in der Wüste, welches die Merwaniden dem
„Sobri zu Lehen gaben, und woselbst er begraben ist, nach Medina über
„Merwe; der andere Weg geht längs der Meeresküste über Dschohfa.
„Hier vereinigen sich die Pilger von Irak, Damaskus, Palästina und Ae-
„gypten. Der Weg von Rakka ist abgeschnitten; doch reisen die Ara-
„ber auf dieser Strasse einzeln und in abgesonderten Haufen; gleiches
„geschieht heutzutage auf den übrigen Wegen [51]). Von Aden nach
„Mekka ist ungefähr 1 Monat; es führen zwei Wege dahin; der eine
„geht längs der Küste des Meeres, und ist der längste, und zugleich
„die Landstrasse von Tehama; der Reisende kommt über Szanaa, Szaade,

„Dschoresch, Bische und Tchale nach Mekka; der andere Weg geht
„durch die Wüste, und berührt Tehama nicht; er heisst el Szodur, und
„geht über die Gebirge ungefähr 20 Stationen; er ist kürzer, allein er
„führt über die Stämme von Jemen und deren Distrikte, welche die
„Vornehmen derselben bewohnen. Die Pilger von Hadhramaut und
„Mahra reisen queer durch ihr Land bis sie die Landstrasse von Aden
„nach Mekka erreichen; der Weg bis dahin beträgt 20 Stationen, und
„der ganze Weg für sie einige und 50 Stationen". Der Weg von Oman
ist sehr schwierig in der Wüste wegen der vielen wasserleeren Strecken
und der geringen Bewohnerzahl. Die Einwohner von Oman aber schla-
gen gewöhnlich den Weg längs dem Meere nach Dschidda ein, indem
sie längs der Küste von Mahra und Hadhramaut nach Aden gehen oder
auch den Weg von Aden; letzterer ist der weiteste für sie, und es sind
nur wenige, die ihn betreten. Eben so ist der Weg zwischen Oman
und Bahrein sehr schwierig, weil die Araber ihn sich gegenseitig unzugänglich machen. Von Bahrein und Abadan sind keine Wege, denn
es ist dort eine wasserleere Wüste; sie nehmen ihren Weg längs dem
Meere. Von Baszra nach Bahrein sind ungefähr 18 Stationen durch
arabische Stämme; man findet zwar Wasser und Bewohner, aber dennoch ist der Weg nicht ohne Gefahr. Das sind alle Entfernungen, deren man bedarf; die übrigen Entfernungen in den arabischen Landschaften zwischen den einzelnen Stämmen braucht ein anderer ausser
den Wüstenbewohnern nicht zu wissen.

Abbildung und Beschreibung des persischen Meeres.

Wir wollen jetzt das persische Meer beschreiben, da es Arabien
umfliesst, und dieses und andere Länder des Islam berührt; wir
wollen das Uebrige beschreiben, was an den Küsten dieses Meeres
liegt, indem wir bei Kolfum beginnen, denn dieses liegt an der Küste
desselben, wo es anfängt sich nach Osten zu wenden. Von hier
fliesst es nach Aila, dann umfliesst es Arabien bis Oman, wie wir
schon beschrieben haben. Hier durchschneidet es den Tigris, erreicht
die Küste von Mehruban, fliesst bei Dschanaba und Seif Fars vorüber bis
Siraf; dann erreicht es die Küste von Hormuf, jenseits Kirman, und
fliesst weiter nach Daibol und der Küste von Multan, welches die Küste
von Sind ist. Hier bei Multan erreicht es die Gränze des Islam, und
fliesst dann weiter längs der Küste von Hind (Indien) und von Tübet
bis nach China. Geht man aber von Kolfum westwärts längs der
Meeresküste, so kommt man von der Wüste von Aegypten nach der

Wüste von Bedscha, in welcher Goldminen sind. Dann kommt man
zu einer Stadt, welche Aidhab heisst; von hier kommt man nach Habesch,
welches Mekka und Medina gegenuber liegt, und sich bis Aden gegenüber erstreckt. Hier hort Habesch auf, und das Meer erreicht Nubien
und alsdann die Länder von Sindsch, allen übrigen islamitischen Landern
gegenüber. Darauf wird es breiter, und enthält verschiedene Inseln und
Lander, bis es China gegenüber kommt. Der Theil dieses Meeres von
Kolfum bis Jemen heisst das Meer von Kolfum, dessen Länge ungefähr
30 Stationen beträgt; seine Breite ist da, wo sie am grossten ist, drei
Nächte; es verengert sich aber immer mehr, so dass man an einigen
Stellen beide Seiten desselben sehen kann, bis nach Kolfum, wo es
sich nach der andern Seite umwendet. Das Meer von Kolfum gleicht
einem Wadi, in welchem viele Berge sind, die das Wasser bedeckt;
das Fahrwasser auf demselben ist bekannt; man kann jedoch in den
engen Stellen zwischen den Bergen nur bei Tage auf Schiffen fahren;
des Nachts aber fahrt man nicht; das Wasser ist so rein, dass man die
Berge in diesem Meere sehen kann. Zwischen Kolfum und Aila ist
eine Stelle, welehe Taran heisst; dies ist die schändlichste Stelle des
ganzen Meeres; denn es sind dort Wasserstrudel bei einem Berge;
stösst der Wind an den Gipfel des Berges, so theilt sich der Wind
in zwei Theile, und weht aus den beiden Thälern in diesem Berge in
entgegengesetzter Richtung, so dass, wenn der Wind aus den beiden
Thalern herausfahrt, derselbe gegen einander stösst; jedes Schiff, das
durch Wellen und Stromungen des Meeres in diese Strudel verschlagen
wird, wird von den beiden Winden fortgerissen und zertrümmert und
es ist keine Rettung; (wenn der Wind aus Süden weht, so kann
das Schiff gar nicht in das Fahrwasser gelangen [52]). Die Länge dieser
Stelle ist 6 Miglien; hier ertrank Pharao. — In der Nahe von Taran
ist ein Ort Namens Habilah (oder Dschabilab), wo die Wellen ebenfalls leicht durch den Wind aufgeregt werden, so dass auch diese Stelle
gefürchtet wird; beim Ostwinde fahrt man nicht westwärts, und beim
Westwinde nicht ostwärts. — Bei Aila finden sich grosse Fische von
verschiedenen Farben. Dem untern Jemen gegenuber heisst das Meer
Bahr Aden (Meer von Aden), bis es Aden erreicht; von da an heisst
es das Meer von Sindsch, bis es Oman gegenüber ist, wo es sich nach
Persien wendet: hier verbreitet es sich so sehr, dass die Ueberfahrt
nach Sindsch 700 Parasangen betragen soll; das Meer ist hier schwarz
und finster, und es ist nichts darin zu sehen. In der Nahe von Aden
sind Perlenbänke, deren Erzeugnisse nach Aden gebracht werden. Von
Oman bis zu den Gränzen des Islam und bis in die Nahe von Serendib

heisst es wieder das persische Meer; hier ist die Ueberfahrt nach den Ländern von Sindsch über die grösste Breite. In diesem Meere ereignen sich viele Unglücksfälle durch die engen Krümmungen; die schlimmsten sind zwischen Dschannaba und Baszra; dort ist eine Stelle, Namens Dschannaba, welche sehr gefürchtet wird; ein Schiff, das hier mit dem Meere in Conflikt geräth, kann nicht gerettet werden. Ungefähr 6 Miglien von Abbadan, in der Gegend, wo sich der Tigris ins Meer ergiesst, ist eine Stelle, Namens Chaschbat, das Meer ist hier so ungestüm, dass die grössten Schiffe sich fürchten, hier zu fahren, indem sie hier auf den Grund gerathen würden, ausser zur Zeit der Fluth. An dieser Stelle Chaschbat hat man jetzt eine Warte erbaut, die ein Wächter bewohnt, der des Nachts ein Feuer anzündet, um die Schiffe zu leiten und die Mündung des Tigris kenntlich zu machen. Man fürchtet an dieser Stelle für die Schiffe, dass sie auf den Untiefen und Klippen scheitern.

Dschannabe gegenüber ist ein Ort, Namens Charek, wo Perlenbänke sind; ausser den geringeren Perlen werden hier auch kostbarere Perlen gefischt, welche besonders gesammelt werden. Man sagt, dass die kostbarsten Perlen von diesen Bänken kommen. Bei Oman und Serendib sind Perlenbänke; ich weiss von keinen andern Perlenbänken, als im persischen Meer. Dieses Meer hat in Tag und Nacht zweimal Fluth und Ebbe von Kolfum bis China, wo es endigt; das Meer von Magreb, das mittelländische Meer und die übrigen Meere haben keine Fluth und Ebbe, ausser dem persischen Meere, wo sich das Wasser ungefähr um 10 Ellen erhebt, und dann wieder um eben so viel abnimmt. In diesem Meere, vorzüglich bei Fars sind mehrere Inseln, als Lafet, Awal, Charek u. s. w., sie sind bewohnt, und haben süsses Wasser, Saatfelder und Gras. Alle diese beschriebenen Inseln gehören zu den Landern des Islam.

Wir wollen jetzt beschreiben, was an der Küste ist, und mit Kolfum beginnen, und beide Seiten vornehmen.

Kolfum ist am Meere erbaut und zwar an der Biegung desselben, d. h. an dem äussersten Ende des Meerbusens; man findet dort kein Gras, keinen Baum, kein Wasser; letzteres wird aus entfernten Brunnen dahin gebracht. Die Stadt gehört gleichsam zweien Ländern an, denn sie ist der Hafen für Syrien und Aegypten, und die Ladungen Syriens und Aegyptens werden von hier nach Hedschaf, Jemen und den Küsten dieses Meeres gebracht. Von Miszr[53]) ist es 3 Stationen entfernt. Von hier längs der Kuste des Meeres findet man weder Dörfer noch Städte, ausser einigen von Fischern bewohnten Orten und einigen Palmen, bis man Taran und Chabilat erreicht, und was dem Berge Tur[54]) gegenüber liegt, bis Aila.

Aila ist eine kleine bewohnte Stadt, mit einigen Palmen und Saatfeldern; es ist eine Stadt der Juden, denen Gott den Fischfang am Sabbath verbot, und welche er in Affen und Schweine verwandelte [55]). Die
hiesigen Juden sind in Besitz einer Vertragsurkunde mit dem Propheten.

Die Städte, welche an diesem Meere von hier an langs den.Bie-
gungen von Jemen, Oman und Bahrein bis Abbadan liegen, haben wir
unter Arabien schon beschrieben.

Abbadan ist eine kleine bewohnte Festung am Meere bei der
Mündung des Tigris. Es ist in dieser Festung eine Besatzung, um auf
die Piraten und anderes Gesindel, das sich auf dem Meere umhertreibt,
zu achten, und hier beständig Wache zu halten.

Hierauf kommt man bei der Mündung des Tigris vorüber, längs
den Küsten dieses Meeres bis nach Mehruban und Fars. Hier sind
Stellen, wo man nur zu Wasser reisen kann, denn die Gewässer von
Chufiftan vereinigen sich bei Durak, Heszn Mehdi und Masian, und er-
giessen sich dann in's Meer. — Mehruban ist eine kleine bewohnte
Stadt; es ist der Hafen von Ardschan.

Nachdem das Meer längs den Landschaften von Fars und einigen
Theilen von Chufiftan geflossen ist, erreicht es die Küste von Sinif.
Dieses ist eine grosse Stadt, grösser als Mehruban; es werden von hier
die Sinifischen — — — ausgeführt [56]).

Hierauf kommt man nach Dschannaba, einer Stadt, welche grösser als Mehruban ist; sie ist der Hafen für das übrige Fars, befestigt,
und sehr heiss.

Dann erstreckt sich die Küste längs Seif el Bahr nach Nedschirem.
Seif el Bahr liegt zwischen Dschannaba und Nedschirem, und enthält
Dörfer, Saatfelder und zerstreute Wohnungen; die Hitze ist hier sehr gross.

Von da kommt man nach Siraf. Siraf ist der grosse Hafen von
Fars; es ist eine grosse Stadt, wo man nichts weiter als Gebäude findet;
es ist eine der reichsten Städte in Fars, aber es ist hier weder Saat
noch Kraut.

Hierauf kommt man längs der Küste zu verschiedenen Orten, wo
man Berge und Wüsten antrifft, bis man Hiszn ben Omara erreicht.
Dies ist ein befestigtes Schloss am Meere; es ist die stärkste und volkreichste Festung in ganz Fars [57]). Der Erbauer dieses Schlosses soll
es sein, von welchem Gott sagt: „Hinter ihnen war ein König, welcher
jedes Schiff gewaltsam nahm".

Von hier kommt man längs der Küste nach Hormuf, dem Hafen
von Kirman. Es ist eine reiche Stadt mit vielen Dattelpalmen, und
sehr heiss.

Dann kommt man längs der Küste nach Daibol, einer grossen bevölkerten Stadt, wo viele Kaufleute wohnen; es ist ein Hafen der Länder von Sind. Die Länder von Sind sind Manszura, die Landschaften Sott u. s. w. bis China. —

Dann kommt man längs den indischen Küsten bis nach Tübet und endlich nach China. Weiter geht es nicht.

Wenn man von Kolſum beginnt und das Meer westwärts verfolgt, so kommt man zu einer wasserleeren Wüste, in welcher nichts ist, bis man Bedscha erreicht. Bedscha wird von einem Volke bewohnt, das unter Zelten wohnt; sie sind schwärzer, als die Abyssinier, und kleiden sich wie die Araber; sie haben keine Städte und Saaten, als was ihnen von Jemen, Nubien und Aegypten zugeführt wird. Ihr Gebiet liegt zwischen Habesch, Nubien und Aegypten, und umfasst Goldminen. Diese Goldminen beginnen in der Nähe von Sowad Miszr (Landschaft Miszr), wovon sie 10 Stationen entfernt sind, und erstrecken sich bis zu einem Schlosse am Meere, welches Aidhab heisst; die Bewohner dieser Minendistrikte heissen Alaki. Es ist sandiges ebenes Land, ohne Berge, und die Reichthümer dieser Minen, nämlich Gold, werden nach Aegypten geführt; Silber ist nicht da. Die Bewohner von Bedscha sind Götzendiener und Taugenichtse.

Dann kommt man nach dem Lande Habesch. Die Einwohner sind Christen; ihre Hautfarbe gleicht der der Araber, und ist zwischen Weiss und Schwarz an den Küsten dieses Meeres bis nach Aden. Die Tigerfelle und andere bunte Felle, aus denen man in Jemen Schuhe macht, werden von hier dahin gebracht. Die Einwohner sind friedlich und führen keinen Krieg. An der Küste haben sie einen Ort, Namens Seila, welches ein Hafen ist, von wo sie nach Hedschaf und Jemen übersetzen.

Dann kommt man zu der Wüste von Nubien.

Die Einwohner von Nubien sind Christen; ihr Land ist grösser und bevölkerter, als Habesch.

Der Nil von Aegypten fliesst durch die Städte und Dörfer Nubiens bis er nach Sindsch kommt; von da gelangt er nach weiteren Ländern.

Von hier kommt man langs dem Meere nach dem Lande Sindsch, welches Aden gegenüber liegt; doch erstreckt es sich noch so weit längs dem Meere, dass es allen übrigen Ländern des Islam und selbst noch einem Theile von Indien gegenüber liegt. Ich habe gehört, dass in einigen Gegenden von Sindsch weisse Bewohner sind. Es ist ein armseliges Land und hat nur wenige Wohnungen, ausser denen, welche den Königen von Sindsch gebören.

Karte des persischen Meeres.

1. Süd. 2. Seila. 3. Aidhab. 4. West. 5. Kolfum. 6. Aila.
7. Midian. 8. Dschar. 9. Dschidda. 10. Sirrain. 11. Mohadschem.
12. Cheir (oder Chaho). 13. Schid. 14. Aden. 15. Szohar. 16. Hadscher.
17. Abbadan. 18. Euphrat. 19. Tigris. 20. Mehruban. 21. Sinif.
22. Dschannabe. 23. Nedschirem. 23. Siraf. 25. Hiszn ben Omara.
26. Hormuf. 27. Land Kirman. 27 a. Daibol. 27 b. Land Sind.
28. Fluss Mehran. 29. Land Indien. 30. Serendib. 31. Berg Serendib.
32. China. Unter 32. Chamdan. 33. Nord. 34. Land Sindsch. 35. Land
Habesch. 36. Insel Awal. 37. Insel Charek. 38. Insel Lafet. 39. Meer
von Kolfum. 40. Meer von Habesch. 41. Meer von Sindsch. 42. Ozean
43. Meer von China. 44. Meer von Indien. 45. Persisches Meer.

Magreb.

Magreb erstreckt sich längs dem Mittelmeere, und besteht aus zwei
Hälften. Die eine Halfte ist östlich von diesem Meere, und die andere
westlich. Die ostliche Halfte enthält Barka, Afrikia, Tahort, Taudscha,
Sus el Aksza und Suweila und was in den Gränzen dieser Landschaften
liegt. Die westliche Halfte enthalt Andalus. Wir haben beide auf der
Karte zusammen dargestellt. Die Ostseite gränzt im Osten an Aegypten
zwischen Alexandria und Barka vom Mittelmeere an bis zu den Oasen
und der Wuste von Nubien. Im Westen gränzt Magreb an den Ozean;
im Norden an das mittelländische Meer, welches aus dem Ozean kommt;
wenn man bei der Gränze von Aegypten beginnt, fliesst das Mittelmeer
bei Barka, Tripolis, Mehdie, Tunis, Tabarka, Tenes, Dschefire Beni
Rai[58]), Bakur, Baszire, Afila, Sus el Aksza vorbei, und erstreckt sich
dann längs einer Wüste, hinter welcher keine Wohnungen sind. Im
Süden granzt Magreb an Sandwüsten, die von dem Ozean hinter Sedschelmasa beginnen und sich bis Suweile, langs den Oasen Aegyptens erstrecken.

Andalus wird von da an, wo es an den Ozean stosst, von dem
Lande Dschalaka[59]) begränzt; von hier geht die Gränze längs dem
Distrikte Sirir, dann nach Absinie, Ischbilie, Sidona, Dschefira Dschebel
Tarik, Szalie, Bedschaia, Mursia, Belisa, Tortosa[60]). Hierauf gelangt
man in die Länder der Ungläubigen, da, wo das Meer an das Land der
Afrandsche stösst; von hier geht die Gränze westlich längs dem Lande
Aldscheskes, Baskones, Dschalaka, bis zum Ozean.

Karte von Magreb.

1. Baskones. 2. Afrandsche (Frankreich). 3. Aldschestes (im
Text Aldscheskes). 4. Wadi'lhidschara (Guadalajara). 5. Tolaitela

6

(Toledo). 6. **Land Mekiasa.** 7. **Batalia.** 8. **Larida.** 9. **Sarakosza.** 10. **Tortosa.** 11. **Balisia (Valencia).** 12. **Mursia.** 13. **Bedschaia.** 14. **Malaka.** 15. **Saharia.** 16. **Masher.** 17. **Dschian (Jaen).** 18. **Esbindscha.** 19. **Kortoba.** 20. **Dscharia.** 21. **Karmona.** 22. **Maduk.** 23. **El Dschefira.** 24. **Sidona.** 25. **Ischbilie.** 26. **Ahsinie.** 27. **Sirir.** 28. **Badscha.** 29· **Mukuna.** 30. **Afek.** 31. **Dschebel Tarik.** 32. **Fura.** 33. **Marida.** 34. **Burhala.** 35. **Insel Sizilien.** 36. **Berg el Kelal.** 37. **Tripolis.** 38. **Mehdia.** 39. **Tunis.** 40. **Tabarka.** 41. **Tenes.** 42. **Dschefira Beni Rai.** 43. **Bakur.** 44. **Baszira.** 45. **Afila.** 46. **Sus el Aksza.** 47. **Wohnungen der Berbern.** 48. **Fes.** 49. **Takort.** 50. **Schetif.** 51. **Kairwan.** 52. **Kairwan (als andere Lesart bezeichnet).** 53. **Suweile.** 54. **Barka.** 55. **Sandstrecken mit Minen.** 56. **Sedschelmasa.** 57. **Land Sudan.** 58. **Rand der Oasen.** 59. **Granzen von Aegypten.** 60. **Mittelländisches Meer.** 61. **Uebrige Lander der Römer.** 62. **Land Dschalaka der Römer.** 63. **Ozean.**

Barka eine mittlere, nicht sehr grosse Stadt; sie ist von bewohnten und unbewohnten Distrikten umgehen; sie liegt mitten in einem fruchtbaren Lande, das von allen Seiten von der Wüste umgeben ist, und von Berberstammen bewohnt wird. Sie gehörte früher zum Gebiet von Aegypten, bis Obeidallah der Usurpator in Magreb erschien, sich der Stadt bemächtigte, und der ägyptischen Abhängigkeit ein Ende machte.

Tarabolos el Magreb (Tripolis in Afrika) gehört zum Gebiet von Afrika, und ist eine aus Steinen am Mittelmeere erbaute Stadt, die in einem grossen fruchtbaren Distrikte liegt, und stark befestigt ist.

Mehdie, eine von dem Eroberer Magreb's, Obeidallah, neu erbaute Stadt, die er mit diesem Namen benannte. Sie liegt am Meere; Obeidallah verlegte hierher seine Residenz von Kairwan, welches zwei Tagereisen entfernt ist.

Tunis ist eine grosse Stadt in einer fruchtbaren Gegend mit Datteln und Saatfeldern; hier ist der erste Ort, von welchem man nach Spanien übersetzt; unterhalb Tunis setzt man nicht über nach den Städten, welche in der Nähe von Magreb und Frankreich sind.

Tabarka ist eine ungesunde Stadt, wo es eben so todtliche Skorpionen giebt, wie bei Asker Mokrem; in der Nähe der Stadt sind im Meere Korallenbänke; dies sind die einzigen bekannten Korallenbanke auf der Erde.

Dschefira Beni Rai (Algier) eine bevölkerte Stadt, wo sich Berherstamme niedergelassen haben. Wegen ihrer Fruchtbarkeit und Grosse zeichnet sie sich vor allen Städten aus.

Bakur, eine grosse Stadt in einer fruchtbaren Gegend am Meere; man setzt von hier nach Bedschaia über. Die Stadt ist befestigt.

Baszira eine grosse Stadt, in einer fruchtbaren Gegend, Dschefire Dschebel Tarik gegenüber; das Meer ist zwischen diesen beiden Orten 12 Parasangen breit.

Afila, eine grosse Stadt am Meere, das äusserste Gebiet gegen Spanien zu.

Sus el Aksza ist nicht der Name einer Stadt, sondern eines grossen Distrikts mit grossen und fruchtbaren Städten und Dörfern, wo sich Berberstämme niedergelassen haben.

Baszira und Afila gehören zur Landschaft Tandfcha.

Tandfcha ist ein grosser Distrikt mit Städten, Dörfern und Wüsten, worin Berbern wohnen. Die grösste Stadt, welche zugleich die Hauptstadt ist, heisst Fes, wo Jahia der Fatemide herrscht; der Charedschite Obeidallah hat sie bis auf diesen Tag noch nicht erobert[61]).

Bakur, Dschefira Beni Rai nebst vielen andern Städten und Dörfern sind in der Nähe von Ober-Tahort; die Hauptstadt heisst Tahort, und ist reichlich mit Datteln, Saaten und Wasser versehen; in der Wüste wohnen die Abaszie, welche die Stadt beherrschen.

Sedschelmasa ist eine Stadt im Binnenlande, und gehört zum Gebiet von Tahort, doch ist sie von demselben durch wasserleere Sandwüsten getrennt. Sie liegt in der Nahe der Goldminen, und zwar zwischen diesen Minen, dem Lande Sudan und dem Lande Suweila. Man sagt, dass es keine Minen giebt, welche mehr und reineres Gold geben, als diese; allein der Weg zu ihnen ist sehr schwierig, und die Bearbeitung äusserst mühsam. Man sagt, dass der ganze Distrikt von Takort zu Afrikia gehört, doch wird er durch eine besondere Benennung und Verwaltung in den Dikasterien abgesondert.

Schetif eine grosse Stadt zwischen Tahort und Kairwan; sie ist sehr fruchtbar, und gehört zu einem Distrikt, der viele Dörfer und zusammenliegende Wohnungen umfasst, und von einem Berberstamme, Ketama, bewohnt wird. Unter ihnen erhob sich der Usurpator Obeidallah. Der Kornverwalter (Muhtasib) Ebu Abdallah war der Dai[62]) für Obeidallah, der sich unter diesem Volke aufhielt, bis er die Herrschaft erhielt.

Kairwan ist die edelste Stadt in Magreb nächst Kortoba in Andalus, welche noch grösser ist. In jener Stadt residirten die Statthalter von Magreb und spater die Aglabiden, bis der Kornverwalter Ebu Abdallah ihrer Herrschaft ein Ende machte, und Kairwan sich auf sein Anstiften empörte. Bei der Stadt hatten die Aglabiden ein Gebäude, Namens Rakkade, wo sie ihre Truppen einquartirten; auch residirten sie selbst dort, bis Obeidallah Mehdia erbaute und seine Residenz dahin verlegte.

Suwcila (Suwila) eine Binnenstadt an der Gränze von Magreb, mit einem ausgedehnten Gebiete; sie gränzt an das Land Sudan.

Die Länder von Sudan sind sehr ausgedehnt, doch sind sie öde und armselig. Die Einwohner haben in ihren Bergen alle Früchte, welche in den Ländern des Islam sind, aber sie essen sie nicht, denn sie geniessen andere Früchte und Gewächse, die in den Ländern des Islam nicht bekannt sind. Die schwarzen Verschnittenen, welche von hier nach den Ländern des Islam gebracht werden, finden sich nicht in Nubien, Sindsch, Habesch und Bedscha, sondern sind ein besonderes Volk an den Gränzen, dessen Hautfarbe schwärzer und reiner ist. Man sagt, dass sie nicht aus den zu Sudan, Habesch, Nubien, Bedscha u. s. w. gehörigen Ländern sind, sondern aus einem Lande, welches grösser ist, als diese, und sich südwärts bis in die Nähe des Ozeans erstreckt, nordwärts aber bis an die Wüsten von Aegypten jenseits der Oasen, von Nubien und von Sindsch. Sie haben keine bewohnte Oerter und Reiche, ausser auf der Seite von Magreb, wegen der schwierigen Verbindungen mit den übrigen Völkern.

Das ist alles, was man von den Ländern ostwärts vom Meere von Magreb zu wissen braucht.

West-Magreb oder Andalus.

(Spanien.)

Andalus enthält ausgedehnte Länder mit grossen, fruchtbaren Städten. Die grösste Stadt heisst Kortoba. Kortoba liegt mitten in Andalus. Andalus wird von dem Ozean umgeben und wendet sich dann zum mittelländischen Meere, welches dessen Gränze bis Afrandsche bildet. Es beginnt bei der Stadt Sirin, und erstreckt sich längs Hasine, Ischbilie, Schidona, Aldschefira, Malaka, Bedschaia, Mursia, Malisa (Valencia) Tortosa, welches die letzte Stadt am Meere ist. Von hier wendet es sich von dem Meere bei dem Lande der Afrandsche und von dem Festlande bei dem Lande der Aldscheskes ab. Letzteres wird von Christen bewohnt, und ist im Kriegszustande mit den Moslemin. Von hier kommt man in das Land Baskones, welches ebenfalls von Christen bewohnt wird. Dann kommt man in das Land der Dschalaka, welche auch Christen sind. Andalus gränzt also theils an die Länder der Ungläubigen, theils an das Meer; die von uns erwähnten Städte liegen am Meere, und sind alle gross und bevölkert.

Andalus ist in den Handen der Ommiaden, und nicht von den Abbasiden erobert worden; auch Obaidallah konnte es nicht bezwingen. Als die Herrschaft Merwan's aufhörte, setzte ein Ommiade von Afila in Magreb nach Dschefira Dschebel Tarik über, und eroberte es, und die Ommiaden besitzen es noch bis auf den heutigen Tag.

Zu den bekanntesten Städten in Andalus gehören Dschian (Jaen), Tolaitela (Toledo), Sarakosza, Barisza, Lerida, Wadi'l Hidschara, Berhale, Kura, Merida, Badscha, Afek, Leila, Karmona, Muruda, Esbindscha, Raba. Alle diese sind grosse Städte, einige kommen Kortoba an Grösse gleich; ihre Gebäude sind meist aus Steinen, und zur Zeit der Unwissenheit erbaut; man kennt dort keine Stadt und kein Dorf aus der Zeit des Islam, ausgenommen Bedschaia, welches zur Zeit des Islam in der Provinz Beria erbaut wurde.

Sirir liegt am Ozean; man findet hier Ambra; es ist der einzige Ort am Ozean und am mittelländischen Meere, wo es Ambra giebt; Kleinigkeiten findet man noch in Syrien und an den Küsten von Kleinasien. Zu einer gewissen Zeit des Jahres zeigt sich bei Sirir ein Seethier, welches sich an den Steinen am Strande reibt, dadurch verliert es alle seine Haare, welche von goldgelber Farbe und ausserordentlich weich sind. Diese Haare werden gesammelt und zu einem Stoffe gewebt und gefärbt. Die Ommiaden haben diesen Geschäftszweig monopolisirt, und es wird nur sehr wenig von dem Zeuge ausgeführt. Wegen seiner Schönheit und vortrefflichen Eigenschaften kommt ein Kleidungsstück aus diesem Stoffe auf tausend Dinare [63]).

Malaka wird von Arabern bewohnt; man verfertigt hier Saffian, womit die Degengriffe überzogen werden.

Dschefira Dschebel Tarik, von wo aus Andalus in der ersten Zeit des Islam erobert wurde, ist bewohnt und befestigt, und enthält Städte und Dörfer; dies ist der letzte Ueberfahrtsort von Spanien.

Tolaitela, eine Stadt auf einem hohen Berge. Die Häuser sind aus Steinen erbaut und mit Blei befestigt; um die Stadt sind sieben bewohnte Hügel; sie wird von einem Flusse umflossen, der an Grösse dem Tigris gleich kommt, und Tadscha heisst. Er entspringt in dem Lande Sanira (Sabira, Satira, Santara) bei Wadi'l hidschara (Guadalajara). Die ganze Landschaft in dieser Umgegend heisst Modn Beni Salem (Medina Celi.)

Kura ist ein grosser fruchtbarer Distrikt, dessen Hauptstadt Arharuna (Ardscharuna) heisst; aus diesem Orte war Omar Hafszuna, der sich gegen die Ommiaden empörte.

Mohisz el Balut ist ein grosser fruchtbarer Distrikt, dessen Hauptstadt Afek heisst.

Biruna war früher eine grosse Stadt, die aber jetzt verödet ist; denn bei Gelegenheit einer innern Zwistigkeit rief eine Parthei die galicischen Christen zu Hülfe, welche die Stadt zerstörten.

Merida gehört zu den grössten Städten in Andalus; eben so Tolaitela; beide sind befestigt, und es ist hier kein Statthalter der Ommiaden, doch wird das Kanzelgebet für sie hier verrichtet.

Die Gränzfestungen gegen die Dschalaleka (Galicier) sind Merida,
Nafara, Wadi'lhidschara und Tolaitela.

Die Hauptstadt der Dschalaleka gegen die Gränzfestungen von
Andalus heisst Samora; die Grossen des Volkes aber wohnen in der
Stadt Obit (Oviedo), welche von den Ländern des Islam weiter ent-
fernt ist.

Von den Stämmen der Ungläubigen, welche in der Nähe von Andalus
wohnen, sind die Afrandsche die zahlreichsten; ihr König heisst Raule
(Karl?) Die Gränznachbaren der Moslemin sind die mindest zahlreichen
Völkerschaften der Ungläubigen, weil das Meer und die Scheidewand,
die sie von den übrigen Ungläubigen trennt, ihre Wohnsitze beschränkt [64]).
Dann kommen die Dschalaleken, welche ihnen an Zahl gleich kommen.
Am wenigsten zahlreich sind die Baskones, die aber sehr tapfer sind.
Sarakosza, Matila und Laudha sind die Gränzfestungen von Andalus
gegen sie. Zwischen diesen Festungen und den Baskones wohnt ein
anderes christliches Volk, die Aldscheskes, sie sind nicht sehr zahlreich,
und bilden die Scheidewand zwischen den Festungen und den Afrandsche.

Die Berbern, welche in Andalus und dem übrigen Magreb wohnen,
sind von zwei Hauptstämmen; der eine Hauptstamm heisst Berber, der
andere Baranes. Die Batara, Miknasa, Hawade und Mednume*) gehören
zu den Berbern und wohnen in Andalus; die Ketama, Rabane, Maszmude,
Malila und Szanhadscha gehören zu den Baranes; die Rabana haben
ihre Wohnsitze in der Nähe von Tahort; die Retama in der Nähe von
Schatif; die übrigen Berbern vom Stamme Baranes sind im übrigen,
ostwärts vom Mittelmeere gelegenen Magreb verbreitet. Die Batara
und Miknasa in Andalus wohnen zwischen den Dschalaleka und Kortoba;
die Hawade und Medmune*) bewohnen Saniuna. Im Distrikt der
Batara [65]) wird viele Seide gewonnen, welche besser ist, als andere.

In Spanien sind viele Goldminen. Silberminen findet man im
Distrikt der Batara, in Markase [66]) in der Nähe von Cordoba bei einem
Orte Namens Kulis. Bei Tafasire im Westen von Rijan und bei To-
laitela findet man viele Zobel.

Suweile ist ein Ort in der Nähe von Sudan, wohin die meisten
schwarzen Verschnittenen gebracht werden.

---

*) Die verschiedene Schreibart ist schon im Text.

In den Ländern Magribs ostwärts vom mittelländischen Meere, in der Nähe der Küste, sind die Bewohner meist von brauner Hautfarbe; diejenigen, die weiter entfernt im Süden und Osten wohnen, sind ungestalteter und schwärzer. In Charschana in Belad el Rum (Kleinasien) ist eine Völkerschaft mit schwarzen Haaren und Augen; man glaubt, dass sie von den Gasanidischen Arabern abstammen, und mit Dschabala ben Aiham sich daselbst niedergelassen haben [67]).

Zwischen Magreb und Sudan ist eine Wüste, durch welche nur von den Hauptorten Wege führen.

In Afrikia und Barka herrschen Könige von der Dynastie der Aglabiden, welche sich im Anfang der Herrschaft der Abbasiden erhoben, um dem Idris ben Idris ben Hasan ben Hasan ben Ali ben Ebu Taleb die Spitze zu bieten. In Taudscha regieren die Nachkommen des Idris ben Idris el Hasani. Zwischen ihnen und Tahort wohnen Schismatiker, die auch über Tahort herrschen. Die meisten Sekten unter den Magrebinen sind neueren Ursprungs; die meisten gehören zur Sekte des Malek ben Onis.

Die Verschnittenen, die aus Magreb ausgeführt werden, sind entweder Schwarze aus Sudan, oder Weisse aus Andalus; die schönsten Mädchen kommen gleichfalls aus Andalus. Ein Mädchen, dessen Schönheit keiner Kunst bedarf, kostet an 1000 Dinaren. Auch führt man von hier Filztuch, Schuhe, Sättel, Korallen, Ambra, Gold, Honig, Oel, Butter, Seide und Zobelfelle aus.

Entfernungen in Magreb.

Von Miszr nach Barka sind 20 Stationen, von Barka nach Tarabolos ebenso viel; von Tarabolos nach Kairwan eben so viel; von Miszr nach Kairwan sind also 60 Stationen. Von Tahort nach Fes 50 Stationen; von Fes nach Sus el Aksza ungefähr 30 Stationen; die ganze Entfernung von Miszr nach der äussersten Gränze des ostwärts vom mittelländischen Meere gelegenen Magreb ist also ungefähr 6 Monate. Die Pilger vom äussersten Magreh brechen im Monat Muharrem auf, und gebrauchen zu ihrer Reise mit den Zeiten, wo sie ausruhen, ein ganzes Jahr, bis sie die Wallfahrt verrichten [68]). Von Kairwan nach Suweila ist ungefähr 1 Monat; von Kairwan nach Mehdie 2 Tagereisen; von Kairwan nach Tunis 3 Stationen; von Tunis nach Tabarka ungefähr 10 Stationen; von Tabarka nach Tennis ungefähr 16 Stationen; von Tennis nach Dschefire Beni Rai 5 Tage; von Tahort nach Bakur 30 Stationen; von Tahort nach Sedschelmasa 25 Stationen; von Fes nach Baszira 6 Stationen; von Fes nach Afila 8 Stationen; von Kairwan nach Sedschelmasa in der Wüste 50 Stationen.

Entfernungen in Andalus.

Von Kortoba nach Ischbilie sind 3 Stationen; nach Esidscha 1 Station in der Richtung der Kibla; von Kortoba nach Sarakosza 5 Tage; nach Natalia 13 Tage; von Natalia nach Ulada 4 Stationen; von Kortoba nach Tolaitela 6 Tage; von Tolaitela nach Wadi'l Hidschara 2 Tage; von Kortoba nach Mekiasa 4 Tage; nach Haware eben so viel; nach Bakra 10 Tage; von Bakra nach der Stadt Samora 4 Tage; von Kortoba nach Fura (Kura) 12 Tage; von Furia nach Merida 4 Tage; von Furia nach Bahia 6 Tage; von Kortoba nach Tolaitela 6 Tage; von Tolaitela nach Wadi'l Hidschara 2 Tage; von Kortoba nach Mekiasa 4 Tage, wie schon oben angegeben; auf dem Wege nach Merida, auf welchem Achsiba ist, kommt man von Kortoba nach Ischbilie, Badscha, Merida, Fura, Falitria, einer grossen Stadt bei Sirin; von Badscha nach Sirin 12 Tage; nach der äussersten Gränze des Distrikts von Sirin 5 Tage; von Kortoba nach Fahisz el Balut über die Stadt Gafek, 1 Tag; von Fahisz el Balut nach Leila 14 Tage; von Kortoba nach Karmona im Gebiet von Magreb 4 Tage; zwischen Badscha und Ischbilie liegt Merida. Von Karmona nach Ischbilie 2 Tage. Von Esbidscha nach Malaka 7 Tage; von Esbidscha nach Arhadutha 3 Stationen; von Kortoba nach Bedschaia 6 Tage; von Kortoba nach der Stadt Mursia 7 Tage; von Kortoba nach Malisa 12 Tage; von Tortosa nach Malisa 12 Tage; von Mursia nach Nedschaba 6 Tage; von Bedschaja nach Malaka ungefähr 10 Tage; von Malaka nach Dschefire Dschebel Tarik 4 Tage; eben so weit ist es nach der Stadt Sidona; nach Karmona 3 Tage. Das sind die Entfernungen in Andalus und Magreb.

Aegypten.

Die Gränze von Aegypten beginnt von dem mittelländischen Meere und geht nach Alexandria und Barka, dann durch die Wüste hinter den Oasen bis zum Lande Nubien; hier wendet sie sich längs Nubien bis zum Lande Bedscha und von hier bis zum Meere von Kolfum, dann längs dem Meere von Kolfum; und über Kolfum bis zum Berge Sinai; hier wendet sie sich längs der Wüste der Rinder Israel und erreicht das mittelländische Meer und wendet sich bei Arisch, längs dem mittelländischen Meere nach Alexandria.

Karte von Aegypten.

1. Land der Minen. 2. Gränze von Nubien; 2 a. Süd. 3. Ost. 4. Wüste. 5. Berg Sinai. 6. Aila. 7. Kolfum. 8. Aidhab. 9. Berg Mokattem. 10. Ilia. 11. Buszir. 12. Fostat. 13. — — 14. — — —

15. Farma. 16. Sandwüste. 17. Tih (Beni Israel.) 18. Gränze von Syrien. 19. Arisch. 20. Nord. 21. Mittelländisches Meer. 22. Tennis. 23. Damiat. 24. Iskenderie. 25. Gränze von Magreb. 26. Rif. 27. — 28. Korma. 29. Fajum. 30. Asiut. 31. Achmim. Zwischen 30 und 31. Szaid. 32. Ober Szaid. 33. Asnan. 34. Oasenberge. 35. Oasen.

Entfernungen. Von der Küste des Meeres bis zum Lande Nubien jenseits der Oasen sind ungefähr 25 Stationen; von der nubischen Gränze im Süden längs der nubischen Gränze ungefähr 8 Stationen. Von Kolſum längs dem Meere bis man sich nach der Wüste der Rinder Israel wendet, 6 Stationen. Von der Gränze des Meeres nach der Gränze der Wüste der Rinder Israel ungefähr 8 Stationen. Die Ausdehnung Aegyptens längs dem Meere ist ungefähr 10 Stationen, und die Länge von Asnan bis zum mittelländischen Meere 25 Stationen. Es ist dort ein See, in welchem Inseln sind; dieser See ist ungefähr 2 Stationen lang und breit.

Beschreibung der Städte. Die grösste Stadt in Aegypten heisst Fostat, welche am nördlichen Ufer des Nil liegt; der Nil fliesst nämlich von Osten mit einer Neigung nach Süden; die ganze Stadt liegt auf einer Seite; auf der gegenüberliegenden Seite des Nil sind nur wenige Gebäude, welche el Dschefire (die Insel) heissen; man geht von Fostat nach dieser Insel auf einer Schiffbrücke, von dieser Insel kommt man über eine andere Brücke nach einigen Gebäuden und Wohnungen am andern Ufer des Nil, welche Dschife heissen. Fostat ist eine grosse Stadt, ungefähr ein Drittheil so gross, wie Bagdad; ihre Länge ist ungefähr ⅔ Parasangen. Fostat ist stark bevölkert und fruchtbar; es ist von Araberstämmen bewohnt, nach welchen die Strassen benannt sind, wie in Rufa und Baszra, doch sind jene kleiner, als diese⁶⁹). Der grösste Theil der Gebäude ist aus Ziegelsteinen; das Untertheil ist meistens unbewohnt; ein einziges Haus enthält oft acht Stockwerke; in der Nähe ist ein Ort, Namens Muwakkef, wo der Boden etwas fester ist, und welcher aus einzelnen Gebäuden besteht. Ehen so in Hamra am Ufer des Nils. Es sind in Fostat zwei Hauptmoscheen, die eine wurde von Amru ben Aasz in der Mitte der Stadt erbaut; die andere ist in Muwakkef, und wurde von Ahmed ben Tulun erbaut; etwas mehr als eine Miglie von der Stadt ist ein anderes von Ahmed ben Tulun errichtetes Gebäude, in welchem seine Truppen, Rataja genannt, wohnten, gleich wie die Aglabiden Rakkada ausserhalb Kairwan erbaut hatten; es sind dort viele Dattelpalmen und Weinstöcke; die Saatfelder sind am Nil, und erstrecken sich von Asnan nach Iskenderie und dem übrigen Rif. Während der Hitze schwillt das Wasser an bis zum Herbst; dann nimmt es wieder ab, worauf das Land besäet wird; eine weitere

Bewässerung findet nicht statt. In Aegypten fällt weder Regen noch Schnee. In Aegypten ist keine Stadt, welche anderes Wasser, als aus dem Nil hat, ausser Fajum; diese Stadt liegt mitten im Lande; man sagt, Joseph habe dahin einen Kanal graben und denselben mit Steinen aussetzen lassen; er nannte ihn Lakum.

Der Ursprung des Nil ist unbekannt, weil er aus einer Wüste jenseits des Landes Sindsch kommt; von dort fliesst er durch das Land Sindsch, durch die Wüsten und bewohnten Gegenden Nubiens und ferner durch bewohnte Gegenden, bis er Aegypten erreicht. Seiner ganzen Länge nach ist er grösser, als der Euphrat und Tigris zusammen; sein Wasser ist sehr suss und weisser als das Wasser anderer Flüsse des Islam. In diesem Flusse lebt das Krokodil, der Skink, und ein Fisch, welcher Raade (Donnerer) heisst; man kann ihn nicht anfassen, so lange er lebt; wenn man ihn ergreift, so geräth die Hand in's Zittern, und lasst ihn fallen; wenn er aber todt ist, so ist er wie die andern Fische[70]). Das Krokodil ist ein Wasserthier, dessen Kopf ungefähr halb so lang ist, wie sein Leib; auch hat es Zähne, doch ergreift es weder Löwen noch Ramele, wenn sie nicht ihm zu nahe kommen. Oft kommt es aus dem Wasser und geht auf dem Lande, wo es aber weder Macht noch Sieg hat. Seine Haut ist wie Chagrin, womit die Degengriffe überzogen werden; mit Waffen ist es nur unter den Vorder- und Hinterfüssen und bei den Achseln zu verwunden. — Der Skink ist eine Art Fisch, hat aber zwei Vorderfüsse und zwei Hinterfüsse; er wird zur Arznei gebraucht, und findet sich nur in dem Nil.

Von Suan bis zu dem See sind an den beiden Seiten des Nil viele Städte und Dörfer.

Suan (Asnan, Syene) ist die Gränzstadt gegen Nubien. In Oberaegypten, südwärts vom Nil an einem abgelegenen Orte, sind Smaragdgruben; es sind dies die einzigen bekannten Gruben dieser Art.

Im Norden vom Nil, in der Nähe von Fostat ist ein Gebirge, Namens Mokattem, auf welchem und in dessen Nähe der Stein Chamahen gefunden wird. Dieses Gebirge erstreckt sich bis Nubien; Fostat gegenüber befindet sich an demselben das Grab des Imam Schafei[71]) nebst andern Gräbern.

Iskenderie (Alexandria) ist eine grosse Stadt am Meere; die Gebäude, das Strassenpflaster und die Säulen sind aus Marmor. Es befindet sich dort ein Thurm, dessen Grundlage im Wasser aus Quadersteinen besteht; er ist sehr hoch und umfasst mehr als 300 Häuser[72]). Ohne Führer kann man ihn nicht besteigen.

Was oberhalb des Nil bei Fostat ist, heisst Szaid (Oberaegypten), was aber unterhalb liegt, Rif.

In dem Gebiet von Fostat, südwärts vom Nil liegen grosse Gebäude, von denen mehrere über das übrige Oberaegypten verbreitet sind. Fostat gegenüber in einer Entfernung von 2 Parasangen liegen einige dieser grossen Gebäude; die grossten sind die beiden Pyramiden. Vom Fusse an nehmen sie allmählig ab bis zum Gipfel, wo ein Kameel niederknien kann; sie sind mit griechischen Inschriften versehen. Im Innern sind Gange, in denen man bis zum Gipfel hinaufsteigen kann; auch ist in beiden Pyramiden ein Weg ins Innere der Erde gegraben. Ich habe gehört, dass die Pyramiden wahrscheinlich die Gräber der alten Könige dieses Landes sind.

Die Breite des bewohnten Landes am Nil vom Suan an ist zwischen einer halben Tagereise bis Fostat hinunter; hier verbreitet es sich, und die Breite von Iskenderie bis Dschof bei der Wüste von Kolfum beträgt ungefähr 8 Tagereisen. Das Uebrige von Aegypten ist Wüste.

Die Oasen waren früher ein bewohntes Land mit Wasser, Bäumen, Dörfern und Menschen; jetzt aber sind keine Häuser mehr da; man findet aber bis auf den heutigen Tag noch viele Datteln und verwilderte Schafe, die sich daselbst fortpflanzen. Die Oasen liegen in Oberaegypten, ungefähr 3 Tagereisen südwärts vom Nil in einer Wüste, die sich bis Sudan erstreckt.

In Aegypten ist ein Süsswassersee, in welchem der Nil das mittelländische Meer erreicht, und welcher der See Tennis heisst. Wenn der Nil im Sommer anschwillt, ist das Wasser dieses Sees süss, wenn aber das Wasser im Norden abnimmt, so dringt das Meerwasser ein, und macht das Wasser des Sees salzig. In dem See sind mehrere Städte wie Inseln, die von dem Wasser durchschnitten werden, so dass in ihnen keine Strassen sind, sondern man auf Schiffen in ihnen fährt; die bekanntesten dieser Städte sind Tennis und Damiat; bei beiden Städten ist weder Saatfeld noch Kraut; sie ziehen ihren Erwerb von der Verfertigung aegyptischer Kleider. Der See hat nur wenig Wasser, und an den meisten Stellen muss man die Fahrzeuge mit Rudern fortschieben. Man findet daselbst Fische von der Gestalt einer Schildkröte, welche Delphine heissen. Wenn ein Mensch von diesem Fische isst, so wird er im Schlaf von schrecklichen Traumen gequält. Von der Gränze dieses Sees bis zur Gränze Syriens ist alles Sand von schöner Farbe; diese Sandstrecke heisst Dschafar; man findet daselbst einzelne Palmen und hin und wieder Wasser. Dschafar wird begränzt von dem mittelländischen Meere, von der Wüste der Kinder Israel, und von Rif bis Kolfum.

Die Wüste der Rinder Israel soll 40 Parasangen lang und ungefähr eben so breit sein; der Boden ist theils Sand, theils fest; man findet daselbst einige wenige Palmen und Quellen., Sie gränzt an Dschafar, an den Berg Sinai und dessen Umgebung, an das Gebiet von Jerusalem und was von Palaestina in der Nähe ist, und an die Wüste, die sich von Rif bis Kolfum erstreckt.

Asius (Siut) ist eine kleine bevölkerte Stadt, welche Palmen und Saatfelder hat; von Asius werden viele Kleidungsstücke ausgeführt. Dieser Stadt gegenüber an der Nordseite des Nils liegt

Buszir eine kleine Stadt, wo Merwan ben Mohammed getödtet wurde[73]). Die Zauberer Pharao's sollen aus Buszir gewesen sein.

Suan ist die grösste Stadt in Szaid und hat viele Palmen und Saatfelder.

Abelina und Achmim sind zwei nahe bei einander gelegene kleine bevölkerte Städte in der Wüste, mit Datteln und Saatfeldern. Dhu'l Nun der Aegypter, der Gottgeweihte, war aus Achmim[74]).

Farma an einem kleinen See, eine fruchtbare und reiche Stadt, wo das Grabmal des Dschalinus (Galenus) ist[75]).

Von Farma nach Tennis sind ungefähr zwei Parasangen in dem See. In Tennis ist ein grosser Hügel, der aus Leichen erbaut ist, die man auf einander häufte. Dieser Hügel heisst Barkum und es scheint, dass er aus der Zeit vor Moses dem Sohne Amran's herstamme.

Ain es Schems und Szeif liegen nahe bei einander westwärts von Fostat, und sind jetzt verödet; Ain es Schems liegt nordwärts und Szeif südwärts von Fostat; man sagt, dass beide Städte Residenzen Pharao's waren[76]). Auf dem Gipfel des Berges Mokattem, diesem Orte gegenüber, ist ein Gebäude, Namens Tenur Faraun (Ofen Pharao's); es wird erzählt, dass, wenn er von einem dieser Orte wegging, an dem andern Feuer angezündet wurde.

An dem Nil in Aegypten sind Stellen, wo das Krokodil niemals Schaden thut; eine dieser bekannten Stellen ist bei Fostat, eine andere bei Buszir u. s. w.

Um Fostat sind Saatfelder, auf denen der Balsambaum wächst, wovon man den Balsam gewinnt; es ist kein anderer Ort in der Welt ausser diesem bekannt, wo man Balsam gewinnt.

-- Abbasie, Rafus und Harhir liegen in Dschof; Dschof nennt man, was von Fostat an nordwärts vom Nil liegt; was südwärts liegt, heisst Rif; die grössten Städte und Dörfer Aegyptens liegen in diesen beiden Provinzen.

Die Goldminen liegen 15 Tagereisen von Suan; sie befinden sich aber nicht in Aegypten, sondern in Bedscha und erstrecken sich bis Aidhab; man sagt, Aidhab liege nicht in Bedscha, sondern gehöre zu den Städten von Habesch. Die Goldminen liegen in einer Ebene, wo keine Gebirge sind, sondern Sand und Kies; die dortigen Bewohner heissen Alaki.

In Bedscha sind keine Dörfer und Schlösser, sondern es ist alles flaches Land; die Einwohner haben Sklaven, doch sollen keine Gefangene darunter sein; ihre Sklaven, ihre Knechte und die übrigen Erzeugnisse ihres Landes werden nach Aegypten gebracht[77]).

In Aegypten giebt es Maulesel und Esel, schöner und werthvoller als in andern Ländern. Jenseits Suan giebt es kleine Esel von der Grösse eines Widders und einem Maulesel ähnlich; wenn sie aus ihrer Heimath gebracht werden, sterben sie. Ferner giebt es in Szaid Esel, welche man Seklabie (Slavonische) nennt; man glaubt, dass sie von einem wilden und einem gezähmten Thiere abstammen.

In Dschefar sind Schlangen von der Länge einer Spanne, die aber von der Erde bis an die Kamellasten hinaufspringen können. Die Aegypter glauben, dass Dschefar zur Zeit Pharao's bewohnt war und Dörfer und Wasser hatte, und dass von dieser Gegend Gott sagt: „Wir haben zerstört, was Pharao verfertigt hat, und was sein Volk erbaut hat" (ja'arischun) wesshalb diese Gegend El Arisch heisst.

Beschreibung von Syrien (Scham.)

Syrien gränzt im Westen an das mittelländische Meer; im Osten an die Wüste von Aila bis zum Euphrat und zur Gränze von Kleinasien; im Norden an Belad er Rum (Römerland, d. h. Kleinasien) und im Süden an Aegypten und die Wüste der Kinder Israel. Der äusserste Punkt Syriens an der ägyptischen Gränze ist Rafeh, und an der römischen Gränze el Thogur (die Mark[78]), das heisst Malatia, Hadith, Merasch, Harunie, Kenisa, Ainsarbe, Maszisza, Adana und Tarsus; die Städte an der Ost- und Westgränze werden wir bei der Abbildung des Landes angeben. Zu Syrien haben wir die Mark gerechnet; ein Theil derselben heisst die syrische Mark (Thogur es Scham) und ein Theil die mesopotamische Mark (Thogur el Dschefire); beide aber gehören zu Syrien, da alles, was jenseits des Euphrat liegt[79]), zu Syrien gehört. Von Malatia bis Merasch ist die mesopotamische Mark, weil dort mesopotamische Truppen in Besatzung liegen und gegen die Ungläubigen kämpfen, indem es zu Dschefira gehört; und Kure Scham (Distrikt von Syrien) weil es zum Gebiet von Falestin gehört[80]). Das Gebirge Lo-

kam trennt die beiden Marken; es zieht sich in Kleinasien hinein, und
hat eine Ausdehnung von ungefähr 200 Parasangen; in den Ländern
des Islam liegt es zwischen Merasch, Harunie und Ainfarbe, und führt
den Namen Lokam, bis es Ladikia erreicht; dann heisst es Dschebel
Behra und erstreckt sich bis Himsz; von da heisst es Dschebel Libnan, und führt diesen Namen durch Syrien bis Kolfum[81]).

Falestin ist die erste Landschaft von Syrien an der Westgränze; die Länge derselben von Rafeh bis Leddschun ist zwei Tageritte, und die Breite von Jafa bis Ariha zwei Tage. — Sogar, Diar
Kum Lot, Dschebal, Schora, nud was in ihnen inbegriffen ist, gehören
zu obiger Landschaft bis Aila. Diar Kum Lot (Distrikt des Volkes
Lot's), der (todte) See und Sogar bis Beisan und Tabaria heissen el
Gur (das Thal) weil sie zwischen zwei Gebirgsreihen liegen, und die
übrigen Orte von Syrien höher gelegen sind. Ein Theil jener Distrikte
gehört zur Landschaft Arden, und ein Theil zu Falestin. Falestin ist
das gesegnetste[82]) Land von Syrien; die grössten Städte sind Ramle
und Jerusalem, welches ersterem an Grosse gleich kommt.

Beit el Mokaddes (Jerusalem). Eine auf Mauern[83]) liegende Stadt, so dass man von jedem Orte nach Jerusalem hin-
aufreisen muss. Hier ist die grösste Moschee im Islam; das
Gewölbe erstreckt sich von einem Winkel im Westen der Moschee
uber die halbe Breite derselben bis zu der Stelle esz Szachra
(der Felsen); denn auf dieser sind Steine aufgehäuft, wie ein Hügel,
und in der Mitte der Steine auf dem Felsen ist eine sehr hohe Kuppel;
der Felsen ist von der Erde in Mannshöhe; er ist an Länge und Breite
fast gleich, nämlich 19 Ellen; man kann auf einer Leiter in das Innere
der Moschee, wie in eine unterirdische Grube, hinabsteigen, da seine
Länge der Ausdehnung der Moschee ungefähr gleich ist. In Jerusalem
ist kein fliessendes Wasser, ausser Quellen, das aber nicht zur Bewässerung der Saaten ausreicht; die Stadt ist von allen Städten Palästina's
am reichlichsten mit Lebensmitteln versorgt. In Jerusalem ist auch der
Mihrab David (über welchem Friede!); dies ist ein ungefahr 50 Ellen
hohes und ungefähr 30 Fuss breites steinernes Gebäude mit zwei steinernen Seitenflügeln; das Obertheil des Gebäudes ist wie ein Saal; dies
ist der Mihrab, wenn man von Ramle kommt, und das erste Gebäude
von Jerusalem, welches man erblickt. Uebrigens hat jeder der bekannten
Propheten in Jerusalem einen Mihrab (Saal) der nach ihm benannt ist.

In der Nähe von Jerusalem im Süden ist ein Dorf, Namens Betlehem,
woselbst der Messias (über welchem Friede!) geboren ist. In der dor-

tigen Kirche soll ein Stück von der Palme sein, von welcher Maria gegessen hat; es wird dort aufbewahrt und in grossen Ehren gehalten.

Von Betlehem in südlicher Richtung liegt eine kleine Stadt,
die Betlehem an Grösse gleich kommt, und Mesdschid Ibrahim
(Moschee Abraham's), über welchem Friede sei! genannt wird; dort
befinden sich die Gräber Abraham's, Isaak's und Jakob's und ihrer
Frauen. Die Stadt liegt in einer Niederung zwischen Bergen, die mit
Bäumen und Dattelpalmen dicht bewachsen ist. Diese so wie die übrigen
Berge Palästina's und ihre Ebenen sind reich an Oliven, Wein und
andern geringeren Früchten.

Nablus ist die Stadt der Samariter. Man glaubt, dass Jerusalem
Nahlus sei, und dass es an keinem andern Orte der Erde Samariter gebe.

Die letzte Stadt Palästina's auf der Seite von Dschefar in Aegypten
ist Gafa; dort befindet sich das Grab des Haschem ben Abd Menaf[84]),
und wurde Schafei geboren. Auch wurde hier Omar ben Chattab zur
Zeit der Unwissenheit gefangen genommen, indem es die Handelsstrasse
der Bewohner von Hedschaf war.

Palästina ist das fruchtbarste Land von Syrien.

Die Hauptstadt von Schorah heisst Edhredsch, und die Hauptstadt von Dschebal heisst Ruad. Beide Städte sind sehr fruchtbar und
von Arabern bewohnt, die sich derselben bemächtigt haben.

Die grösste Stadt in Arden ist Tabaria an einem Süsswassersee,
dessen Länge 12 Miglien und dessen Breite 2 oder 3 Parasangen beträgt; es sind dort Quellen, welche ungefähr zwei Parasangen von der
Stadt entspringen; wenn das Wasser auf diesem langen Wege die Stadt
erreicht, so ist es noch so heiss, dass hineingeworfene Felle kahl werden;
das Wasser ist nur in Vermischungen zu gebrauchen; man bedient sich
desselben zu Bädern.

El Gur beginnt im Süden der Stadt, nahe bei der Moschee Ibrahim's, wo der See ist; dann erstreckt es sich längs Baisan, bis Raade
und Ariha und bis zum todten Meere. El Gur liegt zwischen zwei Bergen,
die hier ein sehr tiefes Thal bilden; es sind dort Palmen, Quellen und
Flüsse, und der Schnee bleibt dort nicht liegen. Ein Theil von el Gur
beginnt bei der Gränze von Arden und erstreckt sich bis in die Nähe
von Beischan; sobald es Beischan erreicht, gehört es zum Gebiet von
Falestin; dieses Thal erstreckt sich dann weiter bis nach Aila.

Szur ist eine der stärksten Festungen, und liegt am Meere; sie ist
bevölkert und fruchtbar, und soll die älteste Stadt an der Küste sein;
von ihren Bewohnern sollen die griechischen Philosophen abstammen.

In Arden wohnte der Prophet Jakob (über welchem Friede sei!) Dschobb Jusuf (der Brunnen Joseph's) ist 12 Miglien von Tabaria auf dem Wege nach Damaskus. Tabaria erhält sein Wasser aus dem See.

Damaschk (Damaskus) ist die edelste Stadt in Syrien, und liegt in einer Ebene zwischen Bergen, woselbst viel Wasser, Bäume und Saatfelder sind. Dieses Thal heisst Guta, und ist eine Station breit und zwei Stationen lang; in Syrien giebt es keinen ähnlichen Ort; die Quelle Fidsche entspringt unter einer Kirche; dort ist sie eine Elle hoch und eine Spanne breit; wenn sie sich aber in's Thal ergiesst, vereinigt sie sich mit andern Quellen, und bildet einen grossen Fluss, welchen Jefid ben Moawia bis zur Breite des Tigris erweitern liess; dann entspringen dort die Flüsse Marra und Kanah; bei dem Orte Tirah treten sie aus dem Thale heraus. Man sagt, dass von diesem Orte Gott spricht: „Und er baute ihnen eine Wohnung auf dem Hügel der Stärke und Hülfe." Dann entspringt aus diesem Wasser der Fluss Barada, über welchem in der Mitte der Stadt Damaskus eine Brücke ist; der Barada fliesst dann durch die Guta, durch die Strassen derselben und um die Häuser und Bäder. — In Damaskus ist die schönste Moschee des Islam, die zugleich am meisten gekostet hat; die Mauern und die Kuppel über dem Mihrab von dem Allerheiligsten an sind von den Sabäern zum Behuf ihrer Gebete erbaut; darauf gerieth der Tempel in die Hände der Griechen, welche hier ebenfalls einen prachtvollen Gottesdienst hielten; dann erhielten ihn die Juden und die Könige der Götzendiener; damals wurde Johannes der Sohn Zacharias (über welchem Friede!) getödtet, und sein Haupt über dem Thore Dschirun, einem der Thore dieser Moschee, aufgestellt; endlich bemächtigten sich die Christen derselben und es ward in ihren Händen eine Kirche bis zur Zeit des Islam, wo die Mohammedaner sie zur Moschee machten. Ueber dem Thore Dschirun, wo das Haupt des Johannes des Sohn's Zacharias, aufgestellt wurde, wurde auch das Haupt des Husein ben Ali aufgestellt. Als der Chalife Velid ben Abd el Melik zur Regierung kam, liess er die Moschee ausbauen; der Fussboden wurde aus Marmor gemacht: die Wände wurden mit polirtem Marmor bekleidet; die Säulen bestanden aus buntem Marmor, und die Kapitäler der Säulen aus Gold; der Mihrab ist ebenfalls aus Gold und mit Edelsteinen besetzt; sämmtliche Gesimse um die vier Mäuern sind aus Gold. Man sagt, dass Velid die fünfjährige Grundsteuer Syriens auf diesen Bau verwendete. Das Dach ist aus Blei, und das Gebälke aus vergoldetem Holze. Die Moschee ist von Wasser umgeben, und wenn es steigt, so stehen alle Ecken derselben unter Wasser.

Zur Landschaft Damaskus gehört die Stadt Baalbek, wo die Gebäude aus Steinen erbaut sind; man findet dort steinerne Paläste, die auf hohen Säulen ruhen; in Syrien giebt es keine merkwürdigere und grössere Gebäude.

Atrabolos (Tripolis), eine Stadt am mittelländischen Meere mit Palmen und Zuckerrohr in einer fruchtbaren Ebene.

Die Hauptstadt der Landschaft Himsz ist Himsz auf einer sehr fruchtbaren Ebene und in dem gesundesten Klima von Syrien; die Einwohner sind sehr vortrefflich [85]). Man findet dort weder Schlangen noch Skorpione, dagegen Wasser, Bäume und viele Saatfelder, welche letztere meistens nur vom Regen bewässert werden. Es ist dort eine Kirche, welche halb eine (christliche) Kirche, halb eine (mohammedanische) Hauptmoschee ist, und eine der grössten Kirchen in Syrien ist. Die Strassen der Stadt sind mit Steinen gepflastert.

Tartus ist eine Festung am mittelländischen Meere, die den Einwohnern von Himsz als Kastell dient. Es befindet sich hier der Koran des Othman ben Affan.

Salamia eine sehr fruchtbare Stadt am Rande der Wüste; sie ist meistens von Haschemiden bewohnt.

Schaifar und Hama sind zwei kleine bevölkerte, fruchtbare und angenehme Städte mit vielem Wasser, Bäumen und Saatfeldern.

In der Landschaft Kinnesrin liegt die Stadt Haleb; sie ist sehr volkreich, und liegt an dem Zusammentreffen der Wege nach Irak, der Mark und dem übrigen Syrien.

Kinnesrin, eine Stadt, nach welcher der dazu gehörige Distrikt benannt ist; es ist eine der kleinsten Städte in diesem Distrikt.

Die Stadt Maarrin, so wie die umliegenden Dörfer liegen in einer wasserleeren Gegend, und in der ganzen Umgegend ist kein fliessendes Wasser; auch die meisten Bewohner der Landschaft Kinnesrin gebrauchen für sich und ihre Felder Regenwasser.

Chunaszera ist eine Festung am Rande der Wüste, welche von Omar ben Abd el Afif bewohnt wurde.

Awaszem ist der Name eines Distriktes, aber nicht einer besondern Stadt. Die Hauptstadt desselben ist Antakia (Antiochia). Antakia ist nächst Damaskus die angenehmste Stadt in Syrien; sie ist von steinernen Mauern umgeben, die zugleich einen Berg umschliessen, welcher die Stadt beherrscht. Es sind dort Saatfelder, Viehweiden, Bäume, Mühlen, und alles was zu den Bedürfnissen der Einwohner erforderlich ist. Man sagt, dass der Umfang der Mauern zwei Tageritte ist [86]). Das Wasser fliesst durch die Häuser, Strassen und die Hauptmoschee der Stadt; es sind dort sehr fruchtbare Felder und Dörfer. Auch der sogenannte S z a c h r a M u s a ben Amran (der Felsen Mosis des Sohn's Amrán's) ist in dieser Gegend.

Balis ist eine kleine Stadt am Euphrat; es ist die erste Stadt von Syrien, wenn man von Irak kommt, und dient den Bewohnern von Syrien als Hafen am Euphrat.

Manbedsch ist eine Stadt in einer Ebene; die Saatfelder derselben werden meistens vom Regen bewässert und sind sehr fruchtbar. In der Nähe ist eine kleine Stadt Saicha, bei welcher eine steinerne Brücke ist. Die Brücke heisst die Brücke von Saicha, und ist die merkwürdigste Brücke in den Ländern des Islam.

Semisat liegt am Euphrat; eben so Dschisr Manbedsch; beides sind kleine fruchtbare Städte mit Saatfeldern, die aus dem Euphrat bewässert werden.

Malatia ist eine der grössten Städte in der Mark, unterhalb des Gebirges Lokam; die Berge sind dort mit vielen Wallnüssen und andern Früchten bedeckt, welche Jedermann's Belieben überlassen sind, da sie niemanden gehören. Malatia ist von den Ortschaften Kleinasiens eine Station.

Hiszn Manszur, eine kleine Festung, mit einem Minbar[87]) und Saatfeldern, die von Regenwasser benetzt werden.

Hadith und Merasch sind zwei bevölkerte Städte mit Wasser, Saatfeldern und vielen Bäumen; beide sind Gränzfestungen.

Sohatra ist diejenige Festung in der Mark, welche Kleinasien am nächsten liegt; die Römer haben sie verwüstet[88]).

Harunie liegt westwärts vom Gebirge Loham in einem Thale desselben; es ist eine kleine von Harun er Reschid erbaute Festung.

Iskenderie (Skanderun, Alexandrette) eine kleine, den Griechen gehörige Festung am Meere mit Dattelpalmen[89]).

Bajas eine kleine Stadt am mittelländischen Meere mit Palmen und fruchtbaren Saatfeldern[90]).

Bateinat eine Festung am mittelländischen Meere, wo das nach Syrien, Aegypten und der Mark zu verschiffende Cedernholz gelagert wird.

Kenisa eine Festung mit einem Minbar; es ist eine Gränzfestung in einer Bucht des Meeres.

Mankeb eine kleine von Omar ben Abd el Afif erbaute Festung; es ist dort ein Minbar und ein Koran, der ihm gehörte.

Ainfarbe, eine Stadt in einem Thale, wo Palmen sind; es ist eine fruchtbare Ebene mit Datteln, Saatfeldern und Viehweiden. Von dieser Stadt aus wollte der Verschnittene Waszif nach Kleinasien entfliehen, wurde aber hier von dem Chalifen Motadhed eingeholt[91]).

Maszisza besteht aus zwei Städten, wovon die eine Maszisza, und die andere Kafr Tutha heisst; sie liegen zu beiden Seiten des Dschihan, und sind durch eine steinerne Brücke verbunden. Es ist stark befestigt, und liegt auf einer Anhöhe, so dass derjenige, welcher in der dortigen Hauptmoschee sitzt, das etwa vier Parasangen entfernte Meer sehen kann [92]). Der Fluss Dschihan kommt aus Kleinasien, fliesst bei Maszisza und Malun [93]) vorbei, und ergiesst sich dann in's Meer.

Adana ist so gross, wie eine Seite von Maszisza, und liegt an der Westseite des Flusses Sihan, in einer fruchtbaren Gegend, und ist gut bevölkert; der Sihan kommt dem Dschihan an Grösse nicht gleich; über demselben ist eine lange merkwürdig gebaute steinerne Brücke; auch dieser Fluss kommt aus Kleinasien [94]).

Tarsus ist eine grosse mit einer doppelten Mauer versehene Stadt mit zahlreichen Reitern und Fusssoldaten; sie ist sehr fruchtbar und bewohnt; zwischen der Stadt und der römischen Gränze ist ein Berg, welcher die Moslemin von den Römern scheidet. Es sollen dort Tausende von Pferden sein, und es giebt keine grosse Stadt in Sedschestan, Kirman, Fars, Dschebal, Chufistan, Irak, Hedschaf, Jemen, Syrien und Aegypten, aus welcher nicht Soldaten zu Tarsus in Besatzung liegen und sich dort niederlassen [95]).

Ewlas eine Festung am Meere, von gottesfürchtigen Leuten bewohnt; es ist der letzte mohammedanische Ort am mittelländischen Meere.

Rekim, eine kleine Stadt in der Nähe von Belka; alle Hanser derselben sind aus Felsen gehauen, so dass dieser Ort gleichsam ein einziger Fels ist.

Das Todte Meer liegt in Gur in der Nähe von Sogar; es heisst das todte Meer, weil in demselben weder Fische noch andere Thiere leben können. Es wirft eine Materie aus, welche Homria heisst, und womit man in Palästina die Weinstöcke befruchtet, wie man anderswo die Palmen befruchtet.

In Sogar giebt es Datteln, genannt — — —, wie man sie in Irak nicht süsser und schöner von Ansehen findet; ihre Farbe ist gelb, und vier davon sind eine Spanne lang.

Diar Kum Lot (das Land des Volkes Lot's), ein Distrikt, welcher auch el Erth el Maklube (das umgekehrte Land) heisst; man finbet daselbst weder Saatfelder, noch Sträucher, noch Gras; es ist eine schwarze mit Steinen bedeckte Fläche; die Steine sind fast alle von einer Grösse, und es geht die Sage, dass es die bezeichneten Steine sind, welche das Volk Lot's dahin geworfen hat. Den Einwohnern dienen diese Steine als Petschafte.

Maan, eine kleine von Ommiaden und ihren Anhängern bewohnte Stadt; es ist eine Festung in Schorah.

Hauran[96]) und Batania sind zwei grosse zur Landschaft Damaskus gehörige Distrikte, deren Saatfelder von Wasserleitungen bewässert werden. Dort ist die Stadt Boszra, nahe bei Belka, und Amman, welches in der Geschichte des Wasserbehälters zwischen Boszra und Amman erwähnt wird.

Bagras auf dem Wege nach der Mark; es ist dort das Karawanserai der Sobeide[97]), das einzige Karawanserai in Syrien.

Beirut eine fruchtbare Stadt am mittelländischen Meere im Gebiet von Damaskus; sie war der Wohnort des (Rechtsgelehrten) el Anfai[98]).

Karte von Syrien.

1. Nichts. 2. Süd. 3. Aidhab. 4. Kolfum. 5. Gränze Aegypten's (zwischen diesen beiden Wörtern: „Karte von Syrien"). 6. Mittelländisches Meer. 7. West. 8. Meer von Kolfum. 9. Todtes Meer. 10 und 10 a. Mesdschid Ibrahim. 11. Nablus. 12. Gafa. 13. Beit el Mokaddes (Jerusalem). 14. Ariha. 15. Sogar. 16. See von Tiberias. 17. Edhredsch. 18. Wafar. 19. Rekim. 20. Belka. 21. Damaskus. 22. Baalbek. 23. Himsz. 24. Kafr Tab. 25. Hama. 26. Haleb. 27. Antakia. 28. Kinnesrin. 29. Schaifar. 30. Bagras. 31 und 31 a. Gebirge Behra und Tenneh; Gebirge Libanon; Gebirge Schorah. 32. Aila. 33. Maan. 34. Nichts. 35. Salamia. 36. Tadmor. 37. Chunaszera. 38. Balis. 39. Askalon. 40. Jafa. 41. Arsuf. 42. Kaisarie. 43. Akka. 44. Szur. 45. Szaida. 46. Beirut. 47. Dschebail. 48. Tarablus. 49. Tortosa. 50. Dschible. 51. Ladikia. 52. Akar. 53. Suweida[99]). 54. Fels Mosis. 55. Kenise. 56. Iskenderie. 57. Bajas. 58. Harunie. 59. Kafr Tutha. 60. Tabaria. 61. Ramle. 62. Mittelländisches Meer. 63. Ewlas. 64. Ainfarbe. 65. Maszisza. 66. Adana. 67. Tarsus. 68. Fluss Sihan. 69. Berdan. 70. Gebirge Lokam. 71. Nord. 72. Fluss Dschihan. 73. Merasch. 74. Kuris. 75. Sohatra. 76. Manbedsch. 77. Hiszn Mehdi. 78. Schemischat. 79. Malatia. 80. Hadith. 81. Gränzen von Kleinasien. 82. Ost. 83. Euphrat. 84 Dschisr Manbedsch.

Entfernungen in Syrien.

Zuerst der Länge nach von Malatia nach Rafeh. Von Malatia nach Manbedsch 4 Tage; von Manbedsch nach Haleb zwei Tage; von Haleb nach Himsz 5 Tage; von Himsz nach Damaskus 5 Tage; von Damaskus nach Tabaria 4 Tage; von Tabaria nach Ramle 3 Tage; von Ramle nach Rafeh 2 Tage, zusammen 25 Tagereisen. Die Breite ist an einigen Stellen grösser, als an andern; was die Breite der beiden Seiten betrifft, so beginnt die der einen Seite bei dem Euphrat, von Dschisr Manbedsch über Manbedsch, Kuris, Kinnesrin, Awaszem, Antakia, über das Gebirge Lokam nach Bajas, dann über Tinat, Maukeb, Maszisza, Adana nach Tarsus: dies beträgt ungefähr 10 Stationen. Wenn man aber von Balis über Haleb, Antakia, Iskenderie und Bajas nach Tarsus reiset, so sind es ebenfalls ungefähr 10 Stationen; indessen ist der erstere Weg mehr in gerader Linie. Der andere Weg auf der Gränze von Falestin beginnt bei dem Meere von Jafa über Ramle, Jerusalem, Ariha, Sogar, Dschebal Schorah, Schorah nach Maan, und beträgt 6 Stationen, und ist die grösstmöglichste Breite, denn über Arden, Damaskus und Himsz beträgt sie hochstens 3 Tage; von Damaskus nach Tarablus am mittelländischen Meere sind zwei Tagereisen westwärts, und nach dem äussersten Ende der Guta am Rande der Wüste ein Tag ostwärts; von Himsz nach Salamia bei der Wüste ist ein Tag ostwärts, und von Himsz nach Tarsus am mittelländischen Meere 2 Tage westwärts. Von Tabaria nach Szur am Meere 1 Tag westwärts, und nach Ariha und Afik an der Gränze des Gebiets der Beni Fafare 1 Tag ostwärts. Dies sind die Entfernungen in Syrien nach der Länge und Breite; ich will nun die Entfernungen zwischen den einzelnen Orten angehen, und bei Palaestina beginnen, da es die erste Landschaft von Syrien auf der Seite von Magreb ist. Die Hauptstadt von Falestin ist Ramle; von Ramle nach Jafa $\frac{1}{2}$ Station; von Falestin nach Askalon 1 Station; nach Gafa 1 Station; von Ramle nach Jerusalem 1 Tag; von Jerusalem nach Mesdschid Ibrahim 1 Tag; von Jerusalem nach Ariha 1 Station; von Jerusalem nach Belka 2 Tage; von Ramle nach Kaisarie 1 Tag; von Ramle nach Nahlus 1 Tag; von Ariha nach Sogar 2 Tage; von Sogar nach Dschebal Schorah 1. Tag; von Dschebal Schorah nach der äussersten Gränze von Syrien 3 Tage. Die Hauptstadt von Arden ist Tabaria; von dort nach Szur 2 Tage; von dort nach Akaba Fik $\frac{1}{2}$ ...; von dort nach Baisan 2 starke Tagereisen; von dort nach Akka 1 Tag. Arden ist die kleinste Landschaft Syriens und es sind dort die kleinsten Entfernungen. Die Hauptstadt der Landschaft Damaskus ist Damaskus; von dort nach Baalbek 2 Tage; nach Tarablus 2 Tage; nach Beirut 2 Tage; nach Szaida 2 Tage; nach Edhraat 4 Tage; nach der äussersten Gränze der Guta 1 Tag; nach Hauran und Batanaa 2 Tage. — In der Landschaft Kinnesrin ist der Sitz der Regierung in der Stadt Kinnesrin, die Märkte und Versammlungen der Bewohner aber sind in Haleb. Von Haleb nach Balis 2 Tage; von Haleb nach Kinnesrin 1 Tag; von Haleb nach Furis 1 Tag; von Haleb nach Manbedsch 2 Tage; von Haleb nach Chunaszera 2 Tage. —

Die Hauptstadt von Awaszem ist Antakia; von dort nach Ladikia 3 Tage; nach Bagras 1 Tag; nach Erbab 2 Tage; nach Himsz 5 Stationen; nach Merasch 2 Tage; nach Hadith 3 Tage. In der Mark ist keine Hauptstadt, und jede Stadt ist von der andern unabhängig; Manbedsch ist der Mark am nächsten; von Manbedsch nach dem Euphrat eine kleine Station; von Manbedsch nach Furis 2 Stationen; von Manbedsch nach Malatia 4 Tage; von Manbedsch nach Semisat 2 Tage; von Semisat nach Hiszn Manszur 1 Tag; von Hiszn Manszur nach Malatia 2 Tage; von Hiszn Manszur nach Hadith 1 Tag; von Hadith nach Merasch 1 Tag. Das sind die Entfernungen in der mesopotamischen Mark. Von Iskenderie nach Bajas 1 Station; von Bajas nach Maszisza 2 Stationen; von Maszisza nach Ainfarbe 1 Tag; von Maszisza nach Adana 1 Tag; von Adana nach Tarsus 1 Tag; von Tarsus nach Ewlas am mittelländischen Meere 2 Tage; von Bajas nach Renise und Harunie weniger als 1 Tag; von Harunie nach Merasch in der mesopotamischen Mark weniger als 1 Tag.

Beschreibung des römischen (mittelländischen) Meeres.

Bahr el Rum (das mittelländische Meer) ist ein Kanal des Ozeans von Andalus bei Baszira und dem Lande Tandscha, zwischen Tandscha und Dschefira Dschebel Tarik in Andalus, wo es 12 Parasangen breit ist. Hierauf erweitert und verbreitert es sich, und erstreckt sich längs den Küsten von Magreb, bis es Aegypten erreicht; dann erstreckt es sich längs Aegypten und Syrien, wendet sich in der Nähe der Mark, und umfliesst Kleinasien bis Antakia und dessen Umgegend. Darauf wendet sich das Meer westwärts nach der Strasse von Konstantinopel und erstreckt sich dann bis in die Nähe der Afrandsche; hier wendet es sich an der französischen Küste südwärts, erreicht bei Tortosa Andalus und fliesst dann längs den Städten, deren wir bei der Beschreibung von Andalus erwähnt haben, bis in die Nähe von Baszira bei Dschefira Dschebel Tarik; hierauf fliesst es in den Ozean bis nach Sirin, welches die äusserste Gränze des Islam an diesem Meere ist. Wer zu Fuss von Baszira aus längs den Küsten dieses Meeres geht, bis er nach dem gegenüberliegenden Punkte von Andalus kommt, braucht nur über Flüsse und Kanäle zu setzen.

Wenn man über Ewlas hinauskommt, trifft man einen Berg, der ins Meer hineinragt, und Falamia heisst; Falamia ist auch der Name einer den Römern gehörigen Stadt, und eins der Thore von Tarsus heisst von diesem Orte das Thor von Falamia. Die Stadt Falamia liegt nicht am Meere. An dem Meere dagegen liegt eine Station von diesem Orte das Dorf Lamis, in welchem die Loskaufungen von Gefangenen zwischen den Moslemin und den Römern statt fanden. Die Römer befanden sich während der Auswechslung auf Schiffen und die Moslemin auf dem Lande[100]).

Antalia, eine den Römern gehörige Festung am Meere, in einer grossen und stark bevölkerten Ebene.

Von hier kommt man nach einem Kanale, welcher Salzwasser hat, und Chalidsch Kostantinie (Kanal von Konstantinopel) heisst; es ist eine Kette über denselben gespannt, so dass kein Schiff aus dem Meere denselben ohne Erlaubniss des Kaisers passiren kann[101]).

Domic hat Dörfer, Saatfelder und grosse Städte.

Athinas und Rumia sind zwei grosse Städte in der Nähe des Meers, es sind dort die Versammlungen der Christen. Athinas ist auch die Heimath der griechischen Philosophen und der Sitz ihrer Wissenschaft und Weisheit. Rumia ist eine von den Säulen der Christenheit. Die Christen haben einen Patriarchen in Antakia, in Iskenderie, in Rumia und in Beit el Mokaddes (Jerusalem); letzterer ist erst in späteren Zeiten ernannt, denn zu den Zeiten der Apostel existirte ein solcher noch nicht, sondern wurde erst später zur Verherrlichung Jerusalems eingeführt.

Hierauf kommt man zu den Afrandsche längs den Küsten des mittelländischen Meeres, bis man Sicilien gegenüber sich Tortosa in Andalus nähert. Die Entfernungen von Magreb, Aegypten und Syrien bis zur äussersten Gränze des Islam in der Mark habe ich bereits angeführt. In diesem Meere sind grosse und kleine Inseln und Berge; von den bewohnten Inseln ist Sicilien die grösste; ferner Akritisch, Kibris und Dschebel el Kelal. Sicilien ist in der Nähe von Afrandsche; ihre Länge beträgt ungefähr 7 Stationen; man findet dort Getraide, Saatfelder, Vieh und Sklaven, die von den übrigen am Meere liegenden Ländern des Islam dahin gebracht werden.

Akritisch (Kreta) ist weniger breit und bevölkert als Sicilien; sie ist von Muselmannern bewohnt, welche gegen die Ungläubigen kämpfen; es wohnen auch Christen unter ihnen, wie in den Ländern des Islam.

Die Bewohner von Kibris sind Christen, und es sind keine Muselmänner unter ihnen; die Insel kommt Akritisch ungefähr an Grösse gleich.

Akritisch ist sehr fruchtbar und wurde von Moawia durch Übergabe erobert, so dass sie mit den Moslemin in Frieden ist; sie ist in der Nähe des Landes Rum.

Die Überfahrt von Syrien nach Kibris dauert bei günstigem Winde zwei Tage, und von Kibris nach der andern Seite des Meeres ist ungefähr eben so viel. Es wächst auf der Insel Styrax und Mastix.

Dschebel Kelal ist ein wüster Berg mit . . . und Erde; es kamen Mohammedaner dahin und bevölkerten ihn; er liegt den Afrandsche gegenüber und dient als Schutz für die moslimischen Ortschaften; seine Länge ist zwei Tage.

Es gibt keine volkreichere Küsten als an diesem Meere; denn die Wohnungen befinden sich an beiden Seiten ununterbrochen, während an den Küsten der übrigen Meere Wüsten und unbewohnte Orte sind; es segeln dort die Schiffe der Römer und Moslemin von einem Orte zum andern und machen Beute; oft kommen die Heere der Moslemin und der Römer zusammen, und auf jeder Seite sind an hundert Schiffe und darüber, die sich Seetreffen liefern.

Karte des Mittelländischen Meeres.

1. Ozean. 2. Dschebel Kelal. 3. Insel Sicilien. 4. Insel Akritisch. 5. Insel Kibris. 6. Sirin. 7. Ischbilie. 8. Ahsisa. 9. Sidona. 10. El Dschefira. 11. Malaka. 12. Bedschaia. 13. Mursia. 14. Balisa. 15. Tortosa. 16. Land der Galdscheskes. 17. Land der Baskones. 18. Afrandsche. 19. Athinas. 20. Ewlas. 21. Nord. 22. Tarsus. 23. Fluss Berdal. 24. Adana. 25. Fluss Saihan. 26. Ainfarbe. 27. Fluss Dschihan. 28. Bajas. 29. Iskenderie. 30. Fels Mosis. 31. Suweide. 32. Ladikia. 33. Dschible. 34. Tartus. 35. Tarablus. 36. Dschebeil. 37. Beirut. 38. Szaida. 39. Szur. 40. Akka. 41. Kaisarie. 42. Arsuf. 43. Jafa. 44. Askalon. 45. Ost. 46. Aegypten. 47. Tennis. 48. Damiat. 49. See Tennis. 50. Iskenderie. 51. Atrabolos. 52. Mehdie. 53. Tunis. 54. Tabarka. 55. Tenis. 56. Dschefira. 57. Bakur. 58. Baszire. 59. Suweile. 60. Sus el Aksza. 61. Süd. 62. West.

Beschreibung von Dschefira.
(Mesopotamien.)

Dschefira ist das Land zwischen dem Didschle (Tigris) und Frat (Euphrat), und umfasst die Distrikte Rebia und Modhar. Der Austritt des Euphrat aus Kleinasien findet zwischen Malatia und Semisat, zwei Tagereisen von Malatia statt; er fliesst bei Semisat, Dschisr Manbedsch, Balis, den beiden Rakka, Karkisia, Rahaba, Hit und Anbar vorbei; bei letzterem Orte ist die Gränze von Dschefira, die dann in gerader Linie nordwärts von Tekrit am Tigris geht; von dort geht sie weiter über Balis, Haditha, Moszul, Dschefira ben Omar bis in die Nähe von Amid; hier entfernt sich die Granze Dschefira's vom Tigris und von Armenien, und geht nach Semisat, wo sie die Stelle erreicht, wo der Euphrat das Gebiet des Islam betritt, und wo wir angefangen sind. Der Tigris be-

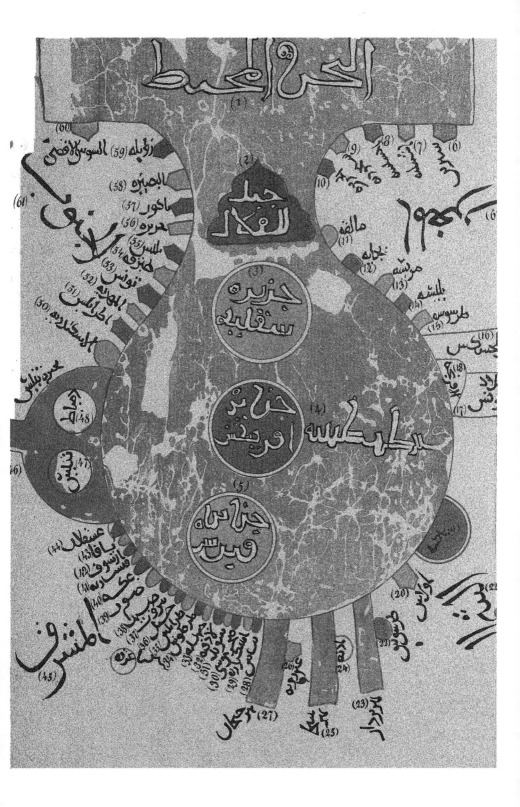

tritt dieses Gebiet oberhalb Amid. Es sind ostwärts vom Tigris und westwärts vom Euphrat Städte und Dörfer, die zu Dschefíra gerechnet werden, obgleich sie ausserhalb der Gränze liegen, aber wegen ihrer Nähe dahin gehören.

Beschreibung der Städte und Erzeugnisse.

Die angenehmste und wohlhabendste Stadt in Dschefíra ist Niszibin, eine grosse Stadt mitten im Lande an einem Flusse, welcher aus der Schlucht des Berges Wasza entspringt; dieser Ort ist dadurch so angenehm, dass er mitten zwischen Gärten und Saatfeldern liegt; in einiger Entfernung von der Stadt sind überdiess viele von Wasserleitungen befruchtete Felder; auch haben die Christen hier viele Plätze. Man findet dort viele tödliche Skorpionen. In der Nähe von Niszibin ist der Berg Mardin; von seinem Fusse bis zu seinem Gipfel sind ungefähr 2 Parasangen, und auf demselben ist ein festes Kastell, welches mit Waffengewalt nicht zu erobern ist. Man findet dort Schlangen, welche von allen Schlangen am schnellsten tödten. In dem Berge findet man Krystalle.

Moszul eine Stadt auf der Westseite des Tigris in einer sehr gesunden Gegend; zur Bewässerung ihrer Felder haben die Bewohner kein anderes Wasser als das des Tigris; sie haben jedoch keine Saaten und keine Bäume am Tigris, ausser an dem entgegengesetzten östlichen Ufer einige Kleinigkeiten; die Stadt bezieht ihren Bedarf an Feldfrüchten aus der Umgegend. Die vornehmsten Gebäude sind aus Gyps und Steinen aufgeführt.

. . . . . eine kleine Stadt an der Westseite des Tigris, die ausser dem Tigris noch anderes fliessendes Wasser hat; es giebt dort Bäume und Saaten und bewässerte Felder.

Sindschar eine Stadt mitten in dem Distrikte Rebia in der Nähe eines nach Sindschar benannten Gebirges mit Dattelpalmen. Es giebt in Dschefíra keinen Ort mit Dattelpalmen, ausser Sindschar und in der Nähe des Euphrat und bei Hit und Anbar.

Dara eine kleine angenehme Stadt mit fliessendem Wasser, Bäumen, Saaten und grossen bewässerten Feldern; sie liegt auf einer Bergebene.

Kafr Tutha, mitten im Lande, ist grösser als Dara, mit Datteln, Flüssen, Saaten und grossen bewässerten Feldern [102]).

Ras el Ain eine Stadt mitten im Lande, worauf meistens Baumwolle wächst. In der Nähe der Stadt sind mehr als 300 Quellen, deren Wasser so rein ist, dass man alles, was auf dem Grunde liegt, sehen kann. Alle diese Quellen vereinigen ihr Wasser, woraus der Fluss

Chabur entsteht, der bei Karkisia (in den Euphrat) fällt. An diesem Flusse sind auf ungefähr 20 Parasangen Dörfer und Saatfelder. Das bekannteste von diesen Dörfern ist Medschdel, eine Station unterhalb Ras el Ain, dessen Fluren sich auf beiden Seiten des Chabur ausdehnen. Eine Station von Medschdel liegt Araban, eine kleine ungesunde Stadt, ebenfalls zu beiden Seiten des Chabur. Zwischen Medschdel und Araban sind an beiden Ufern des Chabur zusammenhängende Wohnungen und Fluren. Zu den bekanntesten dieser Orte gehören Taban, Mataria, Sahimie und Teninir; auf den Feldern derselben wächst viele Baumwolle. Araban dient den Bewohnern von Chalat und Moszul als Hafen, um von dort ihre Baumwolle auszuführen.

Makesin ist eine kleine Stadt nahe bei Araban, welche in einer sehr fruchtbaren Gegend liegt; es ist dort eine Brücke über den Chabur; von Makesin, Araban und Medschdel wird Baumwolle nach Chalat und Moszul gebracht. Makesin ist von Araban eine Tagereise entfernt; auf dem ganzen Wege findet man keine Wohnungen ausser einem Dorfe Sokir, welches ungefähr auf der Hälfte des Weges liegt. Von Sindschar ist Makesin 3 Tagereisen entfernt; der ganze Weg besteht aus einer wasserleeren Wüste, in welcher man keine Wohnungen antrifft, ausser in der Nähe der Felder von Sindschar; diese Wüste heisst die Wüste von Sindschar, und wird vom Euphrat und von der Ebene begränzt.

Amid auf der Ostseite [103]) des Tigris, eine Stadt mit schwarzen Mauern; sie ist stark befestigt und hat Bäume und Saatfelder.

Dschefire ben Omar eine kleine Stadt auf der Westseite des Tigris, mit Bäumen und Wasser; es ist eine Festung in einer sehr fruchtbaren Gegend.

Semisat gehört zur mesopotamischen Mark, da es ostwärts am Tigris und Euphrat liegt. Malatia aber und die übrigen Ortschaften, die wir bei der syrischen Mark beschrieben haben, gehören eigentlich zur mesopotamischen Mark, weil sie von Truppen aus Dschefira, der Nähe wegen, besetzt sind; Semisat liegt in der Mark, welche zu dem steinigten Theile von Dschefira gehört.

Haditha liegt am östlichen Ufer des Tigris; es ist eine sehr angenehme Stadt mit Gärten, Bäumen und bewässerten Feldern.

(Sinn?) eine Stadt auf der Ostseite des Tigris, in deren Nähe, eine Station entfernt, das Gebirge Barma ist. Das Gebirge Barma wird vom Tigris getheilt, der sich in dessen Schluchten verbirgt; es finden sich dort Naphtha- und Steinölquellen. Das Gebirge Barma erstreckt sich quer über Dschefira vom Westen nach Osten, und erreicht unter dem Namen Dschebel Masendan die Gränze von Kirman.

In dem Distrikt Modhar ist die grösste Stadt Rakka. Rakka und Rafeka sind zwei zusammenhängende Städte, in jeder Stadt ist eine Hauptmoschee; sie liegen auf dem östlichen Ufer des Euphrat, und haben viele Bäume und Wasser; es sind Festungen auf einer Ebene. Zwischen Rakka und Balis auf der Westseite des Euphrat liegt Szeffin.

Harran kommt ihr an Grösse gleich; es ist eine Stadt der Sabäer, welche daselbst 17 Tempelwärter haben; es ist dort ein grosser Hügel, auf welchem ein sabäisches Bethaus ist, das die Sabäer hoch verehren; es soll von Abraham herrühren. Es sind dort wenige Bäume und Wasser, aber viele bewässerte Felder.

Roha, eine mittlere Stadt, meist von Christen bewohnt, welche hier mehr als 300 Klöster und Monasterien, so wie eine grosse Kirche haben; man findet hier Wasser und Gärten, und bewässerte Felder auf der Westseite des Euphrat.

Hiszn Keifa auf der Ostseite des Tigris, eine Stadt ohne Mauern, die aber ein stark befestigtes Kastell hat.

Niszibin eine grosse weitläufige Stadt mit vielen Korn- und Feldfrüchten; man findet hier aber auch viele tödtliche Skorpionen; auch ist das Klima sehr ungesund; es wird von hier Rosenwasser ausgeführt.

Duniser eine Stadt mit vielen Häusern und Gebäuden, aber ohne Mauern, gehört zum Gebiet von Mardin; sie ist 4 Parasangen von Mardin und zwei Stationen von Niszibin entfernt. In Duniser wird Donnerstags, Freitags, Sonnabends und Sonntags ein grosser Markt gehalten, wo sich die Menschen aus der Ferne versammeln, um ihre Bedürfnisse einzukaufen.

Mardin eine grosse Stadt auf dem Gipfel eines Berges Sabek, dessen Rücken ungefähr eine Parasange lang ist.

Miafarekin, eine mittlere Stadt, mit Dattelpalmen, in einer sehr fruchtbaren Gegend mit vielem Wasser; das Klima ist aber sehr ungesund; das Wasser fliesst in den Häusern und Strassen; es ist die schönste Stadt im Diar Bekr und ist von Mardin 3 Tagereisen entfernt.

Arfen eine Stadt am Flusse Serbet, ohne Mauern; auf der Westseite der Stadt ist ein grosses befestigtes Kastell.

Eseerd eine kleine Stadt ohne Mauern in einer fruchtbaren Gegend.

(Dschebni?) eine mittlere Stadt in einer angenehmen und fruchtbaren Gegend.

Karkisia am Chabur mit Gärten, Bäumen und vielen Saatfeldern.

Rahaba Malek Ben Tauk eine Stadt mit vielen Bäumen, Wasser und Getraide, aber ungesund. Diese Stadt, so wie Karkisia liegen auf der Ostseite des Euphrat.

Ana und Haditha sind zwei befestigte Inseln mitten im Euphrat mit Getraidefeldern; sie haben starke Festungsmauern, vorzüglich Haditha. Die Einwohner dieser beiden Orte sind geschickte Schwimmer und Schiffer.

Hit, eine mittlere Stadt auf der Westseite des Euphrat mit einem Kastell; sie ist gut bevölkert, und liegt Tekrit gegenüber im Gebiet von Ana; von Tekrit ist sie ungefahr 50. Parasangen entfernt; auf dem ganzen Wege fiudet man zu beiden Seiten des Tigris Dattelpalmen in ununterbrochenen Reihen.

Tekrit auf der Westseite des Tigris, eine mittlere Stadt, mit einem Kastell. In Irak ist keine Stadt so stark befestigt, als diese.

Anbar eine mittlere Stadt mit den Ueberresten von den Gebäuden des Chalifen Rajem Billah[104]), welcher hier ein Haus bewohnte. Die Stadt liegt auf der Ostseite des Euphrat, ist sehr bevolkert und hat Saatfelder und Bäume.

In Dschefira ist eine Wüste, die von Stämmen aus Rebia und Modhar bewohnt wird, welche Pferde und Schafe besitzen, doch haben sie nicht viele Kamele in der Wüste; dagegen sind die meisten Kamele in den Dörfern.

Die beiden Sab sind zwei grosse Flüsse, zusammen ungefähr halb so gross wie der Tigris bei Bagdad; der grössere Sab ist bei Haditha; sie entspringen beide in den Gebirgen von Adherbeidschan.

Tekrit auf der Westseite des Tigris, ist meistens von Christen bewohnt; sie liegt sehr hoch über dem Tigris. Bei Tekrit beginnt der Dudscheil (der kleine Tigris), welcher aus dem Tigris abgeleitet ist, die Ländereien von Samirra bewässert, und in der Nähe von Bagdad wieder einmündet.

Hiszn Muslema soll dem Muslema ben Abd el Melik gehört haben; es wohnten dort Ommiaden. Der Ort hat nur Regenwasser.

Tel Beni Siar eine kleine Stadt, die von Arabern von Gani bewohnt ist; sie gehört meistens dem Abbas ben Omar el Ganevi.

Naherwan eine angenehme fruchtbare Station auf der Ebene.

Dalia eine kleine Stadt auf der Westseite des Euphrat.

Der Dschudi ist ein Berg in der Nähe von Niszibin, auf welchem das Schiff Noah's sich niedergelassen haben soll. Neben dem Berge ist das Dorf Themanin (Achtzig).

Serudsch ist ein Distrikt mit einer Stadt in einer fruchtbaren Gegend, die reich an Bäumen und Weintrauben ist. Die Stadt liegt eine Tagereise von Harran entfernt.

Entfernungen in Dschefira.

Von dem Austritt des Euphrat aus dem Gebiet von Malatia nach Semisat 2 Tagereisen; von Semisat nach Dschisr Manbedsch 4 Tage; nach Rakka zwei Tage; von Rakka nach Anbar 20 Stationen; von Anbar nach Tekrit 2 Tage; von Tekrit nach Moszul 6 Tage; von Moszul nach Amid 4 Tage; von Amid nach Semisat 3 Tage; von Semisat nach Malatia 3 Tage. Von Moszul nach Beled (?) 1 Tag; von Beled nach Niszibin 3 Tage; von Niszibin nach Ras el Ain 3 Tage; von Niszibin nach Mardin 1 Tag; von Mardin nach Ras el Ain 2 Tage; von Ras el Ain nach Rakka 4 Tage; von Ras el Ain nach Harran 3 Tage; von Harran nach Dschisr Manbedsch 2 Tage; von Harran nach Roha 1 Tag; von Roha nach Semisat 1 Tag; von Harran nach Rakka 3 Tage.

Karte von Dschefira.

1. Karte von Dschefira. 2. Irak. 3. Ost. 4. Tigris. 5. Bagdad. 6. Berdan. 7. Okbara. 8. Serr min Rai. 9. Diar Beni Scheiban. 10. Balis. 11. Fehlt. 12. Der kleine Sab. 12. a. Nichts. 13. Der grosse Sab. 14. Haditha. 15. Hiszn Keifa. 16. Nord. 17. Amid. 18. Berg Dschudi. 19. Hiszn Keifa. 20. Nichts. 21. Mardin. 22. Duniser. 23. Niszibin. 23. a. Dschefira (Beni Omar). 24. Dara. 25. Kafr Tutha. 26. Ras Ain. 27. ..... 28. Beled. 29. Medschdel. 30. Araban. 31. Moszul. 31. a. .....'. 32. Tel Aafar. 33. Sindschar. 34. El Hal. 35. Abkir. 36.' Makesin. 37. Karkisia. 38. Rahaba. 39. Ana. 40. Haditha. 41. Berg Sindschar. 42. Hit. 43. Tekrit. 44. Anbar. 45. Bagdad. 46. Nahr Isa. 47. Nahr Szarszar. 48. Nahr el Malk. 49. Nahr Sura. 50. Süd. 51. Euphrat. 52. Kufa. 53. Arabien. 54. Fehlt. 55. Dschefira (als Variante). 56. Szeffin. 57. Balis. 58. Malatia. 59. Semisat. 60. Chortbert. 61. West. 62. Dschisr Manbedsch. 63. Rakka. 64. Rafeka.

Beschreibung von Irak.

Irak erstreckt sich der Länge nach von Tekrit nach Abbadan am persischen Meere; der Breite über Bagdad und Kufa nach von Kadesia nach Holvan; der Breite über Waset nach von Waset nach Taib; der Breite von Baszra nach von Baszra nach Dschobbi. Von Tekrit zieht sich die Gränze im Osten nach Schehrfur, dann wendet sie sich über Holvan, Sirwan, Szaimirra, Taib, Sus, Dschobbi zum Meere; die Gränzlinie von Tekrit zum Meere bildet einen Bogen, und wendet sich jenseits Baszra nach Westen in die Wüste längs dem Weichbilde von Baszra und den Sümpfen von Baszra nach Waset; dann längs dem

Weichbilde und den Sümpfen von Kufa nach Kufa, längs dem Euphrat nach Anbar; dann von Anbar nach Tekrit zwischen dem Tigris und Euphrat; auch diese Gränzlinie vom Meere nach Tekrit ist bogenförmig gekrümmt. Dies ist der Umfang von Irak.

Baszra eine grosse Stadt, die in den Tagen der Perser noch nicht vorhanden war, da sie von den Muhammedanern unter der Regierung des Omar ibn el Chattab von Otha ben Gafvan angelegt wurde. Im Westen ist sie ringsum von Wüste umgeben; im Osten von Kanälen. Man sagt, dass die Kanäle zur Zeit des Belal ben Ebu Berda gezählt wurden, und dass man ihrer mehr als 120,000 fand, die von Kähnen befahren wurden. Ich wollte es nicht glauben, bis ich selbst einen Theil dieser Gegend sah, und sah innerhalb Pfeilschussweite eine grosse Anzahl kleiner Kanäle, die alle von kleinen Kähnen befahren wurden; jeder Kanal hatte seinen besonderen Namen nach demjenigen, der ihn gegraben hatte, oder nach einem Orte, den er bewässert, u. s. w.; ich glaube, dass es mit den Namen auf der ganzen Strecke so ist. Die meisten Gebäude der Stadt sind aus Ziegelsteinen; es ist eine der volkreichsten Städte in Irak, und besitzt Dattelpalmen von Abdesi bis Abbadan auf einige und funfzig Parasangen; die Wohnungen befinden sich an einem Kanale oder bei Palmen, oder von wo man solche sehen kann. Baszra liegt in einer Ebene, wo durchaus keine Berge sind und keine Berge gesehen werden können. Das Grab des Telha ben Obeidallah, eines Gefährten des Propheten ist im Innern der Stadt; ausserhalb der Stadt in der Wüste ist das Grab des Onis ben Malek, des Hasan el Baszri, des Ibn Sirin [105]), so wie mehrerer anderer gelehrten und frommen Personen aus Baszra. Einer der Kanäle heisst Nahr Obolla; seine Länge beträgt 4 Parasangen, und er fliesst zwischen Baszra und Obolla. An beiden Seiten dieses Kanales sind Paläste und Gärten in ununterbrochener Folge, so dass das Ganze ein einziger Garten zu sein scheint, der sich in einer einzigen Linie ausdehnt. In diesen Kanal münden viele andere Kanäle aus, von denen ihm mehrere an Grösse gleich kommen; die Palmen stehen alle in einer Reihe. Alle diese Kanäle haben Ebbe und Fluth. Wenn die Fluth in die vornehmsten Kanäle von Baszra sich ergiesst, so tritt das Wasser in alle Kanäle, und ergiesst sich über die Palmen und ihre Reihen, und alle Kanäle sind leicht zu beschiffen; wenn die Fluth zurücktritt, so kehrt auch das Wasser aus den Gärten in die Kanäle zurück; allein das Wasser ist meistens salzig, und da die Fluth bis zum Kanal Moakel hinaufsteigt, so wird auf dieser Strecke kein Trinkwasser geholt; weiter hinauf aber ist das Wasser des Flusses unverändert.

Obolla liegt an diesem Flusse, in welchem hier eine sehr gefähr-
liche Untiefe ist, so dass Schiffe, die auf dem Meere überall glücklich
davon kamen, oft auf dieser Untiefe scheiterten. Diese Stelle heisst Hur
el Obolla (die Untiefe von Obolla). Obolla ist eine kleine Stadt in
einer sehr fruchtbaren Gegend, die theils von dem Kanal von Obolla,
theils vom Tigris begränzt wird; aus letzterem ist jener Kanal abgeleitet, dessen Bett sich nach Abbadan und Baszra erstreckt.

Abbadan, Obolla, Miftah und Modar sind kleine Städte am
Tigris, die an Grösse einander ungefähr gleich sind; die grösste derselben ist Obolla.

In der Umgegend von Baszra und dem Weichbilde der dazu gehörigen Ortschaften sind viele Sümpfe, wovon die grössten el Bataih
heissen; man kann auf denselben mit tiefgehenden Böten rudern; vor
Alters waren sie trocknes Land; es scheint, dass, als man Baszra baute
und die Kanäle grub, sich das Wasser vermehrte, und immer mehr das
Land überschwemmte, so dass zuletzt ein See ward; dies sind die Bataih (Sümpfe).

Waset besteht aus zwei Hälften, die auf beiden Seiten des Tigris
liegen und durch eine Schiffbrücke mit einander verbunden sind. Auf
jeder Seite ist eine Hauptmoschee. Die Stadt wurde zur Zeit des Islam
von Hedschadsch ben Jusuf el Thakefi erbaut; in der Umgegend wohnen Araber aus der Wüste, zunächst den wenigen Saatfeldern; die Gegend ist fruchtbar an Bäumen, Dattelpalmen und Saatfeldern; das Klima
ist gesunder, als das von Baszra, denn es sind keine Sümpfe in der Umgegend; die Ländereien und Dörfer der Umgegend sind gut bevölkert.

Kufa kommt Baszra ungefähr an Grösse gleich, aber die Luft ist
gesunder und das Wasser süsser; die Stadt liegt am Euphrat, und die
Bauart ist der von Baszra ähnlich. Sie wurde von Saad ben Ebu Wak-
kasz angelegt, und gleichfalls von Arabern bevölkert, allein die Steuer-
verhältnisse sind verschieden von denen der Stadt Baszra, denn der
Grund und Boden von Kufa sind wie zur Zeit der Unwissenheit, während die Sümpfe Baszra's sich erst im Islam gebildet haben.

Kadesia, Hira und Chawernak liegen am Ostrande der Wüste,
in einer an Palmen, Kanälen und Saatfeldern reichen Gegend. Diese
drei Orte und Kufa liegen auf dem Raum von weniger als einer Station. Hira ist zur Zeit der Unwissenheit erbaut in einer gesunden Gegend mit grossen Gebäuden; sie ist aber jetzt von Einwohnern verlassen,
nachdem Kufa erbaut wurde, obgleich das Klima gesunder ist, als in
Kufa; Hira ist von Kufa ungefähr eine Parasange entfernt. In Kufa
ist das Grab des Fürsten der Gläubigen Ali ibn Ebu Taleb. Einige

glauben, es sei in einem Winkel am Thore der Hauptmoschee aus Furcht
vor den Ommiaden verborgen, und ich habe an jener Stelle die Werk-
statt eines . . . . . gesehen; andere sagen, er sei zwei Parasangen von
Kufa begraben, woselbst eine Brücke und die Ueberreste seines Be-
gräbnisses sind [106]).

Kadesia eine kleine Stadt am Rande der Wüste mit Wasser und
Saatfeldern.

Medina es Salam (die Stadt des Friedens) Bagdad ist eine zur
Zeit des Islam erbaute Stadt, wo vorher kein Haus war; Manszur erbaute die Stadt auf der Westseite des Tigris, und theilte den Boden
für Grundbesitzer und Knechte ein, wie für Ackerleute, worauf die Stadt
angebaut wurde. Der Chalif Mehdi errichtete auf der Ostseite seine Kasernen, und nannte sie Asker el Mehdi (das Lager Mehdi's); späterhin
wurde auch diese Seite angebaut; die Chalifen verlegten ihre Residenz
nach der Ostseite, und die Schlösser und Gärten der Chalifen dehnten
sich von Bagdad nach Nahras auf zwei Parasangen in einer einzigen
Reihe aus, so dass sie sich von Nahras bis zum Tigris erstrecken. Dann
erhoben sich die Gebäude in der Chalifenresidenz längs dem Tigris bis
nach Schemasie auf ungefähr 5 Miglien; Schemasie liegt Hefbeia auf
der Westseite gegenüber, das sich ununterbrochen längs dem Tigris bis
zur äussersten Gränze von Kerch erstreckt. Die Ostseite heisst Bab el
Tak (Thor des Gewölbes), Ruszafa und Asker el Mehdi. Der Name
Bab el Tak ist von der Aehnlichkeit der Gestalt hergenommen, welche
der grösste Markt hat; der Name Ruszafa rührt von einem Schlosse her,
welches Reschid in der Nähe der Stadt erbaute; Asker el Mehdi endlich
von dem Umstande, dass Mehdi auf dieser Seite, der von Ebu Dschaafar
erbauten Stadt gegenüber, seine Kasernen hatte. Hauptmoscheen giebt
es an drei Stellen, in der von Manszur erbauten Stadt, in Bab el Tak,
und in dem Chalifenpalast. Die Häuser und Gebäude erstrecken sich
bis Kelwadhi, wo eine Hauptmoschee ist. Rechnet man dieses mit zu
Bagdad, so werden die beiden Seiten ungefähr in der Mitte durch eine
Schiffbrücke mit einander verbunden. Vom Thore von Chorasan bis zur
Brücke und weiter bis nach dem Bab el Jaserie (dem linken Thor), welches die ganze Breite der beiden Seiten ist, sind ungefähr 5 Miglien;
der bevölkertste Theil war Kerch, wo die Kaufleute wohnten; später
aber entvölkerte sich Kerch und ward grösstentheils wüste, indem die
Bewohner sich nach der Ostseite übersiedelten; diese letztere Stelle
heisst Nahr Moalli. Die Bäume und Kanäle haben Wasser aus dem
Flusse von Nehrwan und von einem Kanale, der sich in den Tigris
ergiesst. Die Westseite erhält ihr Wasser aus dem Nahr Isa, der in

der Nähe von Anbar aus dem Euphrat unter einer Brücke hervorkommt; das aus diesem Kanal fliessende Wasser sammelt sich wieder zu einem Kanale, welcher Szera heisst; aus beiden sind wieder andere Kanäle abgeleitet, an denen die Häuser der Westseite liegen; was von dem Wasser des grossen und kleinen Szera übrig bleibt, gelangt wieder in das˙ Ende des Nahr Isa bei seiner Mündung in den Tigris, im Innern der Stadt Bagdad. Der Nahr Isa wird vom Euphrat bis zu seiner Mündung in den Tigris beschifft; im Szera aber sind Felsen, welche die Schifffahrt verhindern; die auf demselben fahrenden Schiffe können nur bis zu der Brücke des Szera kommen, in deren Nähe jene Felsen sind, und wo die Güter in andere Fahrzeuge geladen werden. Zwischen Bagdad und Kufa ist eine dicht bevölkerte von Kanälen aus dem Euphrat durchschnittene Gegend (Sowad). Dér erste Kanal, welcher Bagdad zunächst liegt, ist der Nahr Szarszar, an˙welchem die Stadt Szarszar liegt; er ist schiffbar, und mit einer Schiffbrücke versehen. Szarszar ist eine kleine Stadt mit Palmen und Saatfeldern und andern Früchten, 3 Parasangen von Bagdad entfernt. Zwei Parasangen von hier ist der Nahr el Malk, ein grosser Kanal wie der Nahr Szarszar und ebenfalls mit einer Schiffbrücke versehen. Die Stadt Nahr el Malk ist grösser, als Szarszar, und besitzt viele Dattelpalmen, Saatfelder und Früchte. Dann kommt Kaszr Ibn Hubeire, die grösste Stadt zwischen Bagdad und Kufa, in der Nähe des Euphrat, aus welchem hier die grössten Kanäle abgeleitet sind; es ist die bevölkertste Stadt in diesem Sowad (Distrikt.) Hierauf folgt der Nahr Sura mit vielem Wasser; es˙ ist das grösste Kanalbett aus dem Euphrat; ₍der Kanal fliesst bei Sura, dann bei Sowad Kufa vorbei, und mündet in die Sümpfe aus.

Kerbela liegt auf der Westseite des Euphrat, Kaszr ibn Hubeire gegenüber; es ist dort das Grab des Husein ben Ali.

Serr min Rai liegt ganz auf der Ostseite des Tigris; auf der Ostseite des Tigris ist kein anderes fliessendes Wasser, als das des Nahr Katul, welcher in einiger Entfernung davon bei Sowad ausmündet. Die Umgegend des Ortes ist wüste; die Gebäude, Bäume und Gewässer sind alle gegenüber auf der Westseite, und erstrecken sich auf eine Station ununterbrochen bis Kerch fort. Diese Stadt ist erst im Islam erbaut worden; sie wurde von Motaszem begonnen und von Motwekl vollendet; jetzt ist sie verwüstet, und man kann oft eine Parasange weit gehen, ohne ein bewohntes Haus anzutreffen; die Luft ist hier gesunder, als in Bagdad.

Nehrwan, eine kleine vom Nehrwan durchflossene Stadt, 4 Parasangen von Bagdad.. Der Fluss Nehrwan fliesst bei Sowad Bagdad, unterhalb der Chalifenresidenz vorbei, nach Eskaf beni Dschuneid und˙

andern Städten und Dörfern; nachdem er durch Nehrwan geflossen ist, nehmen die Gewässer und Palmen bis Deskere ab; von Deskere an bis Holvan ist das Land gleich einer Wüste, wo man nur hin und wieder einzelne zerstreute Häuser und Dörfer findet, bis er Tamera und Schehrfur umfliesst, und in die Nähe von Tekrit gelangt.

Madain eine kleine, zur Zeit der Unwissenheit erbaute Stadt; damals war sie grösser, aber die Einwohner siedelten sich nach Bagdad über, welches eine Station davon entfernt ist. Es war die Residenz der Chosroen, und der Palast des Kesra (Iwan Kesra) steht noch heutzutage; es ist ein grosser, aus Ziegelsteinen und Gyps erbauter Palast, und der grösste Palast, den die Chosroen hatten.

Babel, ein kleines Dorf, aber der älteste Ort in dem ganzen Lande, welches auch desshalb darnach benannt wurde; hier wohnten die Könige der Kanaaniden und andere, und man sieht noch die Trümmer von Gebäuden; es war in alten Zeiten eine grosse Residenz. Dhobak Biurasp soll der erste Erbauer von Babel gewesen sein.

Kutha Rabba. Hier soll Abraham in's Feuer geworfen worden sein. Es giebt zwei Kutha, Kutha el Tarik und Kutha Rabba; in Kutha Rabba sind bis auf den heutigen Tag grosse Aschenhügel, von denen man glaubt, dass sie das Feuer Nimrod's des Sohns Kanaan's waren, in welches er Abraham, den Freund Gottes, werfen liess.

Dschamiain, ein kleiner Betort in einer sehr bevölkerten und fruchtbaren Gegend.

Madain liegt auf der Ostseite des Tigris, eine Station von Bagdad; man sagt, dass hier zu den Zeiten der Perser eine steinerne Brücke über den Tigris führte, wovon indessen jetzt keine Spur übrig ist.

Okbera, Awana, Berdan, Noomanie, Deir el Akul, Habbal, Dscherdscheraja, Fomm esz Szaleh, Nahr Sabis und andere Orte am Tigris sind alle an Grösse ungefähr gleich, und in dieser ganzen Gegend ist keine grosse stark bevölkerte Stadt.

Holvan eine bevölkerte Stadt, ist nächst Kufa, Baszra, Waset, Bagdad, Serr min Rai und Hira die grösste Stadt in Irak; es wachsen hier viele Feigen. Die Stadt liegt in der Nähe des Gebirges, die einzige Stadt von Irak, die in der Nähe des Gebirges liegt. Es fällt dort oft Schnee, auf dem Gebirge aber bleibt der Schnee liegen.

Deskere; hier sind Dattelpalmen und Saatfelder; ausserhalb der Stadt ist ein aus Lehm gebautes Schloss mit einer Besatzung; in der Nähe sind Saatfelder. Man sagt, dass die (persischen) Könige einen Theil des Jahres dort zubrachten, wesshalb es Deskere el Melik (Deskere des Königs) genannt wurde [107]).

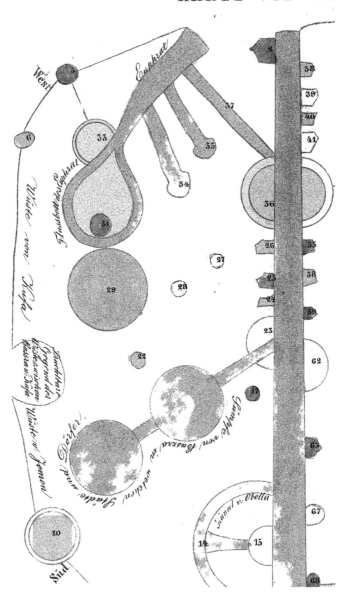

Von Tekrit nach Serr min Rai und bis in die Nähe von Alath, so wie nach Deskere krümmt sich die Gränzlinie wie ein Bogen nach der Gränze [des Gebiets von Waset; an der Gränze von Irak nach der Gränze des Gebirges ist das Land nicht stark bevölkert; es finden sich nur einzelne Dörfer, meist von Kurden und Arabern bewohnt, welche hier Viehweiden haben. Eben so ist die Gegend von Tekrit westwärts bis nach Anbar zwischen dem Tigris und Euphrat wenig bewohnt, mit Ausnahme der Ortschaften, welche Serr min Rai gegenüber auf einige wenige Miglien sich erstrecken, das übrige ist Wüste. Ich habe Irak nicht ganz ausführlich beschrieben, da es bekannt genug ist.

Entfernungen von Irak.

Von Tekrit nach dem Meere auf der Ostseite des Tigris beträgt die Krümmung einen Monat, und vom Meere rückwärts auf der Westgränze nach Tekrit ebenfalls ungefähr einen Monat. Von Bagdad nach Samirra 3 Stationen; von Samirra nach Tekrit 2 Stationen; von Bagdad nach Kufa 4 Stationen; von Kufa nach Kadesia 1 Station. Von Bagdad nach Waset 8 Stationen; von Bagdad nach Holvan 6 Stationen; von Szaimirra und Sirvan ungefähr eben so viel; von Waset nach Baszra 8 Stationen; von Kufa nach Waset ungefähr 6 Stationen; von Baszra nach dem Meere 2 Stationen durch die Sümpfe. Die Breite von Irak über Bagdad von Holvan nach Kadesia beträgt 11 Stationen; die Breite über Waset ungefähr 4 Stationen; die Breite über Baszra nach dem Gebiet von Dschobbi ungefähr 1 Station.

Karte von Irak [108]).

1. Karte von Irak. 2. Tekrit. 3. Euphrat. 4. West. 5. Hira. 6. Kadesia. 7. Wüste von Kufa. 8. Fruchtbare Gegend der Wüste zwischen Baszra und Kufa. 9. Wüste von Jemen. 10. Baszra. 11. Süd. 12. Abbadan. 13. Persisches Meer. 14. Kanal Moakel. 15. Obolla. 16. Kanal von Obolla. 17. Nahr Biri (Merri) 18. 19. 20 und 21. Sümpfe von Baszra, in welchen Städte und Dörfer sind. 22. Abdesi. 23. Waset. 24. Nahr Waset. 25. Dschebel. 26. Noomanie. 27. Kutha Rabba. 28. Babel. 29. Sümpfe von Kufa, in welchen Städte und Dörfer sind. 30. Kaszr ibn Hubeire. 31. Dschamiain. 32. Bett des Euphrat. 33. Kufa. 34. Nahr el Malk. 35. Nahr Szarszar. 36. Bagdad. 37. Nahr Isa. 38...... 39. Samirra. 40. Okhara. 41. Berdan. 42. Fehlt. 43. Nehrwan. 44...... 45. Kanal von Nehrwan. 46. Nord. 47. Gränze von Adherbaidschan. 48. Wüste der Araber. 49. Deskere. 50. Dschalula. 51. Chanikin. 52. Kaszr Schirin. 53. Holvan. 54. Eskaf Beni Dschuneid.

55. Madain. 56. Baderaja. 57. Sowad Bagdad. 58. Deir el Akul.
59. Fomm esz Szaleh. 60. Wüste der Araber. 61. Gränze von Dschebal.
62. Waset. 63. Fehlt. 64. Sowad Waset. 65. Modar. 66. Sowad Waset.
67. Miftah. 68. Bian. 69. Solimanan. 70. Gränze von Chufistan.
71. Wohnungen der Rashi. 72. Ost.

Beschreibung von Chufistan.

Chufistan gränzt im Osten an Fars und Iszfahan; der Fluss Tab
bildet die Gränze bis in die Nähe von Mehruban; hierauf zieht sich die
Gränze zwischen Daurah und Mehruban nach dem Meere; die westliche
Gränze bildet das Weichbild von Waset und der Distrikt der Rashi;
im Norden gränzt es an Szaimirra, Kercha und die Luren bis zur Gränze
von Dschebal nach Iszfahan; doch werden die Luren auch zu Chufistan
bis zur Gränze von Dschebal gerechnet. Die Gränze Chufistan's gegen
Fars und Iszfahan, so wie die Gränze gegen Hedschaf und Waset bildet
eine gerade Linie im Viereck; aber die Südgränze von Abbadan bis
zum Weichbilde von Waset läuft schräge zu, und verengert sich, bis sie
dem Viereck gegenüber kommt; die Südgränze von Abbadan längs dem
Meere nach der Gränze von Fars krümmt sich bogenförmig und bildet
einen Winkel; die Südgränze wird also gebildet durch einen Theil des
Meeres, dann durch den Tigris, dann durch die Umgegend von Barma;
hierauf wendet sie sich hinter Miftah und Modar, bis sie das Weichbild
von Waset erreicht, wo wir angefangen sind.

Die Städte mit gleichnamigen Distrikten (Kure) sind: Ahwaf,
welches der Name von Hormuf Scheher ist[109]); es ist der grösste
Distrikt, wovon die übrigen Distrikte abhängen. — Asker Mokrem,
Toster, Dschondi Sabur, Sus, Ramhormuf, Suk; alle diese Namen bezeichnen zugleich die Distrikte und die Städte, ausgenommen Suk, in
welchem Distrikte die Stadt Daurak heisst; dann die Distrikte Daurak
el Fars (das persische Daurak), Idedsch, Nahr Tira, Hauma el Sott
und el Dschairan (welche beide einen Distrikt bilden), Hauma.....,
Suk Sumbul, Menadir el Szogri (der kleine), Menadir el Kohri (der
grosse)', Dschobbi, Tib und Keliun. Jede dieser Städte hat einen Distrikt. Zu den bekanntesten Städten gehören ausserdem Baszenni, Aram,
Suk el Arbaa, Hiszn Mehdi, Basian, Bian, Solimanan, Korkub, Mathuth,
Berdun und Kerdscha.

Chufistan liegt in einer Ebene und hat einen flachen Boden mit
fliessenden Gewässern. Zu den grössten Flüssen gehört der Fluss von
Toster, an welchem der König Sabur den Schadhrevan baute; derselbe
begann bei dem Thore von Toster und erhob das Wasser bis in die

Stadt, welche auf einer Erhöhung liegt. Dieser Fluss fliesst von jenseits Asker Mokrem bei Ahwaf vorbei, und erreicht in der Nähe des
Flusses Sadre bei Hiszn Mehdi das Meer [110]. Der Fluss Meserkan
kommt aus der Umgegend von Toster bis er Asker Mokrem unterhalb
Ahwaf erreicht; denn bei Asker Mokrem führt eine grosse Schiffbrücke
von ungefähr 20 Schiffen über ihn; es fahren grosse Schiffe auf ihm.
Ich habe auf dem Flusse von Asker Mokrem bis Ahwaf gefahren, welches eine Entfernung von 8 Parasangen ist, wovon ich 6 Parasangen
zu Wasser reiste; hierauf stieg ich aus, und ging in der Mitte des Fluss-
bettes, welches von hier bis Ahwaf ein trockener Weg ist. Es geht
aber von diesem Wasser nichts verloren; denn es dient zur Bewässerung der Zuckerplantagen, so wie theilweise zur Bewässerung der Dattelpalmen und Saatfelder; überhaupt ist dieses Thal von Meserkan das
bevölkertste und gesegnetste in ganz Chufistan. Die Gewässer Chufistans von Ahwaf, Daurak, Toster u. s. w. nachdem sie diese Orte berührt haben, vereinigen sich alle bei Hiszn Mehdi zu einem einzigen
grossen Flusse von mächtiger Breite, der sich hier in's Meer ergiesst.
Von dem Meere stösst nur ein Winkel an Chufistan bei Mehruban und
Bian bis in die Nähe von Solimanan, welches Abbadan gegenüber liegt,
auf welcher Strecke ein kleiner Theil des Meeres die Gränze bildet.
Ebenso ist in ganz Chufistan kein Gebirge und keine Sandwüste, ausser
einer kleinen Strecke in der Nähe von Toster und Dschondi Sabur, so
wie in der Nähe von Idedsch und Iszfahan. Das übrige Chufistan ist
wie Irak an Klima und Boden, die Einwohner sind gesund, das Wasser
süss, gesund und fliessend, und in ganz Chufistan kennt man keinen
Ort, der sein Wasser aus Brunnen hat, wegen der grossen Menge des
fliessenden Wassers. Der Boden von Chufistan ist in einiger Entfernung vom Tigris bis zum Norden trocken und gesund; was näher am
Tigris liegt, gleicht dem Boden von Baszra sowohl an Losigkeit als
in hygiänischer Beziehung. Das Aussehen der Einwohner in einiger
Entfernung vom Tigris ist gesund; allein der Meserkan hat eine Eigen-
thümlichkeit, denn es wächst dort eine Dattelart, welche Tenn heisst;
wenn man diese Datteln geniesst, und darauf Wasser aus dem Meserkan
trinkt, so soll man sich vor Hitze nicht retten können. In Chufistan
giebt es keinen Ort, wo der Schnee [111] gefriert und Schnee fällt; es
fehlt dort nicht an Dattelpalmen, und andere Lebensmittel sind reichlich
vorhanden. — Von den Früchten des Landes sind vorzüglich zu merken
die Dattelpalmen; dann haben sie viele Kornarten; nächst dem Waizen
und der Gerste haben sie meistens Reis, woraus sie ein nahrhaftes Brot
backen, gleich wie in Irak. In diesen grossen Distrikten giebt es keinen

Ort, wo nicht Zuckerrohr wächst; allein der meiste Zucker wird in Meserkan erzeugt, und alles nach Asker Mokrem gebracht; das Rohr von Asker Mokrem hält nicht viel Zucker; ebenso das von Tostèr und Sus; es übertrifft aber den Zucker und das Rohr der übrigen Orte. Die Einwohner haben ihren Erwerb aus dem Zuckerrohr, denn sie gebrauchen es theils zu Speise, theils machen sie Zucker daraus. Auch andere Früchte haben sie, ausgenommen Wallnüsse.

•Die Einwohner reden persisch und arabisch; auch haben sie noch eine eigene Sprache, die chufische. Ihre Kleidung gleicht der von Irak in Betreff des Unterkleides (kamisz), Oberkleides (tajalese) und des Turbans (imama); einige bekleiden sich mit einem Hemde oder Gurttuch (ifar und miasar). In ihrem Charakter sind sie schlecht; die Wohlhabenden sind sehr kleinlich und geizig. Ihre äussere Gestalt ist gelb und hager, ihr Bart dünn, ihr Haarwuchs schwächer als bei andern Völkern. Dies ist die Beschreibung der Chufen. Der Religion nach sind sie meistens Schismatiker; in ihrem Gebiet aber findet man eben so viele andere Sekten, als in andern grossen Städten.

Bei Toster ist der Schadhrewan, welchen Sabur erbaute; er gehört zu den Wundern der Baukunst und der Wissenschaft; er erstreckt sich auf ungefähr eine Miglie und ist ganz aus Steinen erbaut; das Wasser wird durch ihn zurückgeführt und bis zum Thore von Tostèr hinaufgeleitet.

Die Ausdehnung von Sus soll ungefähr 2 Miglien betragen; ich sah daselbst einen Sarg, der in den Tagen des Ebu Musa el Aschaari gefunden wurde, und in welchem die Gebeine des Propheten Daniel sein sollen. Die Leute der Schrift (d. h. die Christen und Juden) hielten in ihren Versammlungen Umzüge um denselben, hielten ihn in grosser Verehrung, und erflehten von ihm Regen zu Zeiten der Dürre. Ebu Musa el Aschaari liess ihn wegnehmen, und vor dem Thore von Sus aus dem Flusse zwei Kanäle ableiten; in dem Flussbette liess er dann drei Gräber graben und mit Ziegelsteinen aussetzen, und in eins dieser Gräber den Sarg legen. Hierauf wurden alle drei Gräber verschlossen und bedeckt, und das Wasser aus der Mitte des grossen Flusses wieder darüber geleitet, so dass das Wasser bis auf den heutigen Tag darüber wegfliesst. Wer auf den Grund des Wassers hinabsteigt, findet diese Gräber [112]).

In der Umgegend von Asad (oder Asal), an der Gränze von Fars ist ein Berg, aus welchem beständig Feuer kommt; des Nachts sieht man die Flammen und des Tags den Rauch; der Berg liegt innerhalb der Gränzen Chufistans und scheint eine Naphtha- oder Steinölquelle zu sein oder dgl., aus welcher das Feuer kommt, und die in früherer Zeit einmal entzündet worden ist. Was aus der Quelle hervorkommt, verbrennt, so viel ich schliessen kann, ohne dass ich die Kennzeichen gesehen oder davon gehört habe, denn ich berichte nur, was man allgemein davon glaubt.

In Asker Mokrem gibt es eine Art kleiner Skorpionen von der Grösse eines Laserpitiumblattes, welche Kerure heissen, und von deren Bisse niemand geheilt werden kann, da derselbe tödtlicher ist, als ciniger Schlangenarten.

In Toster wird Goldbrokat gewebt, welcher in andere Länder ausgeführt wird; auch die Kaaba von Mekka ist mit diesem Goldbrokat bekleidet[113]). Der Sultan hat hier eine Fabrik von kostbaren Kleidern.

In Sus wird der Stoff Chofuf verfertigt und von dort ausgeführt[114]). Auch wächst bei Sus eine Art wohlriechender Citronen, welche wie eine Hand mit Fingern gebildet sind; ausser Bagdad habe ich nirgends ähnliche gesehen.

In Korkub wächst die Zeitlose[115]), welche ausgeführt wird. Der Sultan hat hier und in Sus eine Fabrik von kostbaren Zeugen.

In Baszinna werden Vorhänge (oder Schleier)[116]) verfertigt, und mit dem Fabrikzeichen „Arbeit von Baszinna" werden sie in alle Länder ausgeführt. Auch in Berdun und andern Orten werden solche Vorhänge (Schleier) verfertigt, und unter dem Namen und Fabrikzeichen „Arbeit von Baszinna" verkauft; allein der wahre Fabrikort der echten ist Baszinna.

In Ram Hormuf werden seidene Kleider verfertigt und nach vielen Orten ausgeführt. Hier soll Mani getödtet und sein Leichnam ausgestellt worden sein. Man sagt, dass ihm in Gegenwart Bahram's die Nase abgeschnitten und hierauf der Kopf abgehauen wurde, worauf man seinen Körper zur Schau stellte. In Ram Hormuf findet man ferner Dattelpalmen, Wallnüsse, Schnee (was man anderswo nicht findet) und Citronen.

Dschondi Sabur eine Stadt in einer fruchtbaren Gegend, wo man Datteln, viele Saatfelder und Gewässer findet. Hier residirte Jakub ben Laith el Szoffari wegen der Fruchtbarkeit und der Verbindung mit den grossen Städten; auch starb er hier[117]).

In Nahr Tira werden Kleider verfertigt, welche den Bagdadischen ähnlich sind, aber geringer als diese; sie werden nach Bagdad gebracht, und unter dem Namen Bagdadischer verkauft.

Dschobbi ist eine Stadt mit einem weitläufigen und nicht dicht bevölkerten Gebiet mit Palmen, Zuckerrohr u. s. w. Aus dieser Stadt war Ebu Ali el Dschobbai, der Imam der Moatafeliten (Sektirer) seiner Zeit.

Ein Winkel von Chufistan gränzt an das Meer; das Land bildet
hier einen Sumpf; die Gewässer Chufistans sammeln sich bei Hiszn
Mehdi und fliessen in's Meer, und erweitern sich hier so, dass die Fluth
und Ebbe in sie hinaufdringt, und sie vergrössert und verkleinert, wie
das Meer.

In Tib werden Hosenbänder verfertigt, welche den armenischen
ähnlich sind, und nächst den armenischen die schönsten sind, die in
den islamitischen Ländern verfertigt werden; nur in Tus werden in neuerer Zeit noch schönere verfertigt, als in Tib.

Lur ist ein fruchtbares Land, wo meistens Bergluft herrscht; es
gehört zu Chufistan, doch ist es mit den Berg-Statthalterschaften abgesondert.

Sunbeil ist ein an Fars gränzender Distrikt, welcher zur Zeit des
Mohammed ben Waszel zu Persien gerechnet wurde; in der letzten
Zeit des Sadscharie wurde er jedoch wieder zu Chufistan gezogen.

Sott und Dschairan sind zwei Distrikte an zwei fliessenden
Gewässern.

Asak ist ein Dorf, in welchem kein Minbar ist; in der Umgegend
sind viele Dattelpalmen. Hier fand das Treffen mit den Afarekiten statt;
40 Sektirer sollen ungefähr 2000 der gegen sie von Baszra geschickten
Soldaten getödtet haben. Der ardschanische Syrup, welcher in's Aus-
land geführt wird, kommt aus diesem Orte.

Menadir el Kobri und el Szogri sind zwei bevölkerte Distrikte
mit Dattelpalmen und Saatfeldern und vielen Produkten [118]).

Entfernungen in Chufistan.

Von Fars führen zwei Wege nach Irak; der eine über Baszra nach
Bagdad, der andere über Waset nach Bagdad; der erstere beginnt bei
Ardschan; von Ardschan nach Asak nahe an zwei Stationen; dann nach
Diran 1 Station; Diran ist ein Dorf; dann nach Daurak 1 Station; Daurak ist eine grosse Stadt; von hier nach Chan Merdve und von diesem
nach Basian, einer mittelmässigen, gut bevölkerten, vom Flusse Niszfin
bewässerten Stadt, 1 Station; von Basian nach Hiszn Mehdi 2 Stationen;
dort ist ein Minbar; die Reise geschieht zu Wasser, gleichwie von Daurak nach Basian, welches bequemer ist, als zu Lande; von Hiszn Mehdi
nach Bian 1 Station längs der Gränze; Bian hat ein Minbar, und ist
der letzte Ort von Chufistan; von Bian, welches am Tigris liegt, fahrt
man zu Wasser nach Obolla, oder geht zu Lande, bis man Obolla gegenüber kommt, und setzt dann über den Fluss. Der Weg über Waset
nach Bagdad beginnt gleichfalls bei Ardschan; von Ardschan nach Suk

Sunbeil 1 Station; dann nach Ram Hormuf 2 Stationen; von Ram Hor-
muf nach Asker Mokrem 3 Stationen; von hier nach Dschondi Sabur
1 Station; von hier nach Sus eine Station; von hier nach Korkub eine
Station; von hier nach Tib 1 Station; hier erreicht man das Gebiet von
Waset. Von Asker nach Waset führt noch ein kürzerer Weg, auf welchem man keinen der oben erwähnten Orte berührt; von Asker nach
Idedsch 4 Stationen; von Asker nach Ahwaf 1 Station; von hier nach
Arem 1 Station; von Ahwaf nach Daurak 4 Stationen; von Ahwaf nach
Ram Hormuf gleichfalls ungefähr 3 Stationen, denn Ahwaf und Asker
Mokrem liegen in einer geraden Linie. Von Asker Mokrem nach Suk
el Arbaa 1 Station; Dschobbi liegt Suk el Arbaa gegenüber; von Suk
el Arbaa nach Hiszn Mehdi 1 Station; von Ahwaf nach Nahr Tira
1 Tag; von Sus nach Baszinna weniger als 1 Station; von Sus nach
Mathuth 1 Station. Das sind alle Entfernungen in Chufistan.

Karte von Chufistan.

1 und 3. Karte von Chufistan. 2. Baszra. 4. West. 5. Süd. 6. Persisches Meer. 7. Abbadan. 8. Nahr Dobais. 9. Sumpf von Obolla.
10. Nahr Moakl. 11. Obolla. 12. Sowad Bagdad und Waset. 13. Tigris.
14. Sowad Irak, Waset und Baszra. 15. Uebrige Sowad von Chufistan.
16. Bian. 17. Solimanau. 18. Fomm el Asad. 19. Hiszn Mehdi.
20. Gränze von Fars. 21. Asad (als Variante zu) 21.a. Aschak. 22. Diran.
23. Daurak. 24. Daurak. 25. Basian. 26. Suk el Arbaa. 27. Hormuf
Schehr (Ahwaf). 28. Asker Mokrem. 29. Fluss Meserkan. 30. Sowad
Asker Mokrem. 31. Sunbeil. 32. Ram Hormuf. 33. Ram Schehr.
34. Meserkan. 35. Idedsch. 36. Sowad Chufistan. 37. Gränze von Iszfahan. 38. Ost. 39. (?). 40. Berge Choremie. 40.a. Luf. 41. Gränze
von Schirwan und Szaimirra. 42. Kercha. 43—44. Fluss Tab. 45. Toster.
46. Dschondi Sabur. 47. Fluss Toster. 48. Sowad Toster. 49. Dschobbi.
50. Arem. 51. Baszinna. 52. Berdun. 53. Mathuth. 54. Fluss von Sus.
55. Sus. 56. Korkub. 57. Tib. 58. Sowad Waset und Dur el Rasbi.
59. Nord.

Beschreibung von Fars.

Fars gränzt im Westen an Chufistan und Iszfahan; im Norden an
die Wüste zwischen Fars und Chorasan und einen Theil des Gebietes
von Iszfahan; im Süden an das persische Meer. Die Gestalt von Fars
ist ein Viereck, mit Ausnahme des Winkels gegen Iszfahan zu und des
Winkels gegen Kirman zu; die Gränzlinien gegen die Wüste und gegen
die Meeresküste krümmen sich von Anfang bis zu Ende ein wenig; was

zwischen den beiden Winkeln von Kirman und Iszfahan liegt, ist nur
ein schmaler Streifen; denn von Schiraf, welches in der Mitte von Fars
liegt, ist die Entfernung nach diesen Winkeln nur halb so gross, als
nach Chufistan und nach Dscherum in Kirman.

In Fars sind 5 Landschaften; die ausgedehnteste, und mit den
meisten Städten und Ortschaften versehene ist die· von Isztachr. Die
Hauptstadt derselben ist Isztachr, welches die grösste Stadt in dieser
Landschaft ist. Dieser kommt der Grösse nach am nächsten Ardeschir
Chorre; die Hauptstadt derselben ist Dschur; in dieser Landschaft
liegt auch Kobadh Chorre; es sind in derselben Städte, die grösser sind,
als Dschur, z. B. Schiraf, Siraf, jedoch ist Dschur die Hauptstadt von
Ardeschir Chorre, denn sie ist von Ardeschir erbaut und war der Sitz
seiner Regierung; Schiraf aber ist die Hauptstadt von ganz Fars, denn
hier befinden sich die Dikasterien und die Regierungsgebäude; sie wurde
zur Zeit des Islam erbaut. — Es folgt der Grösse nach die Landschaft
Darabdscherd, deren Hauptstadt Darabdscherd ist; Fasa ist zwar
grösser und bevölkerter, als sie, allein die Landschaft ist nach dem Sitz
der Regierung und der Stadt benannt, welche für diese Landschaft
Darabdscherd erbaut wurde. — Nun folgt der Grösse nach die Landschaft Ardschan, deren grösste Stadt Ardschan ist. — Endlich folgt
der Grosse nach die Landschaft Sabur; in dieser Landschaft sind grössere Städte (als Sabur), z. B. Naubendschan, Kaferun, aber die Landschaft wurde nach der Hauptstadt derselben, Sabur benannt[119]).

In Fars sind so viele Kurdenstämme, dass sie gar nicht gezählt
werden können, denn sie sind über ganz Fars verbreitet; man sagt, dass
sie über 500,000 härene Zelte zählen; sie ziehen im Winter und Sommer
auf die Weiden, wie die Araber, und jedes Zelt zählt mehrere.

Die grössten schiffbaren Flüsse sind: der Tab, der Schirin, der
Schadikan, der Derdschend, der Chubidan, der Ramif, der Sengan, der
Dscherschik, der Fernab, der Birde[120]).

Meere und Seen: das persische Meer, der See Bachtikan, der See
Deseht Arfen, der See Tuf, der See Dschenkan.

Die meisten Ortschaften in Fars haben Feueraltäre und Magier.

In Betreff der Festungen ist zu merken, dass einige Städte mit Festungswerken versehen sind; andere haben Schlösser in der Stadt, und
sind ringsum mit Festungswerken versehen; noch andere haben Citadellen
in der Stadt; endlich sind einige, welche abgesonderte Schlösser auf
Bergen haben.

Es giebt fünf Orte in Fars, welche Sem[121]) heissen; der grösste
ist Sem Dschilune, auch Sem Ramindschan genannt; ihm folgt in der

Grösse der Sem Ahmed ben el Laith, der auch Lualidschan heisst;
diesem folgt der Grösse nach der Sem Ahmed ben Szaleh, auch Sem
Riwan genannt; dann der Sem Schahriar, der auch Sem Narindschan
heisst; die Narindschan wohnen im Gebiet von Iszfahan wegen der
Kleinheit dieses Sem; endlich der Sem Ahmed ben Hasan, auch Sem
el Karian genannt; dies ist der Sem Ardeschir.

Es ist kein Ort und keine Stadt in Fars, wo nicht Feueraltäre sind,
doch sind es immer nur wenige Feueraltäre; die Magier sind die zahl-
reichste Sekte unter den Schriftbekennern [122]); sie haben in den Tempeln
Feuer, die sie verehren.

Distrikte der Landschaft Isztachr. Jefd ist der grösste Distrikt,
in welchem die Städte Kata, welches der Hauptort ist, Mid und Batin.
Fehridsch, der einzige Distrikt, in welchem 4 Minbar sind. Rudhan,
der zwar zu Kirman gehört, aber zu Fars gerechnet wird; seine Länge
beträgt ungefähr 60 Parasangen. Aberkuh, dessen Hauptort Aberkuh;
Aklid, dessen Hauptort Aklid, Surmak, dessen Hauptort Surmak;
Chuberkan, dessen Hauptort Meschkau; Ardschman, dessen Hauptort
Ardschman; Dscham, Tarachstan; Berdichan, worin das Dorf Alas;
Szahek el Kobri und el Szogri mit den Städten Fatek und Hawa;
Rudhan mit den Städten Anan, Kais, Cheir, Adhikan, Sersek; Ra-
dhan Baidha, Hefar; der Distrikt zwischen Idedsch und Ram-
scherd; Harma, Hira, Serwab, Kemin, Ader, Serder.

Distrikte der Landschaft Ardeschir Chorre. Schiraf, der Sitz des
Statthalters; sie enthält 13 Abtheilungen; Dschur, Mimend mit dem
Hauptorte Mair; Szemkan, Dherar, Fordschan, Hirabisza, Badhwan,
Churistan, Hormufa, Teschkanat, Haskan, Hedschman, Kukhan, Kiri,
Seif beni el Szoffar, worin Baskut; Bawerm, Seif Al Ebu Soheir, Seif
Ammare, genannt Dschelendi, Kiraf, Keherdschan. Die im Meere lie-
genden und zur Landschaft Ardeschir Chorre gehörigen Inseln sind:
die Insel Beni Kawan, auch Lafet genannt, woselbst ein Minbar; Awan,
und Charek, jede mit einer Stadt.

Distrikte der Landschaft Darabdscherd. Kure Kerum, el Masz,
Fassa, Tabisan, Serkan, Kerdman, Dscheherm, Feschihan, Arira, Sian
Dschuim Abah, Iszfahanan, Birin, mit der Stadt Chan; Mafirdschan;
Madwan, Hiswa mit der Stadt Rubendsch; Rostak el Rostak, Suan-
dschan, Sok el Rostak, Sok el Dulab, Sok el Masian, Sem Schahriar,
mit der Stadt Sem.

Distrikte der Landschaft Sabur. Sabur, mit der Stadt Dschon-
dschan, Samat el Tanial, Dschofna, Dschifra, Kemaroch, Hindidschan
Sabur, Ramhau, Chundan, Naubendschan, Schaab Buwan, Tenbuk, Der-

dschid, Dschid el Melhan, Mafian, Kerw, Bahu, Bahniskan, Kam Firuf
mit 5 Bezirken, Mestidschan, Rebendschan, Dschamandschan, Siskan,
Szur, Hara, Szuam.

Landschaft Ardschan. Ardschan, Baferindsch, Belad Sabur, Nisher,
Bulis, Kehkan, Chaladdschiar, Melhan, Ibnoldschan, Deir Abuna, Deir
el Amr, Furek, Mehruban, Dschannabe, Senkir, Szuan el Nahas[123]).

Jeder Sem dieser Landschaften hat Dörfer und Städte und erhebt
den Tribut eines jeden Ortes, deren Oberhäupter Kurden sind. Sie
halten Truppencorps, welche die Karawanen begleiten und die Wege
bewachen; wenn ein Beamter des Sultans dahin kommt, so ist er gleichsam ihr Befehlshaber. Einer der Sem's, Narindschan, stösst an das Gebiet von Iszfahan, die Besatzung gehört zu den Leuten Schahriar's, und
von den Narindschan wohnt niemand in Fars, sie haben aber dort viele
Besitzungen und Dörfer.

Kurdenstämme in Fars: Kirmanie, Samanie, Modabber, der Stamm
Mohammed ben Beschir, der Stamm Mohammed ben Ishak, Bakelin,
Benad-Mahrie, Szabahie, Ishakie, Ardekanie, Schabrikie, Tebadehine (?),
Sebadie, Schahrune, Bendakie, Dschisruie, Sendschie, Szakrie, Schahaniune,
Mahrekie, Mobarekie, Ittisamherie, Schahunie, Moranie, Salamuie, Szabrie,
Ladahinie (?), Berardechanie, Matlie, Memalie, Schahkanie, Kedschtie,
Dschelilie. Das sind diejenigen, deren Namen mir gegenwärtig sind; nur
das Almosentribunal kann sie zwingen (zum Almosengeben?). Sie sind
stark und muthig, und besitzen Schafe, Stuten und Kamele, aber keine
andern Hengste, als von Badhindschan, welche sie nach dem Gebiet
von Iszfahan ausführen; ihr Vieh treiben sie auf die Weide, und ihre
Sitten sind gleich denen der Araber und Berberstämme in Betreff der
Weiden. Es sind ihrer mehr als 100 Stämme.

Befestigte Städte. Isztachr hat ein Schloss und Festungswerke.
Die Stadt Ketha hat ein Schloss und Festungswerke. Beidha hat ein
Schloss und Festungswerke. Sermah hat ein Schloss und Festungswerke. Kalid hat ein Schloss, eine Citadelle und Festungswerke. Das
Dorf Alas hat eine Citadelle und Festungswerke. Kir (?) hat eine Citadelle und Festungswerke. Rubendsch hat ein Schloss und Festungswerke. Sabur hat Mauern aber keine Festungswerke. Dschihan hat
ein Schloss aber keine Festungswerke. Chasze hat ein Schloss.

Schlösser in Fars. Man sagt, dass in Fars über 5000 einzelne
Schlösser in den Gebirgen, in der Nähe der Städte und in den Städten
sind, die nur von den Dikasterien zu Abgaben gezwungen werden
können. Ich werde aber nur diejenigen nennen, welche mir bekannt
sind, und die kein Mächtiger mit Gewalt erobern kann. Zu diesen

Schlössern gehört das Schloss **B**en **A**mare, auch Schloss **D**ikan genannt, welches von dem Dschelendi abhängt. Einer allein kann es nicht besteigen, sondern nur mehrere in Gesellschaft. Es dient der Familie Amare als Warte im Meere, um von jedem Schiffe den zehnten Theil der Ladung zu nehmen. — Das Schloss **K**erban auf dem Berge Tin (oder auf einem Lehmberge); Mohammed ben Waszel griff es mit einem Heere an, und belagerte darin den Ahmed ben Hasan el Afdi, konnte es aber nicht überwältigen. — Das Schloss **S**aidabad **B**eramdscherd in der Landschaft Isztachr auf einem Berge, welcher eine Parasange hoch ist. Vor dem Islam hiess es das Schloss Isfendbad; zur Zeit des Islam setzte sich hier Siad ben Umeje unter der Regierung des Chalifen Ali ben Ebu Taleb fest, und das Schloss wurde nach ihm benannt. Gegen die letzte Zeit der Ommiaden setzte sich Manszur ben Dschaafer, Statthalter von Fars, dort fest, worauf das Schloss nach ihm benannt wurde. Darauf wurde es verlassen. Später bewohnte es Mohammed ben Waszel el Chanteli, Statthalter von Fars; nach ihm wurde es wieder verlassen; später nahm Jakub ben Leith es ein, doch konnte er es nur durch einen Befehl des Mohammed ben Waszel erobern, worauf er es zerstörte. Als er es nachher brauchte, liess er es wieder ausbauen, und als Gefängniss für seine Widersacher einrichten. — Das Schloss **A**schkenun im Bezirk Manin (?) ist schwer zu ersteigen; es ist stark befestigt, und hat in seinem Innern fliessendes Wasser. — Das Schloss **D**schudarf des Gefährten Kai Chosru[124]), an einem Orte Namens Scheria im Gebiete von Kam Firuf, ist stark befestigt. — Das Schloss **D**schasz im Distrikt Ardschan. Hier wohnen Magier; auch befinden sich dort Denkschriften über die Vorzeit Persiens[125]). Es ist stark befestigt. — Das Schloss **I**redsch ist stark befestigt. Der festen Schlösser, welche nicht zu erobern sind, sind so viele, dass es nicht möglich ist, sie alle zu behalten.

Flüsse von **F**ars. Der Fluss **T**ab entspringt auf den Bergen von Iszbahan in der Nähe von Merdsch, und ergiesst sich in den Fluss Meserkan, welcher auf den Bergen von Iszfahan entspringt, und im Distrikt Serdan hervorkommt; sie vereinigen sich bei dem Dorfe Mes. Dann fliesst der vereinigte Fluss von dem Thore von Ardschan unter einer Brücke zwischen Fars und Chufistan, und bewässert den Bezirk von Ruf Schehr, worauf er im Gebiet von Toster sich in's Meer ergiesst. Der Fluss **S**chirin kommt aus dem Gebirge Dinar im Distrikt Naferindsch, bewässert Fafrek (?) und Chaladchan, und ergiesst sich in der Nähe von Dschannabe in's Meer. Der Fluss **S**chadhkan entspringt im Distrikt Naferindsch und dessen Gebirgen, fliesst bei Teubuk vor-

bei, bewässert viele Bezirke, und ergiesst sich darauf in's Meer. —
Der Fluss Dudschend entspringt auf den Bergen von Chubkan und
ergiesst sich in den See Dudschend. Der Fluss Chubdan entspringt
bei Chubdan, welches er bewässert, worauf er sich in's Meer ergiesst. —
Der Fluss Rebin (?) entspringt bei Dschemandschan el Alia; fliesst bei
Rebaban (?) vorbei, und ergiesst sich in den Fluss Sabur; hierauf trennt
er sich wieder von dem Flusse Sabur, und fliesst nach Tudsch und von
da in's Meer. — Der Fluss Achsin entspringt auf den Bergen von Darin, und ergiesst sich bei Dschifan in den Fluss Tudsch. — Der Fluss
Sekan kommt aus dem Bezirk Wadichan, bewässert viele Bezirke, und
ergiesst sich in's Meer. Kein Fluss in Fars ist so stark mit Wohnungen
besetzt, als dieser. — Der Fluss Charisek entspringt in dem Bezirk
Maszum, fliesst unter der steinernen Brücke Adie, und ergiesst sich
in den Fluss Achsin. — Der Fluss Korr kommt aus Korwan im Gebiet von Afd, und hat seinen Namen von Korwan; er fliesst von Schaab
Buan in den See Bachtikan; einige sagen, er habe seine Quelle in der
Landschaft Darabdscherd, und ergiesse sich in's Meer. Der Fluss Fe-
ruah kommt von Chubdan von dem Dorfe Fernab, fliesst bei Isztachr
unter der Brücke von Chorasan, und ergiesst sich in den Fluss Korr.
Fars hat noch viele kleinere Flüsse.

Seen von Fars. Das grösste Meer von Fars ist das persische
Meer, ein Arm des Ozeans; es fliesst bei China und bei dem Lande
Wakwak[126]), dann bei den Ländern von Indien, Sind und Kirman bis
Fars; es wird vorzugsweise vor allen Ländern, die es umfliesst, nach
Persien benannt, weil die Könige von Persien in alten Zeiten die mäch-
tigsten Monarchen waren. —

Zu den Seen, welche von Dörfern und Wohnungen umgeben sind,
gehört der See Bachtikan, in welchen sich der Fluss eines an Kirman stossenden Distriktes ergiesst; seine Länge ist ungefähr 20 Parasangen; sein Wasser ist salzig, und das Salz sammelt sich in demselben;
um den See sind Löwenhöhlen, so wie auch einzelne Bezirke mit Dörfern. Er gehört zur Landschaft Isztachr. — Der See Descht Arfen
gehört zur Landschaft Sabur; seine Länge beträgt ungefähr 10 Parasangen; sein Wasser ist süss. Zuweilen trocknet er aus, so dass nur wenig Wasser nachbleibt, und zuweilen füllt er sich auf 10 Parasangen
au. Es liegen um ihn Dörfer und Wohnungen. Die Bewohner von
Schiraf erhalten ihre Fische aus demselben. — Der See Tuf gehört zur
Landschaft Sabur und liegt in der Nähe von Kaferun; seine Länge beträgt ungefähr 10 Parasangen bis in die Nähe von Biur (?); sein Wasser
ist salzig, und es sind viele Fische in demselben. — Der Salzsee Bacht-

ikan hält ungefähr 12 Parasangen, und an seinen Ufern krystallisirt sich das Salz; um ihn sind die Dörfer von Keherdschan; er gehört zur Landschaft Ardeschir Chorre; das eine Ende ist ungefähr 2 Parasangen von Schiraf, und das andere Ende gehört zu Chufistan [127]). — Der See Basfahuie ist 8 Parasangen lang, und enthält viel Wasser und Fische; an den Ufern desselben sind Sümpfe mit Rohr, Papyrusschilf, Binsen u. s. w., welches die Bewohner von Schiraf benutzen. Er liegt in der Landschaft Isztachr und stösst an Serkan im Bezirk Hefar.

    Beschreibung der grossen Städte. Isztachr. Die Ausdehnung der Stadt ist eine Miglie; sie gehört zu den ältesten und berühmtesten Städten in Fars, und sie war die Residenz der persischen Könige, bis Ardeschir sie nach Dschur verlegte. Es ist dort eine Moschee, genannt die Moschee Salomon's des Sohns Davids, mit alten Mauern; sie ist jetzt wüste [128]). Sie ist aus Lehm, Steinen und Gyps erbaut. Die Brücke von Chorasan liegt bei dem Thore, das nach Chorasan führt; hinter der Brücke sind neuere Gebäude und Wohnungen.

    Sabur ist nach Isztachr die grösste Stadt; sie ist aber volkreicher und mehr behaut, und ihre Einwohner sind wohlhabender. Die Bauart ist der von Isztachr ähnlich.

    In Isztachr ist die Luft ungesund, aber ausserhalb der Stadt ist sie gesund.

    Darabdscherd d. h. von Dara erbaut [129]), hat eiserne Mauern, wie die Mauern von Dschur, und Gräben, die durch Quellen und durch Regen mit Wasser versehen sind. In dem Wasser wachsen Gräser, und wenn ein Mensch oder Thier hineingeräth, so verwickelt er sich darin, so dass er nicht hindurch kommen kann, und nur mit vieler Mühe zu retten ist. Die Stadt hat vier Thore, und in der Mitte der Stadt erhebt sich ein Berg wie eine steinerne Kuppel, der mit keinem Berge in Verbindung steht. Die Gebäude der Stadt sind aus Lehm, und es wohnen heutzutage dort nicht viele Perser.

    Dschur wurde von Ardeschir erbaut. Man sagt, dass das Wasser sich hier ehemals gesammelt hatte, wie in einem See. Der König hatte das Gelübde gethan, an jeder Stelle, wo er seine Feinde besiegen würde, eine Stadt und einen Feueraltar zu erbauen. Nachdem er an dieser Stelle einen Sieg erfochten hatte, liess er das Wasser durch Constructionen abzapfen, so dass der Ort trocken gelegt wurde, worauf er hier die Stadt Dschur erbauen liess. Sie kommt an Grösse Isztachr, Sabur und Darabdscherd gleich; sie hat Lehmmauern und Gräben, und vier Thore; das östliche Thor heisst das Thor Mihir (Mithrathor) das westliche das Thor Bahram, das nördliche das Thor Hormuf, und das südliche das

Thor Ardeschir. Mitten in der Stadt ist ein kuppelartiges Gebäude, welches Ardeschir errichten liess. Man sagt, dass es so hoch ist, dass es die Stadt und die Umgegend beherrscht; oben auf dem Gebäude ist ein Feueraltar. Gegenüber entspringt auf einem Berge eine Quelle, deren Wasser nach dem Gipfel des Gebäudes gleichsam in die Höhe stieg; hierauf stieg es in einer andern Wasserleitung, die aus Gyps und Steinen erbaut war, wieder hinab; diese Wasserleitung ist jetzt zerstört. Die Einwohner der Stadt bedienen sich gewöhnlich des fliessenden Wassers. Die Stadt liegt sehr angenehm, die Einwohner sind wohlhabend, und vor jedem Thore dehnen sich Gärten und Schlösser auf ungefähr eine Parasange aus [130]).

Schiraf wurde von Mohammed ben Kasim ben Okail, dem Vetter des Hedschadsch ben Jusuf el Thakefi erbaut, und wurde Schiraf (Löwenbauch) genannt, weil sie dem Bauche eines Lowen gleicht. Denn die Bewohner der umliegenden Städte bringen ihre Güter nach Schiraf, und bringen dafür nichts nach Hause [131]). Hier war das Lager der Muselmänner; als sie sich Isztachr näherten, um es zu erobern, machten sie Schiraf zum Mittelpunkt ihrer militairischen Operationen in Persien. Die Stadt hat ungefähr eine Parasange Weite, und hat keine Mauern; Die Gebäude liegen nahe bei einander, und sind stark bevölkert. Es befinden sich hier die persischen Militairgefängnisse, die Dikasterien und die Behörden.

Kaferin ist eine kleine Stadt, ungefähr ein Drittheil so gross, wie Isztachr; sie hat ein Schloss, welches Kobad Churre heisst.

Zu den ausgezeichnetsten Städten in der Landschaft Isztachr auf der Seite von Chorasan gehört Ketha, welche auch Hauma Jefd und Aberkuh heisst.

In der Nähe von Kirman liegt Rudhan; Hormuf aber ist ein Marktplatz von Kirman........... [132]).

Die Stadt Ketha oder Hauma Jefd liegt am Rande der Wüste, in einer sehr gesunden Gegend, mit einem fruchtbaren Bezirk; die Gebäude sind aus Ziegelsteinen mit Lehm aufgeführt. Die Stadt ist mit einem festen Schlosse versehen, welches zwei ciserne Thore hat; eins derselben heisst das Thor Aberd, das andere das Moscheenthor, weil es in der Nähe der Hauptmoschee ist; diese letztere ist innerhalb der Festungswerke. Die Stadt hat ihr Wasser aus einer Wasserleitung, welche aus der Nähe des Schlosses kommt. Nahe bei der Stadt ist ein Dorf, woselbst Blei- (oder Zink-) Minen sind. Die Stadt liegt sehr angenehm in einem fruchtbaren wasserreichen Bezirk, dessen Früchte nach Iszfahan gebracht werden. Auf den Bergen sind viele Bäume und Früchte, und

ausserhalb der Stadt sind Festungswerke, welche ihre Gebäude umgeben; die Strassen sind voller Wohnungen, und die Einwohner sind
gesittet.

Aberkuh ist eine befestigte Stadt mit vielen Einwohnern; sie ist
ungefähr ein Drittheil so gross, wie Isztachr; ihre Gebaude liegen nahe
bei einander, und sind meist, gleich denen zu Jefd, aus Ziegelsteinen.
In der Umgegend giebt es keine Bäume; das Getraide ist hier wohlfeil·

Rudhan ist der Gestalt nach Aberkuh ähnlich, hat aber mehr
Wasser [133]).

Kerd ist grösser als Aberkuh und fruchtbarer; die Häuser sind
aus Lehm; es sind hier viele Bäume und Schlösser.

Surmak ist fruchtbarer und wohlfeiler mit Lebensmitteln versorgt
als Kerd; es sind hier viele Bäume.

Baidha ist die grösste Stadt in der Landschaft Isztachr; es hat
seinen Namen von dem Schlosse, welches man wegen seiner weissen
Farbe schon von Weitem sehen kann [134]). Hier war das Heerlager der
Mohammedaner, als sie Isztachr angriffen. Die Stadt kommt Isztachr
an Grösse gleich; ihre Häuser sind aus Lehm. Die Gegend ist sehr
fruchtbar, und die Stadt Schiraf erhält ihr Getraide von hier.

In der Landschaft Sabur sind die grössten Städte Kaferun, Dschera
und Naubendschan; die Hänser dieser und anderer Städte sind aus Lehm,
Gyps und Steinen. Diese Städte sind gross, angebaut und die Häuser
nahe bei einander.

Kaferun hat sehr feste Gebäude und viele Schlösser. Es ist die
gesundeste Stadt in ganz Fars; die Einwohner haben ihr Wasser aus
Brunnen; die Gegend ist sehr fruchtbar.

In der Landschaft Darabdscherd ist die grösste Stadt Fasa; ihre
Strassen sind sehr breit; an Grösse kommt sie Schiraf gleich, ihre
Häuser sind aus Lehm; das Holz in den Gebäuden ist meistens Cedern-
holz. Die Stadt hat ein Schloss mit Gräben und Festungswerken; die
Märkte sind innerhalb der Festungswerke, und mit allen Früchten gut
versorgt. Die ganze Landschaft Darabdscherd ist fruchtbar.

In der Landschaft Ardeschir Chorre sind die grössten Städte Schiraf
und Siraf. Die Häuser in letzterem Orte sind aus Ebenholz erbaut,
welches aus dem Lande Sindsch dahin gebracht wird, und mehrere
Stockwerk hoch. Die Stadt liegt am Meere; ihre Gebäude liegen nahe
bei einander und enthalten viele Einwohner. Diese verwenden sehr viel
auf ihre Häuser; ein Kaufmann gebrauchte zu dem Bau seines Hauses
30,000 Dinaren. Die Früchte sind sehr gut und kommen von dem nahe-
gelegenen Berge Dschem. Die Hitze ist hier ausserordentlich stark.

Ardschan hat viele Dattelpalmen und Früchte; die Stadt liegt auf einer Ebene, und ist zugleich Land- und Seestadt, da sie eine Station vom Meere entfernt ist. Die grösste Stadt in Fars ist Schiraf; dann folgen Fasa, Siraf, Ardschan, Sabur, Isztachr, Retha, Darabdscherd, Dschur, Dschannabe, Naubendschan und Abdidschan.

Nudsch[135]) liegt in einer Vertiefung, so dass die Hitze hier sehr stark ist. Ihre Häuser sind aus Lehm. Es sind hier viele Dattelpalmen, die aber nur klein sind. In der Nähe ist Schaab Buan, zwei Parasangen entfernt, wo die Dörfer und Gewässer nahe bei einander liegen. Die Bäume und Gewächse dieser Orte sind so dicht, dass man diese nicht eher sieht, als bis man in ihnen ist. Dies ist das angenehmste Thal in dem kälteren Strich von Fars.

Sinif, Dschannabe und Mehruban liegen am Meere in einer sehr heissen Gegend; man findet hier Dattelpalmen und andere Feldfrüchte.

Wasser, Luft und Erde in Fars werden durch eine gerade Linie von Ardschan nach Naubendschan, Dschere längs Seif (el Bahr) nach Raferun, längs den Sem nach Darabdscherd Ferdsch, und Tarom in zwei Hälften getheilt; was südwärts von dieser Linie liegt, gehört zu dem heissen Erdstrich, und was nördlich davon liegt, zum kalten Erdstrich. Zum heissen Erdstrich gehören Ardschan, Naubendschan und viele andere auf der Karte von Fars angezeigte Städte; zum kalten Erdstrich gehören Isztachr, u. s. w. In dem kalten Erdstriche können der Kälte wegen, keine andere Feldfrüchte gebaut werden, als Getraide z. B. Reis. In dem heissen Erdstriche ist die Hitze im Sommer so gross, dass nicht einmal die Vögel dort bauen. Die gesundesten Oerter im heissen Erdstrich sind Ardschan, Siraf, Dschannabe; das gemässigtste Klima findet man in den Gegenden, welche die Gränze zwischen beiden Erdstrichen bilden z. B. in Schiraf, Fasa, Raferun, Dschur u. s. w.; in ganz Fars aber kenne ich keinen gesunderen und angenehmeren Ort, als Raferun.

Das gesundeste Wasser ist in Rera, und das schlechteste Wasser in Darabdscherd.

In dem heissen Erdstrich sind die Einwohner meistens mager mit geringem Haarwuchs und von brauner Farbe. In dem kalten Erdstriche sind die Menschen gross von Natur, mit stärkerem Haarwuchs und sehr weiss. Sie reden drei Sprachen, das Parsi, welches alle reden und dessen sie sich in ihren Briefen und Schriften bedienen; die unter ihnen wohnenden Magier bedienen sich des Pehlvi in ihren Schriften, es bedarf aber zu seinem Verständniss einer Erklärung in Parsi; und das Arabische, welches die Sprache in den Schreiben der Sultane, der Behörden, der Vornehmen und der Emire ist. Ihre Stiefel sind kleiner, als die der Bewohner von Chorasan, die Kadhis tragen keine Halbstiefel, auch keine Mützen, welche die Ohren bedecken; die Schreiber tragen zierlichere Halbstiefel als die Sultane, sie tragen aber keine Mäntel und kostbare Kleider. Die Könige und Kaufleute tragen Halbstiefel. Die Kleidung ist die der Einwohner von Irak, denen sie an Schönheit der Häuser, Kleider und Nahrungsmittel gleich kommen. Die Kaufleute sind meistens sehr begierig nach Geld. Die Bewohner von Siraf und der Küste sind Seefahrer, und sind oft einen guten Theil ihres Lebens abwesend auf dem Meere, wovon sie reichlichen Erwerb haben. Einer von ihnen erwarb sich zu meiner Zeit ein Vermögen von 40 Millionen Dinaren, und seine Kleidung unterschied sich durch nichts von der eines Tagelöhners. Die Bewohner von Kaferun, Fasa u. s. w. treiben Landhandel, wobei sie jedoch auch grossen Reichthum erwerben, so dass mancher unter ihnen sich bedeutendes Vermögen erwirbt. Die Einwohner sind ausdauernd und im Allgemeinen trachten sie nach Erwerb; auch dem Aeussern nach sind sie wohlhabend. Ein glaubwürdiger Mann hat mir erzählt, dass im J. 324, wo er in Baszra war [136]), ein Handelsschreiber aus Oman ankam, nach welchem dort eine Feuersbrunst stattgefunden hatte. Anfangs wehte der Wind südlich, nachher drehte er sich nach Norden um, wodurch sich die Feuersbrunst nach der andern Seite wandte. Einem gewissen Ibn Merwan verbrannten allein an schwarzen Sklaven, ohne die weissen, 12,000 Mann; an Gewürzen eine Menge, die gar nicht zu berechnen war; bloss an Campher verbrannten 400 Birke, jedes Birke zu 50 Eselslasten gerechnet [137]).

Die Bewohner der Küste von Siraf bis Mehruban und Ardschan und des grössten Theils des heissen Erdstrichs sind meistens von der Sekte der Bewohner von Baszra, und es sind nur wenige Motafeliten unter ihnen. Die Bewohner von Dscherm sind Motafeliten, die von Dschera Schiiten. Die Bewohner des kalten Erdstriches, wie von Schiraf, Isztachr und Fasa, sind meistens von der Sekte der Bewohner von Bagdad, und die meisten Fetwas für Fars sind im Sinne der Sunniten abgefasst. Auch sind dort viele Magier. In der Nähe von Isztachr ist ein grosses steinernes Gebäude mit Abbildungen und Säulen, wovon die Perser erzahlen, es sei die Moschee Salomon's des Sohns Davids, und ein Werk der Genien; es gleicht den Gebäuden von Baalbek und andern in Syrien und Aegypten an Grösse.

In der Umgegend von Isztachr giebt ès Aepfel, die halb sauer und halb süss sind.

Bei dem Dorfe Abderrahman giebt es einen Brunnen, der mehrere Menschenlängen tief ist; den grössten Theil des Jahres hindurch ist der Boden desselben trocken; nur zu einer bestimmten Zeit des Jahres füllt sich der Brunnen so sehr mit Wasser, dass es bis auf die Oberfläche der Erde reicht, Mühlen treibt, und zur Bewässerung der Saaten genügt; dann trocknet er wieder aus.

In der Nähe von Sabur ist ein Berg, auf welchem sich die Abbildungen aller Könige, Statthalter, Tempeldiener und Grossmobeds, die zu den Zeiten des persischen Reiches berühmt waren, befinden [138]). Auf den Piedestalen dieser Figuren sind die Ereignisse und Thaten der Personen eingehauen. Die Bewohner eines Ortes in Ardschan, Namens Hiszn el Dschasz, bewahren solche auf.

Bei Dschur ist vor dem Thore, das nach Schiraf führt, ein grosser Teich, auf dessen Boden ein grosser kupferner Kessel ist, und durch ein Loch an dem Obertheile dieses Kessels, das so klein ist, dass es nicht mit den Augen zu sehen ist, kommt das Wasser heraus.

In der Nähe von Aberkuh sind grosse Aschenhaufen, von denen die Bewohner glauben, es rühre diese Asche von Nimrod dem Sohne Kanaans her, welcher für Abraham einen Scheiterhaufen anzünden liess. Dies ist aber irrig, denn es ist historisch, dass Nimrod in Babel residirte, gleich wie die Könige der Kanaaniden vor dem persischen Reiche.

In der Landschaft Ardschan ist in einem Dorfe, Namens Szahek el Arab, ein Brunnen, wovon die Einwohner erzählen, dass sie den Boden mit einem Senkblei untersuchen wollten, aber den Boden nicht erreichen konnten. Er hält allezeit so viel Wasser, dass er Mühlen treibt und dieses Dorf mit dem nöthigen Wasser versieht.

In dem Distrikt Rostak el Rostak ist ein Dorf Namens Hindidschan (?), in welchem ein Brunnen zwischen zwei Bergen ist. Aus diesem Brunnen steigt beständig Rauch auf, der so heiss ist, dass niemand sich demselben nähern kann; Vögel, welche darüber wegfliegen, fallen hinein und verbrennen.

Auf der Ebene Birir (?) ist ein Dorf, dessen Einwohner von Zauberern abstammen, von denen unanständige Dinge erzählt werden.

Bei einem Thore von Schiraf ist eine Quelle, deren Wasser man trinkt, um sich Oeffnung zu verschaffen; ein Becher voll bewirkt eine Sitzung, und jeder folgende Becher eine neue Sitzung.

In der Nähe von Ram Firuf ist ein Dorf, Namens Murdschan, zwischen hohen Bergen; in diesem Dorfe ist eine Höhle, deren Boden

fest ist und aus deren Decke Wasser fliesst. Wenn ein Mensch hinein-
geht, so fliesst so viel Wasser heraus, als für einen genügt, und wenn
tausend Menschen hineingehen, so fliesst so viel heraus, als tausend bedürfen. Das Wasser tröpfelt auf den Boden, und die Einwohner glauben,
dass dort ein Talisman sei.

Vor einem Thore von Ardschan ist eine sehr grosse Brücke.

In der Nähe von·Kuan ist die Erde grün wie Laub, aber nicht an
Geschmack demselben ähnlich.

In der Nähe von Dschannabe im Meere ist ein Ort, Namens Charek,
bei welchem Perlenbänke sind.

In der ·Nähe von Schiraf wächst eine Anemone, welche man Susan
Nardsches (Lilium Narcissus) nennt, deren Blätter den Lilienblättern
gleichen, deren Inneres aber mit der Narcisse übereinstimmt.

In der Nähe von Dadin ist ein Süsswasser-Fluss, Namens Ahsin;
wenn man in demselben Kleider wäscht, so werden sie grün.

In den Gebirgen von Descht Badin ist ein Dorf, Namens Bu, bei
welchem eine Quelle, Namens Ma Nuh (Noahwasser) ist. Das Wasser
derselben heilt Krankheiten, und soll bis nach China gebracht werden,
weil es so bekannt ist. Die Menschen betrachten es als ein Wunder
Gottes, und kommen selbst von Chorasan und fernen Ländern her, um
sich dessen zu bedienen.

Produkte von Fars. Zu den Dingen, welche aus Fars nach
andern Ländern gebracht werden, weil sie das vorzüglichste in ihrer
Art sind, gehört das Rosenwasser, welches als Arznei nach Magreb,
Andalus, Aegypten, Jemen, Indien und China ausgeführt wird, weil es
das vortrefflichste Rosenwasser ist. In ganz Fars wird viel Rosenwasser
verfertigt, das meiste aber kommt aus Dschur, wo die grössten Fabriken
sind. Auch wird in Dschur Palmenblühtwasser und Abrotanumwasser
bereitet, dessen Fabrikation an andern Orten ausser Dschur unbekannt
ist. Safranwasser und Wasser aus den männlichen Weidenblühten,
wird in ganz Fars bereitet; auch Oel aus den Weidenblühten wird im
ganzen Lande verfertigt; das beste aber kommt aus Meraga; ich habe
eine Sorte davon gesehen, wovon ein Mina 10 Dinaren kostete, und das
war noch nicht die beste Sorte. Die aus Sabur ausgeführten Oele
zeichnen sich vor allen übrigen aus, ausgenommen die Veilchenöle,
welche in Kufa besser bereitet werden. In Schinif werden die „Schi-
nifischen Zeuge" verfertigt, von Dschannabe kommen die „Dschanna-
bischen Mäntel" (Mendil, Mantilia) und von Tudsch die „Tufischen,"
denen keine Kleidungsstücke dieser Art aus andern Ländern gleich
kommen; diese kostbaren Kleider werden in alle Länder ausgeführt;

auch in Fasa werden verschiedene Zeuge verfertigt, die man ausführt, unter andern Seidenzeuge, sowohl solche die auch in andern Ländern verfertigt werden, als goldgestickte, und solche wie aus Dscheherm u. s. w. Aus der Wolle werden für den Sultan und für die Kaufleute Zeuge zu Teppichen gewebt, worauf man sehr viel verwendet. Aus Seide werden für den Sultan die bekannten gewürfelten Vorhänge gewebt [139]). Von Dscheherm kommen gestickte Kleider, Teppiche, glatte und wollige Tapeten. — Von Jefd kommen baumwollene Zeuge.

Von Siraf werden die überseeischen Waaren gebracht, als Räucherwerk, Ambra, Campher, Edelsteine, Rohr, Elfenbein, Ebenholz, Pfeffer, Sandelholz, Gewürze und Arzneimittel. Die Einwohner sind die wohlhabendsten in Fars und meistens Seeleute.

Der Syrup von Ardschan wird nur von dem Seilanischen übertroffen, welcher in el Ahsa und Hadschr vorkommt, und noch besser ist, als jener.

In den Gräben bei Darabdscherd findet sich ein Fisch, der weder Gräten noch Knochen hat, und zu den wohlschmeckendsten Fischen gehört.

Von einem Dorfe bei Darabdscherd kommt die Mumie, die zum Sultan gebracht wird [140]). Sie findet sich in einem Berge in einer Höhle, welche von Aufsehern bewacht wird. Sie wird jährlich zu einer bestimmten Zeit geöffnet, und die Mumie in den Felsritzen gesammelt; auch findet man sie auf der Ebene. Wenn sie gesammelt ist, gleicht sie einem Granatapfel; sie wird in Gegenwart eines Beamten des Sultans versiegelt, und zu einer ganz kleinen Masse zusammengedrückt; dies ist die ächte Mumie.

In der Nähe von Darabdscherd sind Berge, in welchen man weisses, schwarzes, grünes, gelbes und rothes Salz findet, welches dort in Tafelgestalt vorkommt. Das Salz, welches in andern Städten ist, kommt entweder aus dem Innern der Erde, oder bildet die Kruste des Bodens; letzteres liegt offen da.

In Darabdscherd findet man ein schwaches Oel, dem nichts ähnlich ist.

Aus der Landschaft Isztachr werden Baumwollenzeuge ausgeführt, wovon der Sultan viele Einkünfte zieht. Wenn die Stauden gesäet werden, erhält er Grundsteuer; wenn sie aber nicht gesäet werden, erhält er keine Abgaben.

Karte von Fars.

1. Süd. 2. Karte von Fars. 3. West. 4. Insel Awal. 5. Persisches Meer. 6. Insel Lafet. 7. Siraf. 8. Harmar. 9. Cham. 10. Keran. 11. Ka-

Gränze von Chorasan.

rian. 12. Harmare. 13. Melduan. 14. Serendsch. 15. Kubedsch. 16. Mihran.
17. Arfen. 18. Kulach. 19. Kehr. 20. Kulman. 21...... 22. See Tus.
23. Kerman. 24. Dschuim. 25. Dschir. 26. Naubendschan. 27. Aran.
28. Kemafidsch. 29. Nas. 30. Fluss Segan. 31. See von Dschur. 32. Dschur.
33. Dschere. 34. Nedschirem. 35. Kehr. 36...... 37. Minbar el Muthaffer. 38. Kaferun. 39. Sabur. 40. Nuh. 41. Fluss Sadekan. 42. Fluss
Schirin. 43. Toster. 44. Sinif. 45. Ardschan. 46. Fomm el Asad. 47. Ra-
mun. 48. Ferdek. 49. Abcher el Dschan. 50. Fluss Chuabdan. 51. Bi-
uskan. 52. Nuschhar. 53. Ragan (Selka). 54. Dschuim. 55. Schiraf.
56. Hefar. 57. Bilusan. 58. Fasa. 59. Tasian. 60. Mestidschan. 61. En-
derane. 62. Daigan. 63. Murdistan. 64. Sabian. 65. Darabdscherd.
66. Sem. 67. Rostak el Rostak. 68. Ferdsch. 69. Adel Rostak. 70. Barom. 71. Gränze von Kirman. 72. Himar. 73. Masikar. 74. See Bachtikan.
75. Bachtikan. 76. Iszfahanan. 77. Iszfahanan. 78. Dschar. 79. See
Basfihuie. 80. Mas oder Namir. 81. Anub. 82. Hauma el Serdeu oder
Hauma el Serur. 83. Gränze von Chufistan. 84. Gränze von Iszfahan.
85. Iszfahan. 86. Sermek. 87. Mischkan. 88. Bachse. 89. Aklides.
90. Isztachr. 91. Kemin. 92. Aberkuh. 93. Mihrdschan. 94. Schehr
Babek. 95. Anare. 96. Derbidschan. 97. Szahek. 98. Sirdschan. 99. Rudan.
100. Ost. 101. Arihan. 102. Hera. 103. Bedschles. 104. Aban. 105. Fehridsch. 106. Chabr. 107. Refar. 108. Ketha. 109. Maibod. 110. Jefd.
111. Ardschman. 112. Nabein. 113. Nord. 114. Gränze von Chorasan [141]).

Entfernungen in Fars.

Von Schiraf nach Siraf. Von Schiraf nach dem Dorfe Kefre
5 Parasangen; von Kefre nach Bahr 5 Parasangen; von Bahr nach Keluan Alube, welches ein Distrikt mit einer Stadt ist, 6 Parasangen;
von Keluan nach Bendschmau 4 Parasangen; von Bendschman nach
der Stadt Kuan Dschuf 6 Parasangen; von Dschuf nach Descht Surab
5 Parasangen; von hier nach Chan Afad 6 Parasangen; dies ist eine
Ebene von 3 Parasangen, die mit lauter Narcissen bewachsen ist. Von
Chan Afad Merd nach dem Dorfe Kirend 6 Parasangen; von hier nach
dem Dorfe Mi 6 Parasangen; von Mi nach Ras el Akaba 6; und von
Ras el Akaba nach Baferkan 6; von Baferkan nach Birkane 4; von
Birhane nach Siraf 7; von Schiraf bis Siraf sind also 68 Parasangen.

Von Schiraf nach Ketha, welches der Weg nach Chorasan ist.
Von Schiraf nach Dukak 6; von Dukak nach Isztachr 6; von Isztachr
nach dem Dorfe Bir (?) 4; von Bir nach Kehend 8; von Kehend nach
dem Dorfe Bend (?) 8; von dem Dorfe Bend nach Aberkuh 12; von
hier nach dem Dorfe el Asad 13; von hier nach dem Dorfe Dschuf 6;

von dem Dorfe Dschuf nach dem Magierschlosse (Kalaa el Madschus) 6; von dem Magierschlosse nach der Stadt Ketha Hauma Jefd 5; von Jefd nach dem Orte Hir 6; von hier nach Ketha 7. Dies ist die letzte Stadt im Gebiete von Fars; die Entfernung beträgt 87 Parasangen.

Von Schiraf nach Dschannabe. Von Schiraf nach Chan el Asad am Flusse Segan 6; von dem Chan nach Descht Aferman 7, von hier nach dem Dorfe Tire 4; von hier nach der Stadt Kaferun 5; von Kaferun nach der Stadt Tudsch 4; von hier nach Dschannabe 12 Parasangen.

Von Schiraf nach Sirdschan. Von Schiraf nach Isztachr 12 Parasangen; von hier nach dem Dorfe Siadabad 8 Parasangen; von hier nach dem Wachtposten Kelvader 8; von Kelvader nach Dschubanan, woselbst ein See ist, 6; von hier nach dem Dorfe Abd er Rahman 6; von hier nach Kirie el As, einer Stadt genannt Nudendschan 6; von el As Szahek el Kobri nach der Stadt 8; von Szahek nach Rabat el Sermikan, einer Festung 8; von Rabat el Sermikan nach dem Dschem Rabat Bost 9; von hier nach Sirdschan in Kirman 9. Bei Robat Sermikan fängt die Gränze von Kirman an; von Schiraf bis zur Gränze von Sermikan sind also 64 Parasangen.

Weg von Schiraf nach Barom. Von Schiraf nach dem Dorfe Chan Munhem im Bezirk Ankeherdschan; von hier nach der Stadt Dschuristan 9; von Dschuristan nach der Station Rabat 9; von Rabat nach Kurom 4; von Kurom nach der Stadt Fasa 5; von Fasa nach der Stadt Tamisan 4; von Tamisan nach der Stadt Hauma el Mostidschan 6; von Mostidschan nach der Stadt Daragan 4; von hier nach der Stadt Darabdscherd 1 Parasange; von Darabdscherd nach der Stadt Sem Mehdi 5; von dem Sem nach Rostak el Rostak 5; von hier nach Ferdsch 8; von hier nach Barom 14 Parasangen; von Schiraf nach Barom sind also 80 Parasangen.

Von Schiraf nach Iszfahan. Von Schiraf nach der Stadt Hefar 9; von hier nach Mahin 6; von hier nach dem Wachtposten Kesa 6; von hier nach dem Dorfe Keman 4; von Keman nach dem Dorfe Kaszr Ain 7, von Kaszr Ain nach dem Dorfe Isztachran 7; von hier nach dem Dorfe Chan Uweis 7; von hier nach Kerre 8; von Kerre nach dem Dorfe Chan Lendschan 7 Parasangen; von Chan Lendschan nach Iszfahan 9 Parasaugen; die Gränze von Fars ist bei Chan Rusin, welches von Schiraf 43 Parasangen ist; von Schiraf bis Iszfahan sind 72 Parasaugen [142]).

Von Schiraf nach Ardschan. Von Schiraf nach Dschuim 5; von Dschuim nach Halan 4; von hier nach dem Dorfe Herare 5; von hier nach Gurgan 5 Parasangen; von hier nach Naubendschan 6; von hier nach Churwan 4 Parasangen; von Churwan nach Derdschend 4 Parasangen; von Derdschend nach Chan Hamad 4; von hier nach dem Dorfe

Bendel 8; von hier nach dem Dorfe Akareb oder Hin 4; von hier nach Rasin 4; von hier nach Ardschan 7; von Ardschan nach Suk Sunbeil 6. Von Schiraf nach Ardschan sind also 60 Parasangen.

Entfernungen der grossen Städte in Fars. Von Fasa nach Karfin 18 Parasangen; von hier nach Dscheherm 10 Parasangen; nach Karfin 8; von Schiraf nach Isztachr 12 Parasangen; von Schiraf nach Kuar 10 Parasangen; von Schiraf nach Dschur 20 Parasangen; von Schiraf nach Fasa 27 Parasangen; von Schiraf nach Baidha 8 Parasangen; von Schiraf nach Darabdscherd 50 Parasangen; von Schiraf nach Siraf 60 Parasangen; von Schiraf nach Naubendschan 25 Parasangen; von Schiraf nach Jefd 74 Parasangen; von Schiraf nach Tudsch 32; von Schiraf nach Dschannabe 54; von Schiraf nach Dscheherm 30; von Schiraf nach Ardschan 60; von Schiraf nach Sabur 25; von Schiraf nach Hauma 14; von Dschur nach Karfin 26; von Schiraf nach Nedschirem 12; von Mehruban nach Hiszn ben Hamare am Meere, welches die weiteste Entfernung in Fars ist, ungefähr 160 Parasangen. Von dem bewohnten Theile der Gränze von Kirman nach der Gränze von Iszfahan. Von Rudan nach Anar 18 Parasangen; von Anar nach Fehridsch 25 Parasangen; von Febridsch nach Ketha 5 Parasangen; von Ketha nach Maibod 10; von Maibod nach Okda 10; von Okda nach Babin 15; von Babin nach Iszfahan 25; von Rudan nach Babin 83 Parasangen.

Entfernungen der Gränze von Kirman bis zu den Ortschaften von Seif. Von Hiszn ben Ammare bis nach Barom, dann bei Rudan vorbei bis zur Wüste von Chorasan ist eben so weit, wie von dem Meere über Schiraf nach der Wüste von Chorasan, nämlich 120 Parasangen. Von der Gränze von Chufistan, von Mehruban über Ardschan, Sabur und Serdan nach der Gränze von Iszfahan sind ungefähr 60 Parasangen.

Kirman.

Kirman gränzt im Osten an Mekran und die Wüste zwischen Mekran und dem Meere, jenseits der Balusz; im Westen an Fars; im Norden an die Wüste von Chorasan und Sedschestan, und im Süden an das persische Meer. Ein Theil von Kirman bei Sirdschan reicht in Fars hinein, wie ein Aermel; die Meeresküste ist wie ein Bogen gekrümmt.

Kirman hat einen kalten und einen heissen Erdstrich; ersterer ist aber nicht so kalt, als der kalte Erdstrich von Fars; in dem heissen Erdstrich ist kein Theil, der zum kalten gehört, wohl aber gehört mancher Theil des kalten Erdstriches zum heissen. Zu den bekannten Städten in Kirman gehören Sirdschan, Dschiroft, Bamm, Hormuf; letztere liegt zwischen Fars und Dschiroft, und einige glauben, dass es nicht zu

Kirman gehöre; ferner die Städte Kisian, Dschirukan, Meferkan, Alurkan, Walaschgerd, Mogun; dann Nahib auf dem Wege von Sirdschan nach Dschiroft. Zwischen Sirdschan und Bamm und zwischen Dschiroft und Bamm ist die Stadt Harir genannt Kirie el Dschuf (Wallnuss-Dorf); zwischen Sirdschan und Fars sind Babin, Gurgan und Baimend; zwischen Sirdschan und Fars bis zur Gränze von Darabdscherd sind Hasanabad und Kahun; von Sirdschan bis zur Wüste in der Nähe von Bamm liegen Bermaschir, Nehridsch und Satih; Satih aber liegt mitten in der Wüste und von Kirman abgesondert, doch wird es dazu gerechnet; ich habe es in die Wüste von Fars und Chorasan gesetzt. Chowas, wiewohl von einigen zu Sedschestan gerechnet, habe ich an die äusserste. Gränze von Kirman gesetzt. In der Nähe des Berges Rihan ist Behanber und Hauma Kuhistan Ebu Ganem; in der Nähe von Hormuf und Dschiroft liegen Kumin, Nahr Ragan und Minudschan. In Seherwa ist kein Minbar, so viel ich weiss. Zu den bekannten hohen Bergen gehört das Gebirge Kofsz, das Gebirge Barfen und der Silberminenberg. In Kirman ist kein grosser Fluss und kein Meer, ausser dem persischen Meer; es ist aber ein Kanal von dem persischen Meer nach Hormuf gegraben, welcher el Heir heisst; derselbe wird von Seeschiffen befahren, und hat salziges Wasser.

Zu dem Gebiet der Städte von Kirman gehören viele Wüsten, und die Wohnungen sind hier nicht so nahe bei einander, wie in Fars.

Das Gebirge Kofsz gränzt im Süden an das Meer und im Norden an Dschiroft, Rudbar und Kuhistan Ebu Ganem, im Osten an el Ahwaf und die Wüste zwischen dem Kofsz und Mekran; im Westen an das Gebiet der Balusz, das Gebiet von Minudschan und die Umgegend von Hormuf. Es soll aus sieben Bergen bestehen, und ist reich an Palmen, Saatfeldern und Kräutern. Die Berge sind unzugänglich, und jeder Berg hat einen Häuptling; diese Häuptlinge beziehen vom Sultan einen festen Sold, womit sie sich begnügen sollen; allein nichts desto weniger machen sie die Landstrassen in Kirman, nach der Wüste von Sedschestan, und nach der Gränze von Fars unsicher; sie sind zu Fusse, und haben keine Lastthiere; sie sind meistens mager und braun, von grossem Wuchs; man glaubt, dass sie von den Arabern abstammen [143]); von ihrem Lande wird berichtet, dass dort unbeschreibliche Reichthümer und Schätze aufgehäuft sind. Die Balusz wohnen auf dem Plateau des Gebirges Kofsz, und ausser den Balusz dringt niemand in dieses Gebirge ein. Sie besitzen Vieh und Zelte, gleich den Beduinen; sie machen die Wege nicht unsicher, und niemand geht mit ihnen um.

Das Gebirge **Karen** (oder nach einer andern Handschrift, das Gebirge **Barfen**) ist fruchtbar, und es wachsen auf demselben die Bäume des kalten Erdstriches, auch fällt dort Schnee. Die Berge sind unzugänglich, und die Bewohner verkehren mit niemanden. Während der Herrschaft der Ommiaden blieben sie beständig Magier, sie konnten nicht unterjocht werden, und waren schlimmer, als die Bewohner des Kofsz-Gebirges. Als aber die Abbasiden an die Regierung kamen, traten sie zum Islam über. Diese Magier waren ungemein tapfer; Jakub und Amru die Söhne des Leith, begannen hier ihre Herrschaft und Macht, und zogen von diesem Gebirge ihre Anhänger. Es ist fruchtbarer, als das Gebirge Kofsz, und es sind daselbst Eisenminen.

In den Minenbergen (Dschebal el Maaden) findet sich Silber; von Dschiroft über das Thal Derjai bis zu den Silberbergen sind zwei Stationen. — Das Thal **Derjai** ist fruchtbar, und hat sehr angenehme Gärten und Dörfer.

Der heisse Erdstrich von Kirman ist grösser, als der kalte Erdstrich; letzterer begreift ungefähr den vierten Theil von Kirman, und erstreckt sich von Sirdschan und der Umgegend längs Fars und der Wüste nach Bamm. Der heisse Erdstrich erstreckt sich von Hormuf bis zur Gränze von Mekran, Fars und Sirdschan. Innerhalb desselben liegen Hormuf, Mogan, Dschiroft, das Gebirge Kofsz, Dest Berun und Bost, nebst den dazu gehörigen Städten und Distrikten, wie Bamm; ferner alles bis zur Gränze der Wüste, und bis zur Gränze von Kirman und Hinisz.

Die meisten Einwohner von Kirman sind mager und braun wegen der starken Hitze. Ostwärts von Dschiroft und Bamm gehört nichts zum kalten Erdstrich; im Westen von Dschiroft ist der kalte Erdstrich, und es fällt dort Schnee vom Silbergebirge nach Derjai und Dschiroft; eben so ist auf der Seite des Gebirges Karen in der Nähe von Dschiroft ein Ort, Namens Medschar, von welchem Früchte und Schnee nach Dschiroft gebracht werden.

Von Derjai und Dschiroft kommt ein Fluss, Namens Divrud (Teufelsfluss), welcher mit tosendem Geräusche fliesst[144]); durch die Felsen in demselben wird sein Strom so reissend, dass niemand in demselben stehen kann, und dass er 20 Mühlen treibt.

Hormuf ist der Sammelplatz der Kaufleute von Kirman und ein Seehafen; es hat Märkte, eine Hauptmoschee und Festungswerke; sie enthält nicht viele Einwohner, denn diejenigen, welche Kaufleute sind, wohnen in der Umgegend zerstreut in Dörfern. Das Land hat viele Dattelpalmen, und die Saatfelder tragen meistens Durra[145]).

Dschiroft ist ungefähr zwei Miglien lang, und dient als Emporium für Chorasan und Sedschestan; Schnee, frische Datteln, Wallnüsse und Orangen werden hierher aus dem kalten und heissen Erdstriche gebracht; Die Einwohner haben ihr Wasser aus dem Divrud; die Umgegend ist fruchtbar und ihre Saatfelder sind gut bewässert.

Bamm enthält Dattelpalmen; es sind hier viele Dörfer, und das Klima ist gesünder, als das von Dschiroft; es hat ein berühmtes, befestigtes Schloss, welches in der Stadt liegt. Die Stadt Bamm hat drei Hauptmoscheen; die eine liegt in der Citadelle; die zweite in der Stadt; die dritte ist für die Charedschiten (Sektirer), welche in derselben ihre öffentliche Kasse für Almosen haben. Ihre Anzahl ist nur klein, aber sie sind wohlhabend.

Fehridsch ist eine kleine Stadt, wo besonders Narcissen und Lilien wachsen; die Einwohner brennen nur Myrtenholz.

Die Einwohner von Sirdschan haben ihr Wasser aus einer Wasserleitung in der Stadt, in der Umgegend aber aus Brunnen; es ist die grösste Stadt in Kirman; die Gebäude sind wegen Mangel an Bauholz länglich gewölbt; die Einwohner sind meistens Anhänger der Tradition (Sunniten); die von Dschiroft sind meistens Rajiten, und die von Rudbar, d. h. Kuhistan Ebu Ganem, und die Balusz und Molubchan (?) Schiiten.

Von Maun bis Hormuf wird Indigo und Kümmel gesäet und nach andern Ländern ausgeführt; auch wächst dort Tragakanth (?) und Zuckerrohr; die Einwohner leben hauptsächlich von Durra; es wachsen hier so viele Dattelpalmen, dass hier und in den übrigen Gegenden des heissen Erdstriches, wie in Dschiroft 100 Mann [146]) oft nur einen Dirhem kosten.

Es herrscht hier die schöne Sitte, dass die vom Winde abgewehten Datteln nicht aufgesammelt werden, sondern denen überlassen bleiben, welche keine Datteln haben, welche auf diese Weise oft mehr sammeln, als die Besitzer. Sie bezahlen dem Sultan keine andere Abgabe, als den Zehnten, gleich den Bewohnern von Baszra.

Nabie Ruist ist ein offner Ort, dessen Einwohner meistens Räuber sind.

Saherwa ist ein von Fischern bewohntes Dorf am Meere, und dient denen, welche von Fars nach Hormuf reisen wollen, als Station; es ist hier kein Minbar.

Die Einwohner von Kirman reden Persisch; doch reden die vom Gebirge Kofsz ausser dem Persischen noch eine andere Sprache [147]).

Um Bamm wächst Baumwolle, welche in andere Länder ausgeführt wird. In Serend werden die bekannten Unterkleider verfertigt, welche

nach Fars und Irak ausgeführt werden. Um Howas ist der Boden
hart, wie in der Wüste; die Bewohner sind Beduinen, und haben
Kamele und Weiden und wohnen in Rohrhütten; sie besitzen viele
Palmen, und die hier wachsenden Früchte werden nach Sedschestan
ausgeführt. Ihre Münzen sind meistens Dirheme, und sie gebrauchen
keine Folus; auch Dinare sind bei ihnen selten [148]).

Entfernungen in Kirman.

Von Sirdschan nach Rostak el Rostak im Gebiet von Fars.
Von Sirdschan nach Kahun 2 Stationen; von Kahun nach Hasanabad
ungefähr 2 Parasangen; von Hasanabad nach Rostak el Rostak ungefähr
eine Station. Von Sirdschan nach Rudan im Gebiet von Fars; nach
Memend vier Parasangen; von Memend nach Kerdekan 2 Parasangen;
von Kerdekan nach Ajabin (?) eine grosse Station; von Ajabin nach
Rudan im Gebiet von Fars eine kleine Station. Von Sirdschan
nach Rabat Sartekan eine Station. Von Sirdschan nach Bamm ist die
erste Station Samat (auch Kuhistan genannt); von Samat nach Behaf eine
kleine Station; von Behaf nach Hahab eine Station; von Habab nach Ahira
eine kleine Station; von Ahira nach Kergun eine Parasange; von Gerkun
nach Ranin eine Station; von Dar Has nach Bamm eine Station [149]).
Von Sirdschan nach Dschiroft reist man zuerst auf dem Wege nach
Bamm bis Serustan; dann weicht man ab und geht nach dem Dorfe
Dschur, eine Station; von da nach Dschiroft eine Station. Von Dschiroft
nach dem Silberberge eine Station. Von Sirdschan nach Hinisz; nach
Fardin zwei Stationen; von Fardin nach Mahan eine Station; von dort
nach Hinisz...... Von Sirdschan nach Serend; nach Berdaschir zwei
Stationen; von Berdaschir nach Dschirud eine grosse Station; von Serend nach der Gränze der Wuste eine Station. Von Bamm nach der
Wuste; nach Bermaschir eine Station; von Bermaschir nach Kerdsch
auf dem Wege nach der Wüste eine Station. — Von Bamm nach Dschiroft eine Station. Von Dschiroft nach Fars; nach Maun 2 Stationen;
von Maun nach Valaschkerd eine Station; von Valaschkerd nach Surikan
eine Station; von Surikan nach Meferkan eine Station; von Meferkan
nach Dschirukan eine Parasange; von Dschirukan nach Kesnian eine
Station; von Kesnian nach Derin eine kleine Station; von Derin nach
Tarom eine kleine Station. Von Dschiroft nach Hormuf geht man anfangs nach Valaschkerd; von hier geht man nach Keris, eine grosse Station; von Keris nach Nahr Rikan eine Station; von Nahr Rikan nach
Minudschan eine Station; von Minudschan nach Hormuf 2 Stationen;

Der Weg von Hormuf nach Saherwa geht längs der Küste des Meeres eine Station; von Seherwa nach Serist 3 Stationen; von Serist nach Tarom 3 Stationen. Das sind alle Entfernungen in Kirman.

Karte von Kirman.

1. Karte von Kirman. 2. West. 3. Süd. 4. Abbildung des persischen Meeres. 5. Gebirge Kofsz. 6. Balusz. 7. Hormuf. 8. Minodschan. 9. Nahr Ragan. 10. Kumin. 11. Saherwa. 12. Nahie Ruist. 13. Rumin (oder Dumin). 14. Kesian. 15. Dschirukan. 16. Murkan 17. Surkan. 18. Valaschkerd. 19. Maun. 20. Dschiroft. 21. Sandschar (Als Variante ist beigefügt Bihar). 22. Gebirge von Dschiroft. 23. Derjai 24. Tarom. 25. Fars. 26. Hasanabad. 27. Kahun. 28. Fars. 29. Nadscheb. 30. Hir. 31. Silbergebirge. 32. Gebirge Karan. 33. Harir, Dorf der Dschuf. 34. Wüste zwischen Mekran und Kirman. 35. Gränze von Mekran. 36. Kafir. 37. Rikan. 38. Howas. 39. Ost. 40. Maudsch, (als Variante zu 41). 41. Fehridsch. 42. Termaschir. 43. Bamm. 44. Ranin. 45. Dar Cheir. 46. Serustan. 47. Kergun. 48. Ahira. 49. Chabab. 50. Behar. 51. Samat. 52. Sirdschan. 53. Ferdin. 54. Mahan. 55. Hinisz. 56. Senich. 57. Wüste von Chorasan und Sedschestan. 58. Serend. 59. Dschenrud. 60. Berdaschir. 61. Memend. 62. Kerdekan. 63. Ajas. 64. Fars. 65. Nord.

[150]). Ostwärts gränzt es überall an das persische Meer; westwärts an Kirman, an die Wüste von Sedschestan und an Sedschestan; im Norden an Indien, und im Süden an die Wüste, welche Mekran vom Gebirge Kofsz trennt, und jenseits derselben an das persische Meer, denn das persische Meer umfliesst dieses Land im Osten und im Süden jenseits dieser Wüste, indem es sich von Szaimur im Osten bis Tif Mekran erstreckt. Hierauf wendet es sich bei dieser Wüste, und fliesst um Kirman und Fars.

Sind.

Sind und was dazu gehört, haben wir auf einer Karte dargestellt, nämlich die Länder Sind, einen Theil von Indien, Mekran, Turan [151]) und Bedaba.

Städte von Sind: Manszura, Daibol, Birur, Kalleri, Enneri, Belui, Mesuahi, Nehridsch, Banie, Mihaneri, Sedusan, Rud. Städte von Hind: Amhol, Kambaja, Subare, Sindan, Szaimur, Multan, Dschendrud, Basmid. Von Kambaja bis Szaimur herrschen in dem Lande Belbora indische Könige, und es ist ein Land der Ungläubigen, doch wohnen in diesen Städten Moslemen, und vor Belbora findet man nur moslimische

Städte mit Hauptmoscheen. Die Stadt Belbora, welche dort liegt, ist eine der grössten, und es gehört dazu ein weites Reich.

Manszura hält ungefähr eine Miglie in der Länge und Breite, und ist von einem Kanale aus dem Flusse Mihran umflossen; die Einwohner sind Mohammedaner, und man findet dort Dattelpalmen und Zuckerrohr. In der Umgegend findet man Früchte von der Grösse eines Apfels, welche Limonen heissen und sehr sauer sind; auch findet man hier eine den Pfirsichen ähnliche Frucht, welche el Enbedsch heisst (Mangifera indica L.?)

Das Haar der Bewohner ist sehr weiss; ihre Kleidung gleicht der von Irak, die Könige aber bekleiden sich wie die indischen Könige in Betreff des Kopfputzes und Obergewandes.

Multan ist ungefähr halb so gross, wie Manszura; es befindet sich dort ein Götzenbild, welches die Indier sehr hoch verehren, und zu welchem sie Wallfahrten von den entferntesten Orten Indiens anstellen; sie bringen dem Götzenbilde jährlich grosse Reichthümer, die sie dem Götzentempel und den beständigen Bewohnern desselben widmen. Der Tempel dieses Götzen ist ein Schloss, welches in dem bevölkertsten Theile auf dem Markte von Multan, zwischen dem Elfenbeinarbeiter-Markte und der Kupferschmiede-Strasse liegt; in der Mitte dieses Schlosses ist eine Kuppel, in welcher sich das Götzenbild befindet; um die Kuppel sind Häuser für die Diener des Gotzen und für die beständigen Bewohner des Tempels. In Sind und Hind sind keine Anbeter dieses Götzen, mit Ausnahme derjenigen, welche in der Nähe desselben wohnen. Der Götze ist in Menschengestalt, auf einem Sitz aus Ziegelsteinen und Kalk, und mit einem Felle, das rothem Saffian gleicht, bekleidet, so dass von seinem ganzen Körper nur die Augen sichtbar sind. Einige glauben, dieser Körper sei aus Holz, andere glauben, er sei aus einer andern Materie, man lässt jedoch diesen Körper niemanden sehen. Seine Augen sind zwei Edelsteine; auf dem Kopfe trägt er eine goldene Krone; er sitzt auf diesem Throne so, dass er die Arme auf den Knien hat; die Finger an jeder Hand sind so gebogen, als wenn man vier zählt [152]. Wenn Indier in feindseliger Absicht kommen, um das Götzenbild zu rauben, so nehmen die Einwohner es heraus, und thun, als ob sie es zerbrechen und verbrennen wollten, worauf jene zurückkehren. Ohne diese Vorsicht wäre Multan schon zerstört. Die Umgegend ist nicht so fruchtbar, als von Manszura. Eine halbe Parasange von Multan ist ein grosses Gebäude, wo der Emir und sein Heer wohnen; derselbe kommt nur Freitags auf einem Elephanten nach Multan zum

Freitagsgebet. Der Emir ist ein Koraischite, und gehorcht nicht dem Fürsten von Manszura, sondern lässt für den Chalifen beten.

Semend ist eine kleine Stadt; sie liegt, gleich Multan, ostwärts vom Flusse Mihran, von welchem jede dieser beiden Städte zwei Parasangen entfernt ist; sie haben ihr Wasser aus Brunnen.

Die Stadt Rud kommt Multan an Grösse gleich, und hat zwei Ringmauern; sie liegt am Flusse Mihran, und gehört zum Gebiete von Manszura.

Die Stadt Birur (?) liegt auf dem halben Wege zwischen Daibol und Manszura.

Von Szaimur bis Famihol in Hind, und von Famihol bis Mekran und Bedaha, und jenseits bis zur Gränze von Multan gehört alles zu Sind, und Bedaba ist gleichsam eine Wüste.

Die Einwohner von Multan bekleiden sich mit einem Gürtel und sprechen persisch und sindisch, gleich wie die von Manszura.

Mekran ist ein grosses Gebiet, meist Wüste und unfruchtbares Land. Die grösste Stadt in Mekran ist Firiun.

Kandabil ist eine grosse Stadt, wo keine Palmen wachsen; sie liegt in der Wüste und gehört zu Bedaba, ihre Saatfelder werden grösstentheils durch Kunst bewässert; die Einwohner haben Weinstöcke und Zugvieh, die Umgegend ist fruchtbar. Ajel (der Name eines Mannes) eroberte diesen Distrikt, der nach ihm benannt wurde.

Entfernungen.

Von Tif nach Tir ungefähr 5 Stationen; von Kif nach Firiun 2 Stationen; von Firiun nach Tif in Mekran reist man über Kif. Von Firinn nach Derek 3 Stationen; von dort nach Rasek 3 Stationen; von Rasek nach Faha Mahuie 3 Stationen; von dort nach Aszgafa 2 Stationen; von dort nach Bend 1 Station; von Bend nach Bah (Nah) 1 Station; von dort nach dem Schlosse Kunduf 1 Station; von Kif nach Armatil 6 Stationen; von Armatil nach Kabili 2 Stationen; von dort nach Daibol 4, und von Manszura nach Daibol 6 Stationen. Von Manszura nach Multan 12, und von Manszura nach Turan 15 Stationen; von Manszura nach der Gränze von Bedaha 5 Stationen; von Bedaha nach Tif ungefähr 12 Stationen. Die Länge Mekran's von Tir nach Kaszdan ist ungefähr 15 Stationen; von Manszura nach der Landzunge, welche Balis heisst, ungefähr 10 Stationen, wobei man über den Mihran setzen muss, wenn man nach Bedaba reisen will. Von Kandabil nach Manszura 8 Stationen; von Kandabil nach Multan ist eine Wüste von ungefähr

10 Stationen. Von Manszura nach Kabel 8 Stationen; von Famihol
nach Kambaja 4 Stationen; von Kambaja nach dem Meere ungefähr
2 Parasangen; von Kambaja nach Suriana ungefähr 4 Stationen; Suriana
liegt ungefähr $\frac{1}{2}$ Parasange vom Meere. Von Suriana nach Sindan ungefähr 5 Stationen; von Sindan nach Szaimur 5 Stationen; von Szaimur
nach Serendib 15 Stationen. Von Multan nach Basmend ungefähr
2 Stationen; von Basmend nach Rud 3 Stationen; von Rud nach Enneri
4 Stationen; von Enneri nach Kalleri 2 Stationen; von dort nach Manszura 1 Station. Von Daibol nach Tif 4 Stationen; von dort nach
Mandschaberi 2 Stationen; von Kalleri nach Meldan ungefähr 4; Babend
liegt zwischen Manszura und Famihol, 1 Station von Manszura.

In Sind ist ein Fluss, Namens Mihran; ich habe gehört, dass er
auf einem Berge entspringt, wo auch einige Zuflüsse des Dschihun entspringen, und bei Basmend el Rud im Gebiete von Multan fliesst; hierauf
fliesst er bei Multan vorbei, und ergiesst sich ostwärts von Daibol in's
Meer; sein Wasser ist sehr süss; man sagt, dass in demselben so grosse
Krokodille sind, wie in dem Nil; auch wächst er, wie der Nil, und
überschwemmt das Land, worauf er wieder zurücktritt, und das Land
wird auf dieselbe Weise besäet, wie wir solches in Aegypten erwähnt
haben. Der Sind-Rud (Fluss Sind) ist ungefähr 3 Stationen von Multan,
und ist ein grosser Süsswasser-Fluss; er soll sich in den Mihran ergiessen. Mekran ist meistens Wüste, und hat nur sehr wenig
Flüsse.

Karte von Sind.

1. Karte von Sind. 2. West. 3. Süd (als Variante). 4. Persisches
Meer. 5. Süd. 6. Ost (als Var.). 7. Szaimur. 8. Sindan. 9. Suriare
(Suriane, al Var.). 10. Kaimane. 11. Famihol. 12. Kamie. 13. Manszura. 14. Indien. 15. Belui. 16. Kalleri. 17. Enneri. 18. Rusmend
(Semend, als Var.). 19. Multan. 20. Nord (als Var.). 21. Heideravad.
22. Ruf. 23. Ost. 24. Sind-Rud. 25. Fluss Mihran. 26. Gränze der
Wüste von Fars, Kirman und Sedschestan. 27. Bedaba. 28. Bedaba.
29. Sura. 30. Kandabil. 31. Rusabil. 32. Mahali (Mahial, als Var.).
33. Kaszran (Kaszdan, als Var.). 34. Sedusan. 34. a. Faha Mahuie.
35. Mekran. 36. Aszgafa (Kalevi, als Var.). 37. Stadt Dscheru Rasck.
38. Birur. 39. Motuahi. 40. Neberi. 41. Mesih. 42. Derek. 43. Bid.
44. Nah. 45. Schloss Fid. 46. Tif. 47. Kif. 48. Kabile (Kilamid, als
Var.). 49. Armatil. 50. Bihariri. 51. Serur. 52. Daibol. 53. Gränze
von Kirman und Fars. 54. West (als Var.). 55. Nord.

Städte von Armenien, el Ran [153] und Adherbaidschan.

Wir haben diese Länder auf einer Karte vereinigt und als eine Gegend dargestellt, welche im Osten von Dschebal, Dilem, der Wüste und der Ostseite des kaspischen Meeres begränzt wird; im Westen von Armenien, el Ran, und einem Theile des Chafarenlandes; im Norden von den Alanen und dem Gebirge Kabak [154]), und im Süden von Irak und einem Theile von Dschefira.

Die grösste Stadt in Adherbaidschan ist Erdebil, welche ⅔ Parasangen in der Länge und in der Breite hält; sie hat eine Mauer und vier Thore; ihre Gebäude sind grösstentheils aus Lehm; die Lebensmittel sind hier wohlfeil, und es gehören zu der Stadt viele Distrikte. Zwei Parasangen von der Stadt ist ein sehr hoher Berg, welcher Seilan [155]) heisst, und im Sommer und Winter mit Schnee bedeckt ist; in diesem Schnee sind keine Wohnungen.

Meraga kommt der Stadt Erdebil an Grösse gleich, und war in früheren Zeiten eine Garnisonstadt und der Regierungssitz; sie liegt sehr angenehm, in einer fruchtbaren Gegend mit vielen Gärten [156]).

Urmia kommt Meraga an Grösse gleich, in einer sehr fruchtbaren Gegend, an der Quelle el Sera.

Berdaa ist eine sehr grosse Stadt, und hält mehr als eine Parasange in der Länge und Breite; sie liegt in einer angenehmen und fruchtbaren Gegend. Es wächst hier eine Fracht, Namens Aluf, von der Grösse einer Vogelbeere, welche, wenn sie zur Reife gelangt ist, süss schmeckt; vorher ist sie bitter. Zu den Merkwürdigkeiten von Berdaa gehört auch die Seide, welche hier häufig erzeugt wird. ¼ Parasange von Berdaa fliesst der Kur, in welchem Fische gefangen werden, welche Dorakin und Asab heissen, welche alle andern Fischarten dieser Gegend übertreffen. An dem Thore von Berdaa wird Sonntags ein grosser Markt gehalten.

Bab el Abwab (das Thor der Thore, Derbend) ist eine Stadt am Meere, in deren Mitte ein Seehafen ist. Zu beiden Seiten des Meeres hat man Dämme erbaut, wodurch der Eingang für die Schiffe verengert und gekrümmt wird. An diesem Eingange ist eine Kette ausgespannt, so dass ohne Erlaubniss kein Schiff ein- und auslaufen kann. Die beiden Dämme sind aus Steinen und Blei gebaut. Die Stadt Bab el Abwab am Meere von Tabaristan ist grösser als Erdebil, und besitzt viele Saatfelder, aber nur wenig Datteln, ausser denen, welche dahin gebracht werden. Die Stadt hat eine steinerne Mauer, welche sich der Länge nach bis in's Gebirge erstreckt. Dies ist der einzige **Weg** über das Gebirge in die moslimischen Länder wegen der Schwierigkeit und Unzugänglichkeit der **Wege** und Strassen von den Ländern der Ungläubigen nach den Ländern der Muselmänner. Ein Theil dieser Mauer erstreckt sich noch in's Meer hinein, wie eine Nase, damit sich die Schiffe diesen Mauern nicht zu sehr nähern. Der Grund żu diesem Bau wurde von Anuschirwan gelegt. Die Stadt ist eine der wichtigsten Gränzfestungen, wegen der grossen Anzahl Feinde, aus Völkern verschiedener Sprachen, welche sie umringen. An der Seite der Stadt ist ein grosser Berg, worauf man jedes Jahr eine grosse Menge Holz sammelt, um daselbst Feuer anzuzünden, deren man bedarf, um die Bewohner von Adherbaidschan, Armenien und Arran von der Ankunft der Feinde zu unterrichten. Das Meerwasser reicht oft bis an die Stadt hinan. Auf dem Gebirge, an dessen Fusse Bab el Abwab liegt, sollen über 70 Sprachen geredet werden, so dass kein Stamm den andern versteht, wegen der Verschiedenheit der Sprachen. Die Chosroen legten einen grossen Werth auf den Besitz dieser Gränzfestung, wegen der Wichtigkeit ihrer Stärke und ihrer Werke und wegen der Lage, die sie zur Bewachung ihrer Länder geeignet machte. Sie haben auf den Anbau dieser Stadt sehr viel verwendet, um sie vor den Ungläubigen und Feinden zu schützen. Unter den Völkern, welche man dort findet, sind die Tirseran, und neben ihnen die Filan (Kilan); die Lekfier, welche sehr zahlreich sind, die Liran, Schirwan u. s. w. Der Häuptling eines jeden der dortigen Stämme bewacht ein Kastell. Diese Stadt (Bab el Abwab), so wie **Derbikran** und **Atik** sind Häfen für Dschordschan, Tabaristan, Dilem, Gilan und Mokan. Man findet daselbst Safran; auch werden von hier Sklaven von verschiedener Art ausgeführt.

An der Küste des Meeres ist eine Gegend, Namens **Maskat**, in der Nähe der Lekfier. Diese sind ein grosses Volk, und besitzen bewohnte Distrikte und volkreiche Landschaften mit freien Menschen; sie heissen auch **Chamaschera**. Oberhalb derselben wohnen die **Moluk**, dann unterhalb derselben die **Maschak**, die **Akra**, die **Mahan**; zwischen ihnen und Bab el Abwab ist das Land der **Tirseran**; diese sind die tapfersten unter den dortigen Bewohnern. Die Lekfier aber sind zahlreicher, und ihr Land ist ausgedehnter. Oberhalb derselben wohnen die Filan (oder Kilan), deren Distrikt nicht gross ist.

Unterhalb Maskat an der Küste des Meeres ist die kleine Stadt **Schabrau** mit vielen Distrikten; oberhalb derselben der Distrikt **Hamischdan**; und jenseits desselben die Felder von Gilan und Schirwan bis zur Gränze von Baka, Dertenk, der Lekfier und der Vereinigung der beiden Flüsse. — Hierauf folgen die Liran, welche ein sehr stark befestigtes Schloss haben; man sagt, dass in diesem Schlosse heisse Quellen sind.

Die Stadt Tiflis [157]) ist kleiner als Bab el Abwab; sie hat Mauern aus Lehm und drei Thore; die Gegend ist sehr fruchtbar; es sind hier heisse Bäder, wie bei Tabaria, das Wasser derselben ist ohne Feuer heiss.

In Arran sind die grössten Städte Berdaa, Bab (el Abwab) und Tiflis.

In Debil, einer grossen Stadt in einer fruchtbaren Gegend, ist der Sitz der Regierung von Armenien, wie in Berdaa der Regierungssitz von Arran. Man verfertigt dort Kermes, eine rothe Farbe, womit man Wolle färbt. Ich habe gehört, dass es ein Wurm ist, der sich einspinnt wie der Seidenwurm.

Armenien ist das Land der Armenier und Christen, und gränzt an Kleinasien, Berdaa, die Chafaren und an Adherbaidschan.

Das Gebirge von Adherbaidschan erstreckt sich bis in die Nähe von Raj und darüber hinaus.

Die Gränzfestung von Armenien gegen Kleinasien ist Kalikala, auch Erfen el Rum genannt, wo Soldaten aus Adherbaidschan in Besatzung liegen.

Der Eingang in Kleinasien ist bei Trabefonde, wo sich die Kaufleute versammeln, und nach Kleinasien reisen, um Handel zu treiben; so wie auch die römischen Goldstoffe und Zeuge von Trabefonde nach diesen Gegenden gebracht werden.

Die schiffbaren Flüsse sind der Kur und der Ras (Aras, Araxes) Der Sefidrud zwischen Erdebil und Sendschau ist zu klein, als dass Schiffe ihn befahren könnten. Der Kur ist ein Süsswasser-Fluss, welcher anfangs ruhig fliessend aus dem Lande der Alanen aus dem Gebirge bei Tiflis kommt; hierauf fliesst er bei dem Schlosse der Chunan, dem Erdschlosse (Kalaa el Torab) vorbei, welches ein grosser Hügel ist, auf welchem das Schloss liegt; dann nach Sebeki; dann in der Nähe von Dschanfe [158]) und Schamkur; hierauf bei dem Thore von Berdaa bis nach Berfendsch.

Bailakan, Vartan, Berfendsch, Schamachie, Schabran, Dschanfe und Schamkur sind kleine Städte, die einander an Grösse gleich kommen; ihre Umgebungen sind sehr fruchtbar.

Nisch'wi, Berkeri, Chalat, Malafkerd, Bedlis, Er'en, Kalikala und Miafarckin sind kleine Städte, die einander an Grosse gleich kommen; sie sind alle fruchtbar, volkreich und bringen mancherlei hervor. Jenseits Miafarckin wohnen Völkerschaften aus Dschefira; da aber diese Stadt unterhalb des Tigris und Euphrat liegt, so haben wir sie zu Armenien gerechnet.

Der Fluss Ras (Aras) ist kleiner, als der Kur; auch ist sein Wasser nicht so süss; er entspringt jenseits Armeniens, und fliesst bei dem Thore von Varthan vorbei, dann bei Mokan, worauf er einen Bezirk von Schirwan, Namens Dertenk erreicht, welches ein üppiges Land ist. Dann vereinigt er sich mit dem Kur, und fliesst in das Meer von Tabaristan.

Der Fluss Samur fliesst in dem Lande der Lekßer, und entspringt in dem Gebirge; er nimmt bald zu, bald ab, und hat viele Kanäle; es giebt keinen Fluss, in welchem sich so viele Unglücksfälle ereignen, als in diesem.

In Adherbaidschan ist der Urmiasee, welcher salziges Wasser hat; es leben in demselben Fische; auch ein grosses Thier, welches Seehund (Kelb el ma) heisst, hält sich darin auf. In der Umgegend sind viele Wohnungen, Dörfer und Distrikte. Der See ist 3 Parasangen von Meraga entfernt, und von Urmia 2 Parasangen. In der Mitte des Sees sind viele Dörfer. Das Kloster Chorkan ist 4 Parasangen von dem See entfernt [159]). Seine Länge ist ungefähr 4 Tagereisen zu Pferde; bei günstigem Winde aber kann man diese Strecke oft in einer Nacht (zu Schiffe) zurücklegen.

In Armenien ist der See Ardschisch; man fängt in demselben Fische, welche man eingesalzen in andere Länder ausführt [160]).

Auch ist hier das Meer von Tabaristan, an welchem Bab el Abwab liegt. Man findet zwischen Baku und der Stadt Mokan Quellen von grüner und weisser Naphtha. Zwischen den beiden Städten ist ein Meerbusen, in welchem man Su Mahi [161]) fängt und nach andern Gegenden ausführt.

Mokan enthält viele Dörfer, die von Magiern bewohnt sind [162]). Neben Mokan ist das Gebirge; dann folgt ein Theil von Dilem, der zu Salus gehört, dann Tabaristan bis Abeskun; hierauf folgt rund um den See eine Wüste bis zu dem schwarzen Berge (Siakuh), von hier kommt man zu dem Lande der Chafaren, und endlich nach Bab el Abwab.

Auch der Tigris fliesst theilweise durch Armenien, wir haben ihn aber auf der Karte von Irak dargestellt.

In der Umgegend von Berdaa fängt man Füchse, welche man weiter ausführt; auch findet man Kermes, mit welchem man Kleider färbt, die man nach Indien und andern Ländern ausführt.

Arran erstreckt sich von Bab el Abwab bis Tiflis und bis zu dem Orte Nachdschivan in der Nähe des Flusses Ras; Adherbaidschan wird von dem Gebirge bis Tharom begränzt, und reicht bis Sendschan und Deinawer; dann zieht sich die Gränze um Schehrfur bis in die Nähe des Tigris, wo sie sich wieder wendet.

Bei Tharom wachsen Oelbäume, Granaten und Feigen; die Stadt liegt angenehm, und in der Nähe sind Minen von Eisen, Vitriol, Gold, Silber, Kupfer u. s. w. Die Stadt hat ein befestigtes Schloss, und der König führt den Titel Salar[163]), und ist von der Dynastie Landscher welche aus Arabien abstammen und sich in der Vorzeit dort niedergelassen haben soll; sie bemächtigten sich des Ortes, und verschwägerten sich mit der königlichen Dynastie von Chunan. Tharom enthält viele volkreiche Ortschaften, durch deren Mitte der Esfidrud fliesst, bis er sich in's Meer ergiesst. Die Lebensmittel sind ausserordentlich wohlfeil; an einigen Orten kostet ein Schaf 2 Dirhem, und ein Mann Honig kostet oft nur einen Dirhem. Die Könige dieser Gegenden kommen den grössten Königreichen gleich; sie haben Schätze und viele Thiere. Zu ihnen gehört der König von Schirwan, welcher Schirwan Schah heisst; der König von Landschan, welcher Landschau Schab heisst; der Beranschah, der Tirseranschah, der Filanschah, der Hendekanschah, der Ahrirawerenschah, welcher letzterer der Herr von Serir ist. Der mächtigste von diesen Königen ist Hasan el Aschra, dessen Volk sich mit den westlichen Völkern vermischt hat.

In Armenien, el Ran, Adherbaidschan und Dschebal herrscht starke Kälte.

Bei Debil ist der Berg Harith, welcher wegen seiner Höhe, wegen der schwierigen Wege und wegen des ewigen Schnees nicht zu ersteigen ist. Unterhalb desselben ist der Hawirith (der kleine Harith); die Einwohner haben ihr Wasser von dem Harith, wo sie auch Holz fällen und Wild fangen. Es soll der höchste Berg im ganzen Lande sein[164]).

Das Mann von Ardebil hält 1040 Drachmen, wie das Mann von Schiraf, welches letztere aber Rotl heisst.

Die Bewohner von Berdaa und Schamkur sind armenischer Herkunft, und heissen Siawerdie, Ahl el Abath (gemischtes Volk), Taugenichtse und Strassenräuber.

Entfernungen.

Von Berdaa nach Erdebil. Von Berdaa nach Tuban 7 Parasangen; von Tuman nach Bailakan 7 Parasangen; von dort nach Varthan 7, von dort nach Tehlab 7, von Tehlab nach Erdebil 15 Parasangen. Von Berdaa nach Bab el Abwab. Von Berdaa nach Berfendsch 18 Parasangen; von hier über den Kur nach Schamachie 14, von Schamachie

nach Schabruan, einem kleinen Orte, wo ein Minbar ist, 3 Tage; von
Schabran nach der Samur-Brücke 12 Parasangen; von der Samur-Brücke
nach Bab weniger als 10 Parasangen. Auf den Gebirgen bei Bab el
Abwab sind Schlösser, welche die Chosroen erbaut haben, und wo Besatzungen sind, um die Wege, auf denen die Chafaren nach den Ländern des Islam ziehen, zu bewachen. Solcher Schlösser sind vierzehn,
welche Besatzungen aus Moszul, Diar Rebia und Syrien haben, und
nach denen sie benannt sind. Die Sprachen, welche man jenseits derselben redet, versteht niemand. Zwischen den Lekfiern und Schirwan
ist eine Gränze; eben so zwischen Schirwan und den Lifan, zwischen
den Lifan und Mokanie. — Das Land der Isie ist ein Distrikt, in welchem nicht viele Dörfer sind; gegen die Gränze der Lekfier am Gebirge
ist ein befestigtes Schloss; die Lekfier wohnen um dieses Schloss, weil
der Fürst von Isie ihnen geneigt ist. Dann kommt man nach der Brücke
Dschaware, nach dem Orte Sebeki, Iberic, Sarie, Tiflis. — Weg von
Berdaa nach Tiflis. Von Berdaa nach Dschanfe 9 Parasangen; von
Dschanfe nach Schamkur 10; von Schamkur nach Chunan 21 Parasangen;
von Chunan nach dem Schlosse Ibn Kilns 10 Parasangen; von dem
Schlosse nach Tiflis 12 Parasangen. — Weg von Berdaa nach Debil.
Von Berdaa nach dem Schlosse Tus 9 Parasangen; von dem Schlosse
Tus nach Miris 13 Parasangen; von Miris nach Dumis 12 Parasangen;
von Dumis (nach) Kailekui 16 Parasangen; von Kailekui nach der Stadt
Sishar 16 Parasangen; von Sishar nach Debil 16 Parasangen. Dies ist
der Weg von Berdaa nach Armenien, und alle diese Dörfer gehören
zum Gebiet des Sanbat Ibn Asut.

Weg von Erdebil nach Sendschau. Von Erdebil nach der Brücke
über den Esbidrud 2 Stationen; von der Brücke nach Chunidsch und
nach Tui 1 Tag; von Tui nach Sendschan 1 Tag. Weg von Erdebil
nach Meraga. Von Erdebil nach Mianedsch 20 Parasangen; von Mianedsch nach Kulisera, einem grossen Bezirk, 10 Parasangen; von Kulisera nach Meraga 10 Parasangen. — Weg von Erdebil nach Amid.
Von Erdebil nach Meraga 40 Parasangen; von dort nach Deir Chorkan
(Kloster Chorkan) 2 Stationen; von dort nach Tebrif 2 Stationen; von
dort nach Merend 2 Stationen; von Merend nach Selmas 1 Station; von
Selmas nach Choi 7 Parasangen; von Choi nach Berkeri 30 Parasangen;
von dort nach Ardschisch 1 Tag; von Ardschisch nach Chalat 3 Tage;
von Chalat nach Bedlis 1 Tag; von Bedlis nach Erfen 2 Tage; von
Erfen nach Miafarekin 1 Tag; von Miafarekin nach Amid 2 Tage.

Weg von Meraga nach Debil. Von Meraga nach Urmia 30 Parasangen; von Urmia nach Selmas 14, von Selmas nach Choi 7 Parasangen,

von dort nach Neschwi 3 Tage; von dort nach Debil 4 Stationen. — Von Meraga nach Deinawer 60 Parasangen, oder nach einer andern Handschrift von Meraga nach Deinawer 30 Parasangen.

Karte von Adherbaidschan, Armenien und Arran.

1 und 2. Gebirge Kahak, Serir u. s. w. 3. Land el Ran (Alan als Variante). 4. Ost. 5. Kaspisches Meer. 6. Bahn. 7. Berfendsch. 8. Schamachie. 9. Hasdan. 10. Schabruan. 11. Tirseran. 12. Filan. 13. Kabale. 14. Filan (Schirwan als Variante). 15. Bab el Abwab. 16. Landschau. 17. Lifan. 18. Mokanie. 19. Kabale (Isie als Variante). 20. Sukur. 21. Fluss Kur. 22. Tiflis. 23. Schloss. 24. Chunan. 25. Schamkur. 26. Dschanfe. 27. Berdaa. 28. Bailakan. 29. Fluss Ras. 30. El Ran. · 31· Karte von Armenien, Arran und Adherbaidschan. West. 32. Kleinasien. 33. Sishan. 34. Debil. 35. Ahira. 36. Berg Sabalan. 37. Vartan. 38. Berfend. 39. Erdebil. 40. Mianedsch. 41. Gebirge von Dilem. 42. Esfidrud. 43. Sendschan. 44. Chunidsch. 45. Mianedsch. 46. Sadschend. 47. Charaa. 48. Urom. 49 — 50. Neschwi. 51. Harith. 52. Hawirith. 53. Kalikala. 54. Malafkerd. 55. Amid. 56. Miafarekin. 57. Mesuhi. 58. Berkeri. 59. Erfen. 60. Bedlis. 61. Chalat. 62. Ardschisch. 63. Choi. 64. Selmas. 64. b. Merend. 65. Tebrif. 66 und 67. Kloster Chorkan. 68. Meraga. 69 — 70. Urmia. 71. Asie. 72. Deinawer. 73. See Ardschisch. 74. Seert. 75. Gränze von Dschefire. 76. Süd. 77. Gegend von Schehrfur.

Dschebal.

Dschebal gränzt im Osten an die Wüste von Chorasan, Fars und Iszfahan und das östliche Chufistan; im Westen an Adherbaidschan; im Norden an Dilem und Kafwin; denn wir haben Raj, Kafwin, Abher und Sendschau von Dschebal abgesondert und zu Dilem gerechnet, weil sie zwischen dem Gebirge liegen; im Süden gränzt Dschebal an Irak und Chufistan. Dschebal enthält manche berühmte Städte; die grössten sind Hamadan, Deinawer, Iszfahan, Kom, Damawend; kleinere Städte sind Kaschan, Erdistan, Keredsch, Lur, Burdsch, Dscherbabkan, und andere. Städte in Dschebal: Hamadan, Rudrawer, Rumol Awer, Ramen, Burudscherd, Karawende, Vararikan, Schaburchast, Laschter, Nehawend, Kaszr el Loszusz (das Räuberschloss), Asadabad, Deinawer, Kermasin, Murdsch, Tarar, Haruma, Seherwerd, Sendschau, Abher, Sawe, Kaschan, Kom, Rudha, Buste, Keredsch, el Burdsch, Serai Merdau, Iszfahan, Jehudie, Chan Lendschan, Bare, eine neu erbaute Stadt, Szaimirra, Sirwan, Dur el Rashi, Talikan, Kaszr el Beradin, Schehrfur.

Beschreibung der Städte. Hamadan ist eine grosse Stadt, welche eine Parasange in der Länge und Breite hält; sie besteht aus der Stadt und den Vorstädten. Die Stadt hat vier eiserne Thore; in der Umgegend findet man Wasser, Gärten und fruchtbare Saatfelder mit Thieren und Früchten; die Lebensmittel sind wohlfeil[165]).

Deinawer ist um ein Drittheil kleiner als Hamadan; in der Umgegend findet man viele Früchte und fruchtbare Saatfelder; die Einwohner sind schöner, als die von Hamadan; die Stadt hat Wasser und angenehme Anhöhen.

Iszfahan besteht aus zwei Städten; die eine heisst Jehudie, die andere ist die eigentliche Stadt; die Entfernung der beiden Städte ist eine Miglie; in jeder derselben ist eine Hauptmoschee. Jehudie ist die grösste Stadt, und für sich allein grösser, als Hamadan; die eigentliche Stadt ist nur halb so gross, als Jehudie; die Kaufleute und Märkte sind in Jehudie. Die Gebäude in beiden Städten sind aus Lehm; die Gegend ist eine der fruchtbarsten in Dschebal, und die Stadt ist sehr weitläufig, volkreich und wohlhabend; sie ist das Emporium für Fars, Chorasan, Dschebal und Chufistan, und in ganz Dschebal sind nicht so viele Lastkamele, als hier. Man verfertigt hier ...., gestickte Kleider, gestreifte und bunte Tücher, und andere seidene und baumwollene Kleider, welche nach Irak, Fars, dem übrigen Dschebal, Chorasan und andern moslimischen Ländern geschickt werden. Um die Stadt wächst Safran und andere Früchte, welche nach Irak und andern Orten ausgeführt werden. Von Irak bis Chorasan findet man keine grössere und reichere Stadt, als Iszfahan, ausgenommen Raj.

Keredsch ist eine Stadt, deren Häuser nicht zusammenhängend gebaut sind; sie führt den Beinamen Keredsch Ebu Delaf, weil derselbe mit seinen Kindern hier wohnte, so lange sie lebten; ihre Häuser waren gleich königlichen Palästen; die Stadt ist sehr weitläufig, mit vielen Saatfeldern und Vieh. Sie erhält ihre Früchte von Burudscherd; ihre Gebäude sind aus Lehm; sie ist ungefähr 1 Parasange lang, und hat zwei Märkte; der eine ist bei dem Moscheenthore, und der andere ist von diesem durch ein grosses Feld getrennt.

Burudscherd eine Stadt in einer sehr fruchtbaren Gegend, deren Früchte nach Keredsch und andern Orten ausgeführt werden; ihre Länge ist grösser, als ihre Breite; es wächst hier viel Safran.

Nehawend liegt an einem Berge; ihre Gebäude sind aus Lehm; sie hat Kanäle, Gärten und viele Früchte, welche nach Irak wegen ihrer Güte und Menge ausgeführt werden. Die Stadt hat zwei Moscheen, eine alte und eine neue. Es wächst hier Safran.

Rudhrawer ist der Name eines Bezirkes, dessen Minbar in Keredsch ist. Es ist eine kleine Stadt, mit Lehmgebäuden, in einer fruchtbaren Gegend. Es wächst bei keiner Stadt in Dschebal so viel Safran als hier. Holwan eine Stadt auf dem Gebirge, welches Irak beherrscht, wesshalb wir sie auf der Karte von Irak dargestellt haben. Ihre Gebäude sind theils aus Steinen, theils aus Lehm; sie ist ungefähr halb so gross wie Deinawer; eine Station von der Stadt entfernt, findet man Schnee; die Stadt aber hat ein warmes Klima, und man findet hier Dattelpalmen, Feigen und Granatäpfel.

Szaimirra und Sirwan sind zwei kleine Städte; ihre meisten Häuser sind aus Kalk und Steinen; man findet dort Datteln, Wallnüsse und andere Früchte, die sonst weder im heissen noch im kalten Erdstrich wachsen; sie haben viel Wasser und Bäume, und sind sehr angenehm, indem das Wasser durch die Häuser und Strassen fliesst.

Schehrfur, eine kleine Stadt, in welcher die Kurden herrschen; sie liegt in der Nähe von Irak, und hat keinen Emir oder Statthalter, da sie in den Händen der Kurden ist, gleich wie Schehrwerd, wo auch Kurden herrschen; letzteres ist eine kleine Stadt. Ein glaubwürdiger Mann hat mir versichert, dass alle Weinstöcke um Schehrfur in einem Jahre Trauben, und im zweiten Jahre . . . . . . tragen [166]).

Kafwin ist eine Stadt mit einem Kastell, innerhalb dessen eine grosse Stadt ist; die Hauptmoschee ist in der innern Stadt. Es ist die Gränzfestung gegen Dilem, von dessen Hauptstadt sie 12 Parasangen entfernt ist; es gehören noch zwei andere kleine Vorstädte zu Kafwin. Zu den Merkwürdigkeiten von Kafwin gehört, dass vier Parasangen von der Stadt zwei Felder sind, welche Rest und Taschfin heissen, welche durch die Landstrasse getrennt sind; in Rest zeichnet (oder stempelt) das Eisen, aber nicht in Taschfin, in Taschfin farbt die Farbe, aber nicht in Rest; wollte man eine dieser Arbeiten in dem andern Orte verrichten, so würde sie nicht zu Stande kommen [167]).

Talikan liegt oberhalb Kafwin, und näher, als dieses, an Dilem, und ist eine kleine Stadt. In Kafwin ist nicht viel mehr Wasser, als man zum Trinken nöthig hat; dieses Wasser fliesst in der Hauptmoschee. Um die Stadt sind Bäume, Weinstöcke und Saatfelder, welche sehr üppig wachsen. Man verfertigt hier Meragische Kleider und Socken, welche, so viel ich weiss, anderswo nicht verfertigt werden.

Kom, eine grosse Stadt ohne Mauern, in einer fruchtbaren Gegend; die Einwohner trinken Brunnenwasser; man sagt, dass das Brunnenwasser salzig sei; sie graben ihre Brunnen sehr weit und viereckig, und legen sie von unten bis oben mit Steinen aus; wenn der Winter und die Regenzeit kommt, fliesst das Wasser aus dem Thale in diese Brunnen, und während dieser ganzen Zeit haben sie süsses Wasser in den Brunnen, und nachher schöpfen sie so lange süsses Wasser aus denselben, bis der gesammelte Vorrath zu Ende geht, worauf sie wieder zu dem Salzwasser zurückkehren. Es wachsen hier Pistazien und Haselnüsse; letztere wachsen in der ganzen Umgegend nicht, ausser hier und bei der Stadt Laschter. Die Einwohner von Kom sind alle Schiiten und meistens Eschaariten [168]).

Kaschan eine Stadt mit Mauern, ihre Häuser sind wie die von Kom, meistens aus Lehm. Bei Kaschan sind grosse, schwarze, tödtliche Skorpionen [169]).

Erdistan eine Stadt mit Mauern; jede Strasse ist gleichsam eine Festung. Man hat hier viele Denkmäler der Magier, z. B. von Anuschirwan, Kesra; auch eine grosse wunderbare Wasserleitung. Die Bewohner sind Sunniten (Anhänger der Tradition) und dabei sehr gebildet und gelehrt.

In ganz Dschebal findet man weder kleine noch grosse Seen, auch keine schiffbare Flüsse; es ist meist von Gebirgen durchzogen, ausser zwischen Hamadan, Raj und Kom, wo nur wenige Berge sind; dagegen ist die ganze Strecke von Schehrfur nach Szaimirra, Sirwan, zu den Luren, nach Iszfahan, längs der Gränze von Fars, dann bis Kaschan, Hamadan, Kafwin, Schehrwerd, längs Adherbaidschan bis nach Schehrfur gebirgig, und man wird dort nicht leicht eine grosse Stelle finden, von welcher man nicht Berge sieht.

Raj haben wir zu Dilem gerechnet, da es eigentlich für sich abgesondert liegt, und mit keinem Orte zusammenhängt, so dass es bald zu Dschebal, bald zur Ebene von Chorasan gerechnet wird. Nächst Bagdad ist Raj die volkreichste Stadt des Orients; obgleich Nischabur grösser ist, so wird es doch von Raj an Zahl der Gebäude, an Reichthum und Fruchtbarkeit übertroffen. Die Länge und Breite der Stadt beträgt $1\frac{1}{2}$ Parasange; ihre meisten Gebäude sind aus Lehm und Holz.

Zu den berühmtesten Bergen dieser Gegend gehört der Berg Denbawend, welcher so hoch ist, dass man ihn auf 75 Parasangen sehen kann; man sagt, dass man ihn von Schiraf aus sehen kann [170]). Ich habe noch nie gehört, dass ihn jemand erstiegen hätte. In den persischen Romanzen wird berichtet, dass Dhohak auf diesem Berge lebe, und dass sich die Zauberer aus allen Gegenden der Erde hier versammelten.

Der Berg Nihsitun [171]) ist so hoch, dass man seinen Gipfel nicht ersteigen kann; die Pilgerstrasse geht unter ihm entlang. Die Fronte dieses Berges ist von oben bis unten so glatt, als wäre sie behauen;

sie ist auf viele Menschenlängen von der Erde an behauen und geglättet. Man glaubt, dass einer der Chosroen um diesen Berg seine Majestät und Grösse zeigen wollte; an der Südseite dieses Berges in der Nähe der Landstrasse ist eine Stelle ähnlich einer Höhle, wo eine Quelle ist; dort ist eine ausserordentlich schöne Abbildung eines Pferdes, welches man für Kesra's Pferd Schebdif hält, auf welchem Kesra und Schirin sitzen [172]). In dieser Gegend ist es der höchste Berg, mit Ausnahme des Berges Sabalan, welcher noch höher ist, und des Berges Denbawend, und des Harith bei Debil, welcher noch höher, als beide ist.

Die Churremischen Berge sind ein unzugängliches Gebirge, auf welchem Churremie liegt. Hier hielt sich Babek auf; in ihren gottesdienstlichen Versammlungen lasen seine Anhänger den Koran, sie nahmen jedoch nicht die Lesart Baten, sondern die Lesart Ababe an [173]).

Das Mann von Hamadan und Mahat hält 400 Drachmen.

In Gilan sind Goldminen.

Bei Schirwan ist ein Lehmberg, von welchem das Wasser den Staub abspült, worauf man dort Gold von der Grösse eines Atoms bis zur Grösse eines Dinars findet.

Eine andere Abschrift lautet:

In Gilan bei Scrawan sind Goldbergwerke. Ebenso findet man Gold in der Nähe von Schehrwerd auf einem Lehmberge, wo das Wasser den Staub abspült; alsdann findet man Gold von der Grösse eines Atoms bis zur Grösse eines Dinars.

In der Nähe von Iszfahan findet man Spiessglas.

Im Berge Denbawend findet man Spiessglas und Vitriol.

In Dschebal sind sehr viele Leute, welche Schafe besitzen, und sich von ihrer Milch nähren, bis sie sie nach andern Gegenden ausführen.

Karte von Dschebal.

1. Süd. 2. Holwan. 3. Ost (als Variante).- 4. Andamisch. 5. Lur. 6. Tare. 7. Nord (als Var.). 8. Chan Lendschan. 9. Barom. 10. Farawend. 11. Rawekan (als Var. zu 10). 12. Schabur Chast. 13. Szaimirra. 14. Sirwan. 15. Merdsch. 16. Karmasin. 17. Kaszr el Loszusz. 18. . . . 19. Asadabad. 20. Laschter. 21. Nehawend. 22. Rudhrawer. 23. Dscherbaban. 24. Kerkeskuh. 25. Hamadan. 26. Iszbahan. 27. Chusdschan. 28. Naubendschan. 29. Burdsch. 30. Keredsch. 31. Burndscherd. 32. Rāmen (Ramin). 33. Erdistan. 34. Kaschan. 35. Kom. 36. Ost. 37. Berg Denbawend. 38. Sumnan. 39. Char. 40. Raj. 41. Sawe. 42. Abah. 43. Mafdekan. 44. Nusie. 45. Rudhe. 46. Schehrfur. 47. Deinawer. 48. Hauma Schehrwerd. 49. Karte von Kuhistan. 49. a. West.

50. Sendschau. 51. Abher. 52. Kafwin. 53. Talikan. 54. Esfidrud.
55. Variante. 56. Kaszr el Ras. 57. . . . . . 58. Talikan (als Var.).
59. Gebirge von Dilem. 60. Kaspisches Meer. 61. Nord. 62. West.

Dilem und Tabaristan.

Dilem gränzt im Süden an Kafwin, Tharom und einen Theil von
Adherbaidschan und Raj; im Norden an das Kaspische Meer; im Westen
an einen Theil von Adherbaidschan und Arran. Wir haben zu Dilem
diejenigen Gebirge gerechnet, welche in der Nähe sind, als das Gebirge
Runih (?), Kadusian, das Gebirge Karen und Dschordschan[174]). Von
dem Kaspischen Meere haben wir jedoch eine besondere Karte angefertigt, wo wir ebenfalls Dilem und die anstossenden Gegenden dargestellt haben.

Dilem ist theils Ebene, theils Gebirgsland; die Ebene heisst Gilan,
und breitet sich längs dem Kaspischen Meere unterhalb des dilemitischen
Gebirges aus; das Gebirgsland oder das eigentliche Dilem ist ein hohes
Gebirge. Die Residenz des Königs heisst Rudhwar; der König ist von
der Dynastie Dschistan[175]), welche über Dilem herrscht.

Das Land hat viele Bäume und Wälder, namentlich Gilan, dem
Meere gegenüber, und Tabaristan. Die Dörfer liegen weit zerstreut
und die Einwohner leben von Reis und Fischen; sie haben nur wenig
Thiere; ihre Sprache ist weder arabisch noch persisch; von Körper-
gestalt sind sie mager und braun, mit wenigen Haaren; dabei sind sie
langsam und fahrlässig; noch heutiges Tages findet man in den Gebirgen
ein ungläubiges Volk, welche Scharf heissen. Urendsch, Kadusian
und Karen sind hohe Berge, wovon jeder einen Häuptling hat; sie sind
voller Baume, Wälder und Wasser, und sehr fruchtbar. In dem Gebirge Karen findet man Dörfer, aber keine Stadt, ausser Schohma und
Farim, eine Station von Sarie; die Residenz der Dynastie Karen[176]) ist
in der Stadt Farim, welches ein befestigter Ort ist, auch haben sie hier
ihre Schätze und den Sitz ihrer Regierung, die sie von den Zeiten der
Chosroen ererbt haben.

Die Kadusischen Berge sind ebenfalls eine unabhängige Herrschaft,
deren Oberhaupt in einem Dorfe Aram (auch Manszura) wohnt; in den
kadusischen Gebirgen ist kein Minbar; sie sind eine Station von Sarie.

Auch die Berge von Derumidsch bildeten eine unabhängige Herrschaft, die aber in unserer Zeit nicht mehr vorhanden ist. Sie liegen
zwischen Raj und Tabaristan. Von Tabaristan nach Dilem kommt man
über Schalus (Salus), welches am Meere liegt; dieser Eingang kann
aber versperrt werden; der Weg von Dilem nach Tabaristan ist sehr

schwierig. Von diesen Gebirgen an der Gränze von Dilem bis nach Asterabad am Meere ist mehr als eine Tagereise; diese Entfernung verringert sich aber, so dass oft das Meer die Gebirge bespült, und wo Dilem über diese Berge hinausreicht, ist die Entfernung vom Meere zwei Tagereisen, welches der Fall auf der Strecke von Raj nach Kafwin, Abher, Sendschau, Talikan und Kaszr Beradin ist. Zu Raj gehört Chowar, Schanie und Wimah; zu Komesch: Semnan, Damagan und Bostam; zu Tabaristan: Amol, Natel, Schalus, Kelaf, Ruban, Mila, Nuhi, Àin el Hom, Mamatir, Sarie, Mihrwan, Lamrasek und Tamis; zum Gebiet von Dschordschan[177]) gehört Dschordschan, Asterabad, Abeskun und Dehistan.

In den Gebirgen Warrendsch, Kadusian und Karen ist, so viel ich weiss, kein Minbar, mit Ausnahme von Semnan in den Karenischen Bergen.

Die grösste von diesen Städten ist Raj. Wenn man Irak bis nach Osten durchreist, findet man keine volkreichere, grössere und wohlhabendere Stadt in allen Ländern des Islam, als Raj, ausser Nisabur, welches ausgedehnter ist. Die Länge und Breite von Raj beträgt ungefähr eine Parasange; ihre Gebäude sind aus Lehm und Holz; doch gebraucht man auch Kalk und Ziegelsteine. Sie hat mehrere Thore, die bekanntesten sind: das Thor Batan, welches nach Dschebal und Irak führt; das Thor Kalisan, welches·nach Kafwin, Dilem und Adherbaidschan führt; das Thor Kubek, welches nach Kom, Iszfahan und Schiraf führt; das Thor Dulab, welches nach Tabaristan und Dschordschan führt; das Thor von Chorasan, welches nach Chorasan fuhrt. Die bekanntesten Gassen sind: Rude, Kalisan, Dehek Num, Naszrabad, Sarbanan, Bab el Dschil, Bab Hescham, Bab el Szin, Bab Abtin, Bab el Tabranin, Bab el Medina, Ras el Rude; die volkreichste Gasse ist Rude, wo die meisten Kaufläden und Chane sind; es ist eine breite Gasse, in welcher die Chane und Gebäude dicht neben einander stehen. Die Stadt ist theils offen, theils befestigt, welcher letzterer Theil das Schloss heisst, und wo die Hauptmoschee ist. Die Stadt ist grösstentheils wüste, indem die Wohnungen innerhalb der Festungswerke sind. Ihr Wasser hat sie aus Wasserleitungen. In der Stadt sind zwei Leitungen, die eine fliesst in der Gasse Rude, die andere, die Gilanische, fliesst mitten in der Stadt, und aus dieser kommt das Trinkwasser; auch die Wasserleitungen Naszrabad und Sebabi fliessen mitten in der Stadt; die Leitung Abd el Wahab fliesst in der Gasse Rude; die Leitung Karschi in der Gasse Kalisan. Ausserdem haben sie noch viele Wasserleitungen, die nicht zum Trinken, sondern zur Bewässerung der Felder dienen. Die Kleidung der Einwohner ist der von Irak gleich; die Einwohner sind zur Freundlichkeit, Verschlagenheit und zum Handel geneigt. In der Stadt ist das Begräbniss des Kosai und des Astronomen Fafari [178]).

Chowar ist eine kleine Stadt von ungefähr ¼ Miglie; die Einwohner sind zahlreich und zum Edelmuth geneigt; sie haben fliessendes Wasser, welches aus dem Thale von Denbawend kommt; auch haben sie viele fruchtbare Felder.

Wimah und Schelbane sind zwei kleine Städte in der Nähe von Denbawend, kleiner als Chowar; die grösste von ihnen ist Wimah; sie haben Saatfelder und viel Wasser; es sind die kältesten Oerter in der ganzen Gegend. Zum Gebiet von Raj gehören ausser diesen Städten noch Dörfer, welche sie an Grösse weit übertreffen, so dass manches derselben über 10,000 Personen männlichen Geschlechts enthält. So gehören zu den Gärten von Sadd, welches 2 Parasangen davon entfernt ist, 12,000 Schlüssel; es werden in diesem Dorfe täglich 120 Schafe und 12 Ochsen geschlachtet.

Der Berg Denbawend bildet die Gränze des Gebiets von Raj; ich habe ihn von der Mitte der Strasse Rude aus gesehen, und ich habe gehört, man könne ihn in der Nähe von Iszfahan sehen. Der Berg liegt mitten in einem Gebirge, wo er wie eine Kuppel hervorragt; sein Umfang beträgt ungefähr 4 Parasangen. Ich habe nicht gehört, dass ihn jemand erstiegen hätte. In den persischen Romanzen wird erzählt, dass Dhohak auf diesem Berge gefesselt sei, und dass sich die Zauberer auf seinem Gipfel versammeln. Aus dem Gipfel des Berges steigt beständig Rauch auf; in der Umgegend liegen mehrere Dörfer, als Debiran, Dermena, Bera u. s. w. Der Gipfel, der sich aus diesem Thale erhebt, ist schrecklich; wenig Bäume, keine Häuser sind auf demselben, und in ganz Dschebal und dem Gebiete von Dilem kenne ich keinen Berg, der ihm an Grösse gleich kommt.

Die grösste der zu Komesch gehörenden Städte ist Damagan, welche grösser ist, als das zu Raj gehörende Chowar; Semnan ist kleiner als jenes, und Bostam ist kleiner als Semnan. Damagan hat wenig Wasser und ist nur mittelmässig bevölkert; ihre Lebensmittel bezieht sie meistens von Bostam, von welchem letzteren Orte auch viele Früchte nach Irak gebracht werden. In Komesch werden Kleidungsstücke zur Ausfuhr verfertigt.

Die Stadt Kafwin hat Mauern, innerhalb deren die eigentliche Stadt liegt; auch hat sie noch zwei kleine Vorstädte; die Hauptmoschee ist in der grösseren. Die Einwohner erhalten ihr Trinkwasser durch Regen, aus Brunnen und aus einer Wasserleitung, welche aber nicht viel Wasser enthält; ausser dieser Wasserleitung hat die Stadt kein fliessendes Wasser; trotz dieses wenigen Wassers ist die Umgegend fruchtbar. Kafwin ist eine Gränzfestung von Dilem; es sind zwischen den Einwohnern beständige Streitigkeiten und Kriege; es wachsen hier viele Früchte uud Weintrauben; die Stadt ist ungefähr eine Miglie lang und breit; die Einwohner bezahlen keine Grundsteuer an die Hauptstadt.

Abher und Sendschan sind zwei kleine Städte in einer fruchtbaren Gegend mit vielem Wasser, Bäumen und Saatfeldern. Sendschau ist grösser als Abher, die Einwohner aber sind nachlässig.

Die grösste Stadt in Tabaristan ist Amol, welche gegenwärtig die Residenz des Statthalters ist; früher wohnten die Statthalter in Sarie. Tabaristan ist ein Land, welches viel Wasser, Waldung, Frückte und die Bäume des Gebirges und der Ebene enthält; es ist meistens waldig; die Gebäude sind meistens aus Holz und Rohr; es regnet hier viel im Winter und Sommer, wesshalb die Dächer dort gewölbt sind.

Sarie ist grösser, als Kafwin; ihre Gebäude liegen dicht bei einander, und überhaupt ist es die volkreichste Stadt in dieser Gegend. Es wird von Tabaristan viel Seide ausgeführt, und von allen Ländern des Islam erzeugt es die meiste Seide. Auch erzeugt Tabaristan Holzarten, welche viel härter sind, als anderswo, und in grosser Menge gebraucht und ausgeführt werden. Die Bewohner von Tabaristan haben starkes Haar und dichte Augenbrauen; sie sprechen sehr schnell, und essen Reis, Fische, Bohnen und Zuckerrohr, gleichwie in Gilan und in einzelnen Gegenden von Dilem. In Tabaristan verfertigt man allerlei seidene Zeuge und wollene Kleider, baumwollene Mäntel, Gürtel, Turbane; auch Pferde, seidene Kleider, Fische, Citronen, Orangen und hölzerne Geräthe werden ausgeführt. In ganz Tabaristan giebt es keinen schiffbaren Fluss, das Meer ist aber nahe, und nicht weiter als eine Station entfernt. Im Innern von Tabaristan herrscht Feuchtigkeit und Nässe, auf den Gebirgen Dürre.

Dschordschau ist die grösste Stadt in der Umgegend, und hat weniger Regen und Feuchtigkeit, als Tabaristan; die Einwohner sind schöner, gebildeter und wohlhabender. Die Stadt besteht aus zwei Theilen, nämlich der (eigentlichen) Stadt und Bekrabad, welche durch einen schiffbaren Fluss getrennt sind. Es wird hier Seide und allerlei Zeuge producirt. Ueber Irak hinaus findet man im Orient keine vollendetere, schönere und stattlichere Stadt von solcher Grösse, als Dschordschau. Man findet hier alle Früchte und Dattelpalmen; die Einwohner sind freundlich und suchen ihre Ehre in rühmlichen Handlungen.

Asterabad ist eine gesunde Stadt, welche zu gleicher Zeit die Luft des Gebirges, der Ebene und des Meeres hat; sie hat ein grosses befestigtes Schloss, ist bevölkert und liegt in einer fruchtbaren Gegend. Es werden von hier seidene Kleider, Damenhauben, Damenmützen u. s. w. ausgeführt; die Stadt hat einen Hafen am Meere, von welchem man nach dem Lande der Chafaren, nach Bab el Abwab, Gilan, Dilem u. s. w. fährt.

Der beste Hafen in der ganzen Gegend ist Abeskun. Man hat hier eine Mark, welche **Rabat Dehistan**[179]) heisst, und ein Minbar und viele Felder hat; es ist die Gränzfestung gegen die ogufischen Türken, und ist stark befestigt. Das Gebiet von Dschordschan stösst an die Wüste von Chowarefm, durch welche die Türken zu ihnen kommen.

Weg von Raj nach Adherbaidschan. Von Raj nach Kafwin 4 Stationen; von Kafwin nach Abber 2 kleine Stationen; von Abher nach Sendschan 2 stärkere Tagereisen, als von Kafwin nach Abher. Wer einen kürzern Weg machen will, geht nicht über Kafwin, sondern nach dem Dorfe Jefdabad in der Nähe von Raj. — Von Raj nach Dschebal. Von Raj nach Fostate 1 Station; von Fostate nach Meskuba 1 Station; von dort nach Sawe 9 Parasangen; Sawe gehörte bald zum Gebiet von Dschebal, bald zu Raj. — Von Raj nach Tabaristan. Von Raj nach Tamhif 9 Parasangen; von Tamhif nach Belur 5; von dort bis zum Schlosse Larf eine Station von 5 Parasangen; von dort nach Karsah 5, und von dort nach Amol 9. — Von Raj nach Chorasan. Von Raj nach Aferidin 1 Station; von dort nach Kobunde 1 Station; von Kobunde nach der Stadt Chowar 1 Station; von Chowar nach dem Salzdorfe (Kirie el Milh) 1 Station; dann nach Ras el Kelb (Hundekopf) 1 Station; dann nach Semnan 1 Station; dann nach Aliabad 1 Station; dann nach Dscherm Dschui 1 Station; dann nach Damagan 1 Station; dann nach Hedada 1 Station; dann nach Bedlis 1 Station; dann nach Murdschan 1 Station; dann nach Hefdur 1 Station; dann nach Asadabad 1 Station. Asadabad gehört zum Gebiet von Nisabur, und dient den Reisenden als Aufnahmeort; wenn man dort 3 Tage geblieben ist, reist man weiter; wer dort krank wird, wird verpflegt, bis er wieder gesund wird. — Von Tabaristan nach Dschordschan. Von Amol nach Mile 2 Parasangen; dann nach Nerdschi eine ganze Station; dann nach Sarie 1 Station; dann nach Mihrwan 1 Station; nach Lamrasek 1 Station; dann nach Tamische 1 Station; dann nach Asterabad 1 Station; dann nach Rabat Hafsz 1 Station; dann nach Dschordschan 1 Station. — Von Amol nach Dilem. Von Amol nach Natel 1 Station; dann nach Schalus 1 Station; dann nach Kelar 1 Station; dann nach Dilem 1 Station. — Weg von Dschordschan nach Chorasan. Von Dschordschan nach Dinar

Dschali 1 Station; von dort nach Amalutelwa 1 Station; dann nach Sir Ajin 1 Station. — Von Dschordschan nach Komesch. Von Dsebordschan nach Dschobaina 1 Station; von dort nach Bostam 1 Station.

Karte von Tabaristan und Dilem.

1. Karte von Tabaristan und Dilem. 2. West. 3. El Ran und Adherbaidschan. 4. Esfidrud. 5. Sendschau. 6. Kaschan. 7. Kom. 8. Abher. 9. Kafwin. 10. Talikan. 11. Tarom. 12. Sammlung von Wadis. 13. Gilan. 14. Husam. 15. Bab el Abwab. 16. Kaspisches Meer. 17. Ain el Hom. 18. Salus. 19. Mokan. 20. Kelar 21. Rudan. 22. Natel. 23. Ruban. 24. Raj. 25. Wüste von Fars und Chorasan. 26. Salie. 27. Berg Denbawend. 28. Aram. 29. Amol. 30. Mamatir. 31. Abeskun. 32. Ain el Hom. 33. Abeskun. 34. Nord. 35. Dehistan. 36. Dschordschau. 37. Asterabad. 38. Tamische. 39. Lamrasek. 40. Mihrwan. 41. Sarie. 42. Nerdschi. 43. Mile. 44. Ferim. 45. Wimäh. 46. Chowar. 47. Semnan. 48. Damagan. 49. Bostam. 50. Wüste zwischen den Gufie und Dschordschan bis Chorasan und Chowarefm. 51. Ost.

Das Chafarische (Kaspische) Meer.

Das Kaspische Meer gränzt im Osten an einen Theil von Dilem, Tabaristan, und einen Theil der Wüste zwischen Dschordschan und Chowarefm; im Westen an Arran vom Gebirge Kahak bis zu den Gränzen von Serir, an das Land der Chafaren und einen Theil der gufischen Wüste; im Norden an die gufische Wüste in der Gegend von Siakuh, und im Süden an Gilan und einen Theil von Dilem. Es ist ein finsteres Meer mit Salzwasser, ohne Fluth und Ebbe; der Boden ist Lehm, verschieden von dem Meere von Kolfum und dem persischen Meere; denn in dem persischen Meere sieht man oft an einzelnen Stellen auf dem Boden, wegen des klaren Wassers, die weissen Steine. Aus diesem Meere kommen keine Edelsteine, Perlen, Korallen u. s. w., wie man in andern Meeren findet. Auch producirt es sonst nichts, ausser Fischen. Die Kaufleute schiffen auf demselben von den Ländern der Moslemin nach dem Lande der Chafaren und zwischen Arran, Gilan, Tabaristan und Dschordschan. In diesem Meere sind keine bewohnte Inseln, wie in dem persischen und mittelländischen Meere; es hat aber Inseln, auf welchen Wasser, Wälder und Bäume, aber keine Menschen sind. Zu diesen Inseln gehört Siakuh, eine grosse Insel mit Quellen, Bäumen, Gärten und wilden Thieren. Ferner eine Insel, die dem Kur gegenüber liegt, eine grosse Insel mit Wäldern, Wasser und Bäumen. Es wächst dort Krapp, und man fährt aus der Gegend von Berdaa dahin, um den Krapp abzuholen, und Thiere hinzubringen, die man dort herumlaufen lässt, bis sie fett werden. Endlich die Insel Rusia.

Von Abeskun rechts bis zu den Chafaren gibt es an der Küste des Meeres keine Stadt und kein Dorf, mit Ausnahme eines Ortes, welcher 50 Parasangen von Abeskun liegt, und D e h i s t a n heisst; der Ort bildet eine Landzunge, und man fährt auf Schiffen dahin. Nach diesem Orte fahren viele Bewohner der Umgegend, des Fischfangs wegen; man findet dort Wasser. Ausser diesem findet man keinen bewohnten Ort, ausser Siakuh, wo ein türkischer Stamm wohnt. Sie wohnen dort vermöge eines Vertrages, wegen der Zwistigkeiten, die sie mit den Gufiern hatten; sie trennten sich damals, und haben seitdem ihr Wasser und ihre Weiden für sich. Sie haben die Quellen und Weiden zur rechten Seite dieses Meeres, jenseits Abeskun. Geht man links von Abeskun nach dem Lande der Chafaren, so kommt man durch dicht bewohntes Land bis in die Nähe von Bab el Abwab und zu den Chafaren; denn von Abeskun kommt man zuerst in das Gebiet von Dschordschan, dann nach Tabaristan, Dilem, Gilan, Mokan, Schirwan, Maskat und Bab el Abwab. Hierauf kommt man nach Semender, 4 Tage; von Semender nach Atel ist eine Wüste von 7 Tagereisen. In der Gegend von Siakuh hat das Meer eine Untiefe, welche von den Schiffen gefürchtet wird.

Chafar ist der Name eines Landes, dessen Hauptstadt Atel heisst; auch der Fluss, welcher aus dem Lande der Russen und Bulgaren dahin fliesst, heisst Atel. Die Stadt Atel besteht aus zwei Theilen, wovon der eine auf der Westseite des Flusses Atel liegt; dies ist der grösste Theil; der andere liegt auf der Ostseite. Der König wohnt in dem westlichen Theile, und heisst in ihrer Sprache Balk, auch Bak[180]). Die Länge dieses Theils beträgt ungefähr eine Parasange, und hat Mauern; die Wohnungen liegen zerstreut und sind aus Filz, nur wenige sind aus Lehm. Die Stadt hat Märkte und Bäder, und es halten sich hier viele Muhammedaner auf; es sollen ihrer über 10,000 sein, und sie haben an 30 Moscheen. Das Schloss des Königs liegt von dem Ufer des Flusses entfernt, und ist aus Ziegelsteinen erbaut; es ist ausser diesem kein anderes Gebäude aus Ziegelsteinen, weil der König es niemanden erlaubt. In den Mauern sind vier Thore, welche nach dem Flusse und nach der Ebene führen. Der König ist ein Jude; er soll ein Heer von ungefähr 4000 Mann zu Fuss haben. Die Chafaren sind Muhammedaner, Christen, Juden und Götzendiener; die Juden sind die wenigsten, Muhammedaner und Christen die meisten; allein der König und sein Hof sind Juden; das gemeine Volk besteht meistens aus Götzendienern, welche verschiedene

Götzen verehren; ihre Richter befolgen alte Gesetze, welche von denen der muhammedanischen, jüdischen und christlichen Religion verschieden sind. Der König hat ein Heer von 12,000 Mann. Wenn ein Soldat stirbt, so wird dafür ein anderer gestellt; ihr Sold ist nur geringe. Die Einkünfte des Königs fliessen aus den Zöllen und Zehnten von den Waaren, die nach ihrem Gesetze auf allen Wegen zur See und auf den Flüssen erhoben werden, so wie von Allem, was die Einwohner der Ortschaften bedürfen. Der König hat neun Richter unter den Juden, Christen, Muselmännern und Götzendienern; an diese wendet man sich, wenn man einen Rechtsfall hat, und nicht an den König; wenn sie zu Gericht sitzen, so ist ein Bote zwischen ihnen und dem Rönige beschäftigt. Die Nahrung der Einwohner besteht meistens aus Reis und Fischen. Der östliche Theil von der Chafarenstadt ist grösstentheils von Kaufleuten bewohnt. Die Moslemin, die Kaufleute und die Dörfer sind unabhängig von dem Könige, und haben ihre Heere, Truppen u. s. w. für sich. Die Sprache der Chafaren ist keiner andern ähnlich.

Der Fluss Atel entspringt in der Nähe der Charchif, und fliesst zwischen den Raimakie und Gufiern, und bildet die Gränze zwischen ihnen; hierauf wendet er sich nach Westen zu den Bulgaren, nimmt alsdann wieder seinen Lauf ostwärts bis in die Nähe der Russen, fliesst bei den Bulgaren vorüber, alsdann bei Bertas, bis er sich in das kaspische Meer ergiesst, wo er sich in mehr als 70 Mündungen [181]) zertheilen soll; das Hauptbett des Flusses strömt durch das Land der Chafaren, bis er sich in das Meer ergiesst. Man sagt, dass das Wasser dieses Flusses, wenn es alles in einem einzigen Bette vereinigt wäre, höher als der Fluss Dschihun sein würde. Die Menge des Wassers und die Stärke des Stromes verursacht, dass er noch auf eine Strecke von 2 Tagereisen im Meere fliesst, und das Meerwasser verdrängt, so dass es wegen seiner Süssigkeit im Winter gefriert. Auch die Farbe des Meerwassers ist von der des Flusses verschieden.

In dem Lande der Chafaren ist eine Stadt, Namens S e m e n d e r zwischen Atel und Bab el Abwab; es sind hier an 4000 Weinberge bis zur Gränze von Serir; die meisten Früchte dieser Gegend sind Weintrauben; es wohnen hier viele Mohammedaner; ihr König aber ist ein Jude, ein Verwandter des Chafarenkönigs; sie sind von der Gränze von Serir 2 Parasangen entfernt, und zwischen beiden besteht Friede. Die Bewohner von S e r i r sind Christen. Man sagt, dass dieser Thron (serir) einem Könige von Persien gehörte, aus Gold war, und dass seine Verfertigung viele Jahre erforderte. Zwischen den Bewohnern von Serir und den Moslemin herrscht Friede, weil sie sich einander fürchten. —

Ausser Semender ist mir kein anderer Ort im Chafarenlande bekannt, wo sich Menschen versammeln.

Bertas ist eine unmittelbar an die Chafaren stossende Völkerschaft; sie wohnen in den Thälern am Atelflusse zerstreut. Bertas, Chafar und Serir sind zugleich Namen des Landes und des Fürsten.

Die Chafaren sind den Türken nicht ähnlich, sie haben schwarzes Haar, und bilden zwei Klassen; die eine heisst Karadschuf (Schwarzaugen), und diese haben eine so dunkelbraune Farbe, dass sie fast schwarz sind, als wären sie aus Indien, die andere Klasse ist weiss von Gestalt, schön und edel. Die Sklaven der Chafaren sind Götzendiener, welche ihre Kinder verkaufen, und zu Sklaven machen.

Was ihre Verfassung betrifft, so heisst der grösste unter ihnen Chakan Chafar, welcher über dem Könige steht, von diesem aber eingesetzt wird. Wenn sie einen Chakan einsetzen wollen, so begeben sie sich zu ihm, und schnüren ihm den Hals mit einem seidenen Strick zu; wenn er nahe daran ist, den Geist aufzugeben, fragen sie ihn: „Wie lange willst du diesem Könige ähnlich sein?" worauf er antwortet: „So und so lange." Ueberlebt er diesen Zeitraum, so todten sie ihn. Die Würde eines Chakans kann nur einem ertheilt werden, der aus einem adligen Hause ist. Er kann weder befehlen noch verbieten, allein er wird geehrt und hochgehalten, wenn jemand zu ihm kommt. Kein Grosser darf zu ihm kommen, ausser dem Könige oder wer vom königlichen Geschlecht ist, und dieser nur dann, wenn er mit ihm zu reden hat. Alsdenn wirft sich der König vor ihm zur Erde, verehrt ihn, und hält sich in der Ferne, bis er ihm erlaubt hat, näher zu treten. Von jedem wichtigen Ereigniss wird der Chakan in Kenntniss gesetzt. Von den Türken und deren Verwandten unter den Ungläubigen kann ihn niemand sehen, ausser wenn man Proselyt wird; an Grösse und Adel kommt ihm niemand gleich. Wenn er gestorben und begraben ist, darf niemand bei seinem Grabe vorübergehen, ohne abzusteigen und ihn zu verehren, und erst in einiger Entfernung von dem Grabe darf man wieder zu Pferde steigen. Der Gehorsam gegen den König geht so weit, dass, wenn er einen Vornehmen will tödten lassen, und nicht wünscht, dass die Hinrichtung öffentlich geschehe, er ihm befiehlt sich selbst zu tödten, worauf derselbe nach Hause geht und sich selbst tödtet. — Die Adligen, welche Ansprüche auf die Chakanswürde haben, besitzen keine Macht und Gewalt; sobald aber einer von ihnen dazu gelangt, huldigen sie ihm, und sehen nicht auf seine früheren Umstände; es wird aber keiner zu dieser Würde gewählt, der nicht der jüdischen Religion angehört. Der goldene Thron und das gol-

27

dene Zelt gehört nur dem Chakan; sein Geschlecht steht über dem des Königs, und seine Wohnungen in dem Lande sind höher, als die Wohnungen des Königs.

Bertas ist der Name einer Gegend; die Bewohner haben hölzerne Häuser und leben zerstreut. Sie sind in zwei Stamme getheilt; der eine wohnt an der äussersten Gränze der Gufic neben den Bulgaren; es sollen ihrer ungefähr 2000 Personen männlichen Geschlechts sein; ihre Wohnsitze kann niemand bezwingen; sie gehorchen den Bulgaren. Der andere Stamm gränzt an die Bedschinak; sie und die Bedschinak sind Türken, welche an das Gebiet der Römer gränzen. — Die Sprache der Bulgaren ist der Chafarischen ähnlich. Die Bertas und Bulgaren sind Mohammedaner. Die Tage sollen bei ihnen so kurz sein, dass ein Mann daselbst nicht mehr als eine halbe Parasange (des Tags) reisen kann.

Die Russen sind in drei Stämme getheilt; der eine wohnt in der Nähe der Bulgaren; ihr König wohnt in der Stadt Kuthaba[182]), welche grösser ist als Bulgar. Der zweite Stamm heisst Slaven, und der dritte Uthanie, ihr König wohnt in Arba. Die Kaufleute kommen nur bis Kuthaba, nach Arba aber kommt keiner von ihnen, weil die Einwohner jeden Fremden tödten und in's Wasser werfen. Desshalb berichtet niemand etwas von ihren Angelegenheiten, und sie stehen mit niemanden in Verbindung. Von Arba führt man schwarze Zobelfelle und Blei aus. Die Russen verbrennen ihre Todten mit ihrer Habe, zum Besten ihrer Seelen. Sie tragen kurze Röcke. Arba liegt zwischen dem Lande der Chafaren und den grossen Bulgaren, welche an die Römer gränzen, im Norden derselben. Diese Bulgaren sind sehr zahlreich, und so mächtig, dass sie den angränzenden Romern Tribut auferlegen. Die inneren Bulgaren sind Christen.

Entfernungen

zwischen dem Kaspischen Meere und der Umgegend. Von Abeskun nach dem Lande der Chafaren 300 Parasangen; von Abeskun links nach dem Lande der Chafaren 300 Parasangen. Von Abeskun nach Destan ungefähr 6 Stationen. Von Tabaristan kann man mit gutem Winde der Breite nach über das Meer nach Bab el Abwab schiffen; von Abeskun nach dem Lande der Chafaren ist indessen mehr als jene Breite, da es in einem Winkel liegt. — Von Atel nach Semender 8 Tage; von Semender nach Bab el Abwab 4 Tage. Von dem Reiche Serir nach Bab el Abwab 4 Tage. Von Atel nach der ersten Gränze von Bertas 20 Tagereisen. Von einem Ende von Bertas bis zum andern ungefähr

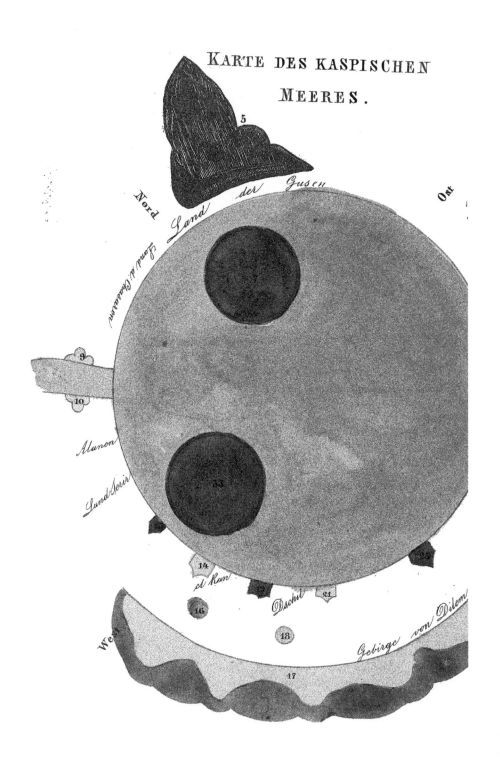

KARTE DES KASPISCHEN
MEERES.

15 Tage. Von der ersten Gränze von Bertas nach den Bedschinak 10 Stationen; von Atel nach den Bedschinak 1 Monat. Von Atel nach Bulgar durch die Wüste ungefähr 1 Monat, und zu Wasser ungefähr 2 Monate hinauf, und 20 Tage hinab. Von Bulgar nach der ersten Gränze der Römer ungefähr 10 Stationen; von Bulgar nach Kuthaba ungefähr 20 Stationen; von Besdscherd nach den innern Bulgaren 25 Stationen.

Karte vom Kaspischen Meer.

1. Abbildung des Kaspischen Meeres. 2. Ost. 3. Dschordschan. 4. Land der Gufic. 5. Siakuh. 6. Nord. 7. Insel Siakuh. 8. Land der Chafaren. 9. Atel. 10. Atel. 11. Alanen. 12. Land Serir. 13. Semender. 14. Bab el Abwab. 15. El Ran. 16. Schirwan. 17. Gebirge Kabak. 18. Mokan. 19. Schabran. 20. Gilan. 21. Baku. 22. Gebirge von Dilem. 23. Salus. 24. West. 25. Süd. 26. Amol. 27. Sarie. 28. Ain el Hom. 29. Mihrwan. 30. Land Tabaristan. 31. Abeskun. 32. Asterabad. 33. Insel von Bab.

Die Wüste von Chorasan.

Die Wüste von Chorasan gränzt im Osten an Mekran und einen Theil von Sedschestan; im Westen an Komesch, Raj, Kom und Kaschan; im Norden an Chorasan und einen Theil von Sedschestan; im Süden an Kirman, Fars und einen Theil des Gebiets von Iszfahan. Sie gehört zu den unbewohntesten Wüsten des Islam; denn die Beduinenwüsten in Nedschd, Tehama und dem übrigen Hedschaf, in welchen Weideplätze, Araberstamme, Städte und Dörfer sind, sind schwerlich leer an Bewohnern, welche dort ihr Vieh weiden. Eben so ist Jemen el Aschia zwischen Oman und Jemama, nach dem Meere zu und bis Jemen bewohnt, und gehört zu den Landschaften Arabiens. So haben auch die Wüsten im Gebiete von Kirman, Mekran und Sind ihre Bewohner; die Wüsten der Berbern sind von Berberstämmen bewohnt, welehe dort ihre Weideplätze haben. Diese Wüste dagegen ist von Räubern bewohnt, und ohne Führer kann man durch dieselbe nicht reisen. Und gleich wie die Wüste an verschiedene Länder gränzt, so ist sie auch von mehreren Räuberbanden bewohnt, welche gewisse Sammelpunkte haben, wohin sie die geraubten Waaren bringen[183]). Die Wüste gehört theils zum Gebiet von Chorasan und Komes, theils zu Sedschestan, theils zu Kirman und Fars, und theils zum Gebiet von Iszfahan, Kom, Kaschan und Raj, so dass da, wo das eine Gebiet aufhört, ein anderes beginnt. Ungeachtet dessen ist die Reise durch diese Wüste zu Pferde sehr schwierig, wesshalb man nur mit Kamelen durchreist; aber auch

selbst mit Lastthieren reist man nur auf bekannten Strassen, wo bekannte Wasserplätze sind; wenn sie diese auf ihrer Reise verfehlen, so
müssen sie umkommen. Die Räuber haben in dieser Wüste Wohnplätze,
wo sie sich vertheidigen, und wohin sie die geraubten Waaren und
Schätze bringen. Einer dieser Oerter ist der Berg Kerkeskuh; Kerkes
ist der Name der Wüste, wo sie an Raj und Kom stösst und auf mehrere Tagereisen ostwärts. Der Berg Kerkeskuh ist nicht hoch, denn er
ist von andern Bergen abgesondert und von der Wüste umgeben; man
hat mir erzählt, dass der Fuss desselben nur zwei Parasangen im Umfange hält. Auf diesem Berge ist eine Quelle, welche Ab Bide (Wasser
Bide) heisst. Die Mitte dieses Berges ist wie der innere Hofraum eines
Hauses; in den Thälern dieses Berges findet man wenig Wasser. Der
Weg zu den Wohnungen in diesem Berge ist schwierig, denn es sind
dort Schluchten und öde Wege, und wer sich dort verirrt, kommt
schwerlich wieder zum Vorschein. Wenn man zu der Quelle Ab Bide
kommt, ist man gleichsam wie in einem Stalle (oder in einer Umzäu-
nung), da man von dem Berge umgeben ist[184]).

Der Berg Siakuh ist mit andern Bergen verbunden.

In dieser Wüste sind Dörfer, aber keine Städte in derselben sind
bekannt, ausser Sinidsch (oder Sibendsch), welche zum Gebiete
von Kirman gehört, und auf dem Wege nach Sedschestan liegt. Sie
ist auf allen Seiten von der Wüste umgeben. Ferner liegt in dieser
Wüste auf dem Wege von Iszfahan nach Nisabur ein Ort, Namens
Dschermak, der aus drei Dörfern besteht. Dagegen ist die Wüste
von mehreren bekannten Städten umgeben, als von Nabein, Jefd und
Akade in Fars; Erdistan im Gebiet von Iszfahan; Chabisz, Sufen und
Bermaschir in Kirman; Kom, Kaschan, Dora, so wie Raj und Chowar
mit ihrer ganzen Umgegend; Semnan und Damagan im Gebiet von
Romes; von den Städten Kuhistan's in Chorasan, als Tabesin, Tabes
und Rain, deren Umgegend sich bis zur Wüste erstreckt.

Die bekannten Wege in dieser Wüste sind: von Iszfahan nach
Raj, welches der nächste Weg ist, von Fars und Kirman nach Chorasan, von dort nach Jefd in Fars, der Weg nach Sur, nach Sufen,
von Chabisz im Gebiet von Kirman nach Chorasan, und von Hadid
in Kirman nach Chorasan.

Karte der Wüste von Chorasan.

1. Ost. 2. Abbildung der Wüste zwischen Fars und Sedschestan.
3. Nord. 4. 5. und 6. Wüste zwischen Sedschestan und Multan.
7. Wüste von Sedschestan, Mekran, Sind und Hind. 8. Wüste.

9. Sinidsch. 10. Weg nach Sedschestan. 11. Serendsch. 12. Tabasin.
13. Dorf Salem. 14. Kain. 15. Dschud. 16. Sur. 17. Dschermak.
18. Tabasin. 19. Damagan. 20. Weg nach Romes. 21. West. 22. Raj.
23. Kom. 24. Kaschan. 25. Iszfahan. 26. Süd. 27. Erdistan. 28. Mahin.
29. Ablas (Mahan, als Variante). 30. Kerkeskuh. 31. Weg nach Mahin
(Nabein, als Var.). 32. Weg nach Jefd. 33. Jefd (Akade, als Var.).
34. Ratha. 35. Febridsch. 36. Abar. 37. Chulindschan. 38. Weg nach
Sur. 39. Weg nach Rudan. 40. Weg nach Chabisz. 41. El Adekan.
42. Rudan (Sufen, als Var.). 43. Chabisz. 44. Fehridsch.

Sedschestan.

Sedschestan gränzt im Osten an Kirman, an die Wüste zwischen
Mekran, Sind und Sedschestan, und an einen Theil des Gebiets von
Multan; im Westen an Chorasan und einen Theil von Indien; im Norden
an Indien, und im Süden an die Wüste zwischen Sedschestan, Fars
und Kirman. Auf der Seite von Chorasan, Gur und Indien bildet die
Gränzlinie einen Bogen. Die grösste Stadt ist Serendsch, welche aus
der Stadt und den Vorstädten besteht; die Stadt hat ein Schloss mit
Gräben; auch die Vorstädte haben ein Schloss. Das Wasser in den
Gräben entspringt aus einem Orte, wohin ein Theil desselben wieder
zurückfliesst. Die Stadt hat 5 Thore; das eine heisst Bab el Hadid
(das eiserne Thor[185]), das zweite Bab el Atik (das alte Thor); beide
führen nach Fars, und sind nahe bei einander; das dritte Thor heisst
Bab Kerkune, und führt nach Dschordschan; das vierte heisst Bab Ni-
sebek (oder Buschenk) und führt nach Bost; das fünfte heisst Bab el
Taam (das Speisethor). Alle diese Thore sind aus Eisen. Die Vorstädte haben 13 Thore. Alle Gebäude sind aus Lehm, mit Vitriol ge-
bunden, weil das Holz hier von Würmern verzehrt wird und nicht
dauert. Zwischen dem Speisethor und dem Thore von Fars sind die
Schlösser des Jakub und Amru, der Söhne des Leith. Die Strassen
der Stadt und der Vorstädte sind stark bevölkert. In der innern Stadt
sind mehrere Kanäle; einer derselben kommt von dem alten Thore, der
zweite von dem eisernen Thore, der dritte von dem Speisethore. Alle
drei Kanäle haben so viel Wasser, dass sie Mühlen treiben[186]). Bei
der Moschee sind zwei grosse Wasserbehälter, welche das fliessende
Wasser aufnehmen und wieder ablassen, worauf sich dasselbe in die
Häuser der Einwohner vertheilt; zwischen den beiden Wasserbehältern
sind Eiskeller. Um die Stadt findet man viel fliessendes Wasser und
Gärten, und die Hauptstrasse erstreckt sich auf ungefähr eine halbe Parasange vom Thore von Fars bis zum Thore Mina in der Vorstadt.

Das Land ist mit Salz bedeckt und verbrannt, und man sieht dort Sandstrecken und Dattelpalmen; es fällt kein Schnee, der Boden ist eben
und ohne Berge. Es wehen hier so heftige Winde, dass man
Mühlen errichtet hat, welche der Wind umtreibt [187]); derselbe führt
den Sand von einer Stelle zur andern, und wenn man keine Vorkeh-
rungen träfe [188]), würden Dörfer und Städte verschüttet werden. Man
sagt, wenn sie den Sand von einer Stelle zur andern bringen wollen,
ohne auf die neben den Sandstrecken liegenden Felder zu fallen, so errichten
sie um den Sand gleichsam Mauern von Holz, Dornensträuchen u. s. w.,
über welche der Sand sich nicht erheben kann; alsdann machen sie
unten eine Oeffnung; der Wind bläst hindurch und dreht den Sand
im Wirbel; der Sand erhebt sich, und fällt weit weg, so dass er ihnen
nicht schadet [189]). — Man sagt, dass die alte Stadt zur Zeit der ersten
Perser zwischen Kirman und Sedschestan lag, Rasik gegenüber, 3 Stationen links auf dem Wege nach Sedschestan; ihre Gebäude und einige
ihrer Häuser stehen noch bis auf den heutigen Tag; der Name dieser
Stadt war Ram Scheheristan. Man sagt, dass ein Fluss von Sedschestan bei dieser Stadt vorbeifloss, und dass Dämme das Wasser aus dem
Hindmend abhielten; das Wasser aber brach durch und verwüstete die
Umgegend, worauf die Einwohner abzogen und Serendsch erbauten [190]).
    Der grösste Fluss in Sedschestan ist der Hindmend, welcher auf
(dem Berge von) Gur entspringt, darauf an der Gränze von Rochadsch
fliesst, dann bei Bost und endlich nach Sedschestan, wo er sich in den
See Serc ergiesst. Der See Serc hat viel oder wenig Wasser, je nachdem die darein sich ergiessenden Gewässer zu- oder abnehmen; seine
Länge beträgt ungefähr 30 Parasangen von Kowin [191]) auf dem Wege
nach Kuhistan bis zur Brücke von Kerbehan [192]) auf dem Wege nach
Fars; seine Breite beträgt eine Station; sein Wasser ist süss, und er
producirt viele Fische und Rohr; um den See liegen Dörfer, ausser auf
der Seite der Wüste.
    Der Fluss Hindmend bildet von Bost bis auf eine Station von
Sedschestan einen einzigen Fluss; von hier an zertheilt er seine Gewässer; der erste Fluss, der sich von ihm abzweigt, ist der Siarud
(der schwarze Fluss), welcher in der Entfernung einer Parasange von
Sedschestan fliesst; so lange sein Wasser hoch ist, ist er von Bost bis
Sedschestan schiffbar, bei niedrigem Wasserstande aber trägt er keine
Schiffe. Ein anderer Fluss fliesst längs den Feldern bis Nischek (Bu-
schenk); noch ein dritter Fluss, der Rasin, bewässert viele Felder. Die
Kanäle der Stadt Sedschestan kommen aus dem Siarud, die sich nachher
wieder vereinigen, aus welchem abermals ein Kanal Schaabe abgeleitet

ist, welcher an 30 Dörfer mit Wasser versorgt; dann ist aus ihm der Kanal Mila abgeleitet, welcher gleichfalls viele Ländereien bewassert; das übrige Wasser desselben ergiesst sich in den Fluss Birk. Hier hat man einen Damm errichtet, damit das Wasser sich nicht in den See Serc oder in den Wadi von Farra oder anderswohin ergiesse.

Zu den Flüssen von Sedschestan gehört der Fluss Farra, welcher in der Nahe von Gur entspringt, und nachdem er die Umgegend bewässert hat, sich in den See Serc ergiesst.

Der Fluss Nischek (oder Buschenk) entspringt in der Nähe von Gur, bewässert die Umgegend, und ergiesst sich in den See Serc.

Sedschestan ist ein fruchtbares Land, reich an Lebensmitteln, Früchten und Weintrauben; die Einwohner scheinen wohlhabend zu sein. In der Wüste zwischen Sedschestan und Mekran wächst eine grosse Menge Assa Fötida, welches die Einwohner zu allen ihren Speisen und Nahrungsmitteln als Gewürz nehmen [193]).

Balis ist der Name einer Gegend, deren Hauptstadt Senwa ist; der Statthalter aber wohnt in Kaszr; Sefendschabi ist grösser als Kaszr.

Rochadsch ist der Name eines Landes, dessen Hauptstadt Bendschevai heisst; eine andere Stadt in diesem Lande heisst Kebek. Rochadsch liegt zwischen Bedar (Dawur) und Balis; die Szufis unter den dortigen Bewohnern werden aus dem öffentlichen Schatze erhalten, welcher viele Reichthümer enthält. Das Land ist sehr fruchtbar.

Dawur ist ein fruchtbares Land, und bildet die Mark von Gur. Batin, Childsch, Feslik und Habin sind Städte ohne Mauern, welche Schlösser haben. Dawur ist der Name eines Landes, dessen Hauptstadt Tel ist; eine andere Stadt desselben ist Dargur. Alle diese Orte liegen am Hindmend, ausser Batin, Childsch, Kabul und Gur. Diese Gegenden sind theils von Ungläubigen bewohnt, theils von Moslemin. Die ganze Gegend gehort zum kalten Erdstrich.

Die Childsch sind ein türkischer Volksstamm, der sich in der Vorzeit in den Ländern zwischen Indien und Sedschestan neben Gur niedergelassen hat; sie haben Heerden wie die Türken, und kleiden sich, wie diese [194]).

Nächst Serendsch ist Bost die grösste Stadt in Sedschestan; sie ist aber ungesund. Die Einwohner kleiden sich, wie in Irak, und sind zur Freundlichkeit und zum Aufwand geneigt. Man treibt hier Handel mit Sind und Hind; die Umgegend bringt Dattelpalmen und Weintrauben hervor, und ist sehr fruchtbar.

Karnin ist eine kleine Stadt, mit Dörfern und bebauten Feldern; sie liegt eine Station von Sedschestan links auf dem Wege nach Bost,

2 Parasangen von Serur. Aus dieser Stadt stammen die Szoffariden, welche Fars, Chorasan, Sedschestan und Kirman eroberten. Es waren vier Brüder, Jakub, Amru, Taher und Ali, die Söhne des Leith. Taher wurde in Bost getödtet; Jakub starb in Dschondi Sabur nach seiner Rückkehr von Bagdad; dort ist auch sein Grab. Ali ben Leith that einen Feldzug gegen die Rafeiten (Sektirer) in Dschordschan, und starb in Dehestan, wo sein Grab ist. Jakub war der älteste Bruder, und soll Geselle bei einem Kupferschmied gewesen sein. Amru war ein Kameltreiber; ich habe gehört, dass er zuerst ein Maurer war. Ali ben Leith war der jüngste dem Alter nach. Die Veranlassung ihres Auftretens und ihrer Erhebung war folgende. Sie hatten einen mütterlichen Oheim, Kethir ben Dekak, welcher Truppen gegen die Charedschiten sammelte. Er wurde aber in dem Schlosse Meladhe belagert und getödtet. Seine Neffen entkamen, und liessen sich in der Gegend von Bost nieder. Dort war ein gewisser Dirhem ben Naszr, welcher viele Truppen unter dem Vorwande des Glaubenskriegs und der Bekämpfung der Charedschiten sammelte; zu diesem kamen auch jene Brüder. Sie zogen gegen Sedschestan, wo Ibrahim ben Husein Statthalter im Namen der Taheriden war, und mit seinen Truppen die Stadtthore bewachte. Dirhem ben Naszr gab vor, er gehorche ihm, und sei gekommen, um die Charedschiten zu bekämpfen. Dadurch suchte er sich die Einwohner geneigt zu machen, was ihm auch gelang; er zog in die Stadt ein, während der Statthalter in der Umgegend war. Sie wurden nun mächtig im Lande und bekämpften die Sektirer, deren Anführer von Jakub getödtet wurde. Von nun an geschah nichts Wichtiges, wozu nicht Jakub berufen wurde. Dieser suchte sich die Anhänger des Dirhem ben Naszr geneigt zu machen, so dass sie ihm den Oberbefehl übergaben, und Dirhem ben Naszr unter seine Befehle kam. Doch erwies er dem Dirhem ben Naszr fortwährend Gutes; er bat ihn um Erlaubniss zur Wallfahrt nach Mekka, hielt sich einige Zeit in Bagdad auf, kehrte als Gesandter des Chalifen zurück, und tödtete ihn. Von nun an stieg er immer höher, und eroberte Fars, Kirman, Chusistan, Chorasan und einen Theil von Irak.

Die Stadt Tak ist eine Station entfernt, auf dem Wege von Sedschestan nach Chorasan; es ist eine kleine Stadt mit bebauten Feldern; es wachsen dort viele Weintrauben, wovon die Einwohner von Sedschestan ihren Erwerb haben.

Chowas liegt eine Station von Karnin, ungefähr ½ Parasange links von dem Wege nach Bost. Sie ist grösser als Karnin, und hat Dattelpalmen und Bäume. Hier und in Karnin findet man fliessendes Wasser und Wasserleitungen.

Farra ist grösser als diese Städte, und hat ein Gebiet, welches ungefähr 60 Dörfer umfasst. Man findet dort Dattelpalmen, Früchte und Saatfelder; bei der Stadt fliesst der Fluss Farra, rechts am Wege von Sedschestan nach Chorasan.

. . . . . ist eine kleine Stadt, ungefähr wie Karnin, in einer fruchtbaren Gegend; das Wasser kommt aus Wasserleitungen, und die Gebäude sind aus Lehm [195]).

Serwan, eine kleine Stadt in einer fruchtbaren Gegend, ungefähr so gross wie Karnin, aber volkreicher als diese. Es wachsen hier viele Früchte, Dattelpalmen und Weintrauben. Von Bost ist sie ungefähr 2 Stationen entfernt; die eine Station heisst Firnf Kobad, die andere ist Serwan auf dem Wege nach dem Lande Dawer.

Malekan, 1 Station von Bost, man findet hier Früchte, Dattelpalmen und Saatfelder; die Einwohner sind meistens Weber [196]), die ihr Wasser aus Kanälen haben; ihre Gebäude sind aus Lehm. Die Stadt kommt ungefähr Karnin an Grösse gleich.

Rudan ist kleiner als Karnin, und liegt in der Nähe von Firuf Kobad, rechts von dem Wege nach Rochadsch; die Gegend erzeugt meistens Salz, indessen haben die Einwohner auch Saatfelder, Früchte und fliessendes Wasser.

Entfernungen.

Von Sedschestan nach Herat. Die erste Station ist 3 Parasangen, Kerkuie; dann nach Toster 4, dann nach Dscherir 1 Station; dann nach Bost 1 Station; dann nach Kandscher 1 Station; dann nach Seroschk 1 Station; dann nach der Brücke über den Wadi Farra 1 Station; dann nach Farra 1 Station; dann nach Dere 1 Station; dann nach Kuistan 1 Station; dies ist der letzte Ort in Sedschestan; dann nach Dschas 1 Station; dann nach Fana Serai 1 Station; dann nach dem schwarzen Berge 1 Station; dann nach Dscharman 1 Station; dann nach Herat eine Station. — Von Sedschestan nach Bost. Die erste Station ist Raibuk; dann nach Serur, einem volkreichen Dorfe, das zu den Krondomainen gehört (sultanié) 1 Station; dann nach Hedufi, wobei man über den Fluss Nask vermittelst einer aus Ziegelsteinen erbauten Brücke setzt, 1 Station; dann nach Dehek und der befestigten Station im Gebiet von Dehek; von dieser Station kommt man in die Wüste. Die erste Station in derselben ist befestigt und heisst Arsur (El Sur); von Elsur nach dem Rahat Kerduin, dann nach Rabat Hestian; von Rabat Hestian nach Rahat Abdallah; von Rahat Abdallah nach der Stadt Bost. Von Rahat Dehek bis auf eine Parasange von Bost ist alles Wüste.

Von Sedschestan nach Gafna. Von Bost nach Rahat Firuf Kohad 1 Station; von Rabat Firuf nach Rahat Maun 1 Station; von Bahat Sogur nach Rahat Kir eine Station; dann nach der Stadt Rochadsch, auch Bendschirai genannt, 1 Station; von dort nach Bekirabad 1 Station; dann nach Chorasane 1 Station; von Chorasane nach Rahat Sirab 1 Station; dann nach dem Dorfe Chasib 1 Station; dann nach dem Dorfe Chuma 1 Station; dann nach Chastan 1 Station; hier beginnt die Gränze von Gafna.

Von Sedschestan nach Balis an der Wüste. Von der Stadt Rochadsch genannt Bendschirai nach Rabat el Hadscherie 1 Station; dann nach Rabat Dschenki 1 Station; dann nach dem Dorfe Hasadschi 1 Station; dann nach Rahat 1 Station; dann nach Esfidschai 1 Station.

Weg von Sedschestan nach Fars und Kirman. Die erste Station von Sedschestan ist Dscheraveran; die zweite Rabat Darok; von Darok nach Berir 1 Station; nach Kawisenk 1 Station; nach Rabat el Nasi 1 Station; nach Rabat el Kaher eine Station; dann nach Rahat Kerandschan 1 Station; dann nach Sinidsch eine Station; Sinidsch ist eine Stadt in Kirman. Die Gränze von Sedschestan wird bei Kawisenk überschritten; zwischen hier und Kebdor ist ein Rahat, den Amru erbaute; dieser Ort heisst die Brücke von Kirman, obgleich dort keine Brücke ist, sondern bloss so heisst.

Uebrige Entfernungen in Sedschestan. Von Sedschestan nach Hara 3 Stationen; von dort nach Farra ebenfalls 2 Stationen; zwischen ..... und Farra ungefähr 1 Station; Farra liegt demselben gegenüber auf der Seite der Wüste [197]); Kais ist von Sedschestan 30 Parasangen entfernt, und liegt in der Nähe der Gränze von Kirman. Von Kais bis Tak sind 5 Parasangen. Chowas liegt ungefähr 2 Parasangen von dem Wege nach Bost; von hier nach Farabin 1 Station; von Bost nach Serwan 2 Stationen auf dem Wege nach dem Lande Dawer; dann setzt man über den Hindmend, 1 Station von Serwan, und kommt nach Tel, hierauf 1 Station weiter nach Dérguf am Ufer des Hindmend auf Einer Seite desselben. Von Tel nach Taabin 1 Tagereise durch verschiedene Stämme; südwärts von Taabin und Bendscherai kommt man nach Gafna, welches von Kebek 1 Parasange ist, westwärts von Bendscherai; von Bendscherai nach Esfidschai 3 Stationen; das Schloss liegt der Stadt gegenüber; und ist 1 Parasange entfernt. Von Esfidschai nach Sirin 2 Stationen.

Karte von Sedschestan.

1. Nord. 2. Karte von Sedschestan. 3. Gränze von Chorasan. 4. 6. Berge von Gur. 5. Land Gur. 7. Farra (als Variante) [198].

8. Marra. 9. Herat. 10. West. 11. Wüste von Kirman. 12. Neh. 13. See Serc. 14. Kirman. 15. Sinidsch. 16. Wüste. 17. Süd. 18. Kais (Kif als Var.). 19. Land Balus. 20. Wüste von Bost nach Indien. 21. Serwan. 22. Land Balus. 23. Wadschaman. 24. Bermidschai. 25. Esfidschai, als Var. 26. Ost. 27. Nesui, als Var. 28. Tehiri. 29. Indien. 30. El Kaszr. 31. Gafna. 32. Mahkai (Bendschi Rai, als Var.). 33. Bost. 34. Markan, als Var. 35. Chowas. 36. Sowad Sedschestan. 37. Tak. 38. Serendsch. 39. Farabin. 40. Tak. 41. Dschefanek. 42. Sand von Sedschestan. 43. Talikan (als Var.). 44. Malikan. 45. Kchek. 46. Rukan. 47. Hauma Wadschan. 48. Siniluk (Falank, als Var.). 49. Hara. 50. Mangis. 51. Tel. 52. Esfifad. 53. Dergud. 54. Land Dawer. 55. Fluss Hindmend (Sindhind, als Var.). 56. Land Kabul bis Bamian.

Chorasan.

Chorasan umfasst mehrere Distrikte und ist der Name eines Landes. Im Osten gränzt es an Sedschestan und Indien, welches wir jedoch zu Sedschestan gezogen haben, so weit es sich von Gur erstreckt; eben so haben wir den Distrikt der Childsch zu dem Gebiet von Kabul gerechnet, und Rihan zu Chotl und so mit andern Distrikten von Indien. Im Westen gränzt Chorasan an die Wüste der Gufie und an Dschordschau; im Norden an Mawarennahr und einen Theil des Türkenlandes, wenn man nach Chotl geht; im Süden an die Wüste von Fars und Komes; wir haben Komes mit Dschordschan, Tabaristan, Raj und der Umgegend zu dem Gebirgslande von Dilem gerechnet, und so alles als ein einziges Land angesehen; eben so haben wir Chotl zu Mawarennahr gerechnet, weil es jenseits der Flüsse Wachschab und Dscheriab liegt. Auch Chowarefm haben wir zu Mawarennahr gerechnet, weil dessen Städte jenseits des Dschihun liegen, und weil es näher an Bochara, als an Chorasan ist. — Im Osten zwischen der Wüste von Fars, Herat und Gur bis Gafna bildet Chorasan eine Landzunge; eben so im Westen von der Gränze von Komes bis in die Nähe von Fawarc. Wir haben das Land zwischen diesen beiden Zungen von dem Viereck des übrigen Chorasau abgesondert. Von Dschordschan und dem kaspischen Meere bis Chowarefm bildet die Gränze des bewohnten Landes einen Bogen.

Die grössten Städte in Chorasan sind Nisabur, Meru, Herat, Balch; es gibt in Chorasan Landschaften, welche diesen Städten nicht gleich kommen, z. B. Ruhistan; ferner Tus, Nisa, Abiwerd, Serachs, Esferan, Buschendsch, Badgis, Kindsch Rostak, Mervrud, Dschordschan, Udsch el San, Bamian, Tahirestau, Scm, Amol. Chowarefm werden wir bei Mawarennahr beschreiben, weil dessen Städte jenseits des Flussés liegen, und den Städten von Mawarennahr näher sind, als den Städten von Chorasan.

Nisabur, auch Iran Schehr[199]) genannt, liegt in einer Ebene; ihre Gebäude sind aus Lehm, und erstrecken sich auf ungefähr eine Parasange in die Länge und Breite; sie besteht aus zwei Städten, einer Vorstadt und Citadelle. Die Hauptmoschee ist in der Vorstadt, an einem Orte, welcher Maasker (Kaserne) heisst, und das Regierungsgebäude an einem Orte, welcher Meidan el Husein (Husein's Markt) heisst; letzteres wurde von Amru ben Leith erbaut. Die Citadelle hat zwei Thore, und die Stadt vier Thore; Stadt und Citadelle sind von der Vorstadt umgehen, welche letztere viele Thore hat. Es ist hier ein grosser Fluss, welcher Wadi Saawe heisst. — In Chorasan gibt es keinen gesunderen und grösseren Ort, als Nisabur. Der Sitz der Regierung von Chorasan war bis auf die Zeiten der Taheriden in Balch und Mern; diese aber verlegten ihn nach Nisabur, wodurch letzterer Ort an Bevölkerung, Grösse und an Wohlstand zunahm.

Meru, eine Stadt, welche auch Meru Schahidschan heisst; sie ist schon sehr alt, und ihre Citadelle soll von Tahmurath, so wie die Stadt von Dhu'l Karnein erbaut sein. In der ganzen Umgegend befindet sich kein Berg, das Land ist eben und hat viele Sandstrecken. Die Gebäude der Stadt sind aus Lehm; es sind hier 3 Hauptmoscheen; der Markt und das Regierungsgebäude sollen von Ebu Muslem[200]) erbaut sein. In dem Regierungsgebäude befindet sich eine von Ebu Muslem erbaute Kuppel, deren Weite 55 Ellen beträgt; hier residirten er und die Emire, welche nach ihm regierten. Die Kuppel hat 4 Thore, wovon jedes nach einem Palast führt; vor jedem Palast ist ein viereckiger Fels. Die Citadelle kommt der Stadt an Grösse gleich, ist aber verödet; sie ist viereckig und erhält ihr Wasser aus einer Wasserleitung, die noch bis auf den heutigen Tag fliesst. Die Strassen gehören zu den reinlichsten, die es gibt. Es sind hier vier Kanäle mit fliessendem Wasser. Die Stadt und ihr Weichbild ist von einer einzigen Mauer umgeben; die innere Stadt hat vier Thore. Bei Mern ist ein grosser Fluss, aus welchem jene Kanäle, so wie die Kanäle des Weichbildes abgeleitet sind. Er kommt von jenseits Bamian, und heisst Murgab, eigentlich Mervab, d. h. Fluss von Meru. Meru war das Heerlager der Moslemin in den ersten Zeiten des Islam, und hier wurde die Herrschaft der Mohammedaner über Persien vollkommen gesichert, denn Jesdedscherd, der König von Persien, wurde hier in einer Papiermühle[201]) getödtet; auch ging von hier die Erhebung der Abbasiden aus. — Der Mervab fliesst bei Mervrud vorbei, und die Aecker der Bewohner liegen an demselben, und die erste Gränze dieses Flusses gehört zum Gebiet von Meru. In dem Hause des Ebu'l Nedschm el Maiti, eines Sklaven der Abbasiden, wurde zuerst ihre Kleidung schwarz gefärbt[202]). Auch wurde hier Abdallah Mamun zum Chalifen ernannt, und er trat von hier seinen Zug gegen Emin an. Aus dieser Stadt stammen mehrere Generale des Chalifats und Statthalter von Irak und Chorasan, so wie viele Rechtsgelehrte und Philosophen. Zu den Zeiten der Perser übertrafen die Gelehrten von Iranschehr alle andern in den Wissenschaften und Künsten; so übertraf der Arzt Barfuie alle andern persischen Aerzte[203]); so übertraf der Musikus Barbud alle übrigen Musiker seiner Zeit[204]). Ferner findet man hier das beste Essen in ganz Chorasan; man findet in keiner Stadt so reinliches Brot und so wohlschmeckende Speisen; die hiesigen Korinthen zeichnen sich vor allen übrigen aus. Wie schön die hiesigen Früchte sind, geht daraus hervor, dass die Melonen zerschnitten und nach andern Ländern ausgeführt werden, welches von keinem andern Orte bekannt ist. Wegen der Reinlichkeit und Schönheit in der Vertheilung und Anlage der Gebäude ist sie vor allen Städten in Chorasan berühmt. In der Wüste der Umgegend findet man Uschtergaf (d. h. Kameldorn)[205]), welches nach andern Ländern ausgeführt wird; aus Meru führt man auch viele Seide und Seidenwürmer aus; auch wächst hier feine Baumwolle. In der Stadt sind viele Minbar.

Herat ist der Name einer Stadt mit einem dazu gehörigen Gebiet, welches mehrere Städte enthält. Die Stadt Herat ist mit einem festen Schlosse versehen, und um sie ist Wasser. Die innere Stadt ist bevölkert; auch enthält sie Vorstädte, und in der eigentlichen Stadt ist die Citadelle und die Hauptmoschee; das Regierungsgebäude ist ausserhalb des Schlosses, an einer Stelle, welche Chorasanabad heisst, und von der Stadt durch eine Entfernung von ungefähr $\frac{1}{3}$ Parasange, nach Buschendsch zu, westwärts von Herat, getrennt ist. Die Gebäude der Stadt sind aus Lehm; ihre Länge beträgt ungefähr $\frac{1}{2}$ Parasange; die innere Stadt hat 4 Thore; das erste Thor, das nach Balch führt, und im Norden liegt, heisst Bab Serai (Palastthor); das zweite Thor führt nach Nisabur. Das Schloss hat ebenfalls 4 Thore; jedem Thore desselben entspricht ein Stadtthor, und führt mit ihm gleichen Namen. Dies Schloss ist ringsum von einem Glacis umgeben, welches 30 Schritte von demselben entfernt ist. In ganz Chorasan, Sedschestan und Mawarennahr ist keine Moschee fortwährend so stark besucht, als die von Herat. —

Im Gebiet von Herat sind viele bewohnte Städte, als Keruch, Buschendsch; auch wächst dort Wachholder, welcher indessen dem aus dem übrigen Chorasan nicht gleich kommt.

Meru el Rudh ist grösser als Buschendsch; Buschendsch ist halb so gross wie Herat, die Stadt mit ihrem Gebiete heisst auch Jehudie. — Abian ist eine kleine Stadt; Benian (?) eine kleine Stadt; Sour ist etwa so gross wie Jehudie.

Saleh ist eine kleine Stadt, in welcher Kurden wohnen.

Aradsch Asian besteht aus zwei Städten; die eine heisst Basir und die andere Surmin; beide sind an Grösse ungefähr gleich; der Sultan hat über beide keine Macht; der Befehlshaber, von welchem sie abhängen, residirt in einem Dorfe im Gebirge, Namens Lenkan; von Basir wird viel Reis ausgeführt.

Gur ist von Ungläubigen bewohnt, es liegt aber zwischen mohammedanischen Ländern, und es wohnen dort auch Moslimen. Es ist ein bevölkertes Gebirge mit Flüssen, Gärten, vielen Bäumen und Quellen; es ist stark befestigt. An der Gränze ist ein Volk, welches sich äusserlich zum Islam bekennt, es sind jedoch keine Mohammedaner. Gur wird von dem Gebiet von Herat umgeben bis nach Farra, den Städten von Dawer und Babat Kernan im Gebiet von Ferigun. Von hier bis Gurdschestan und bis Herat, so wie die Umgegend von Gur ist alles Gebiet des Islam. Die Sprache der Bewohner von Gur ist verschieden von der Chorasanischen; die Berge sind stark befestigt und mit vielen Saatfeldern versehen[206]).

Serachs ist eine Stadt zwischen Nisabur und Meru in einer Ebene ohne fliessendes Wasser, ausser einem Kanal, der einen Theil des Jahres, jedoch nicht immer fliesst, und aus dem Flusse von Herat abgeleitet ist. Die Stadt liegt ½ Parasange von Meru, ist bevölkert und hat ein gesundes Klima; das Gebiet hat nur wenige Dörfer. Der grösste Reichthum der Bewohner besteht in Kamelen; sie trinken Brunnenwasser, ihre Mühlen werden von Zugvieh getrieben; ihre Gebäude sind aus Lehm.

Nisa ist der Name einer Stadt in einer fruchtbaren Gegend mit vielem Wasser und Gärten; sie kommt Serachs an Grösse ungefähr gleich; die Einwohner haben in ihren Häusern und Strassen fliessendes Wasser; die Stadt ist sehr angenehm und hat ein weites fruchtbares Gebiet; sie gehört zum Gebiet von Dschebal.

Forawa ist eine Gränzstadt auf der Seite der Gufischen Türken, die mit einer Besatzung versehen ist; sie hat Quellen mit fliessendem Wasser in der Mitte des Ortes, und hat an 2000 Einwohner.

Kuhistan gehört zu Chorasan, und erstreckt sich längs der Wüste von Fars; es ist dort keine Stadt dieses Namens, sondern die Hauptstadt heisst Rain, deren Bewohner Schiiten sind. Zu Rain gehören die Städte Majed, Tabesin, Thogr, Bekri, Dschur und Tahas Mesinan. Kain hat eine Citadelle mit Gräben; die Einwohner haben ihr Wasser aus einer Wasserleitung. Die Stadt liegt im kalten Erdstrich.

Tabesin ist kleiner als Kain, und liegt im heissen Erdstrich; in der Umgegend wachsen Dattelpalmen. Die Stadt hat ein Schloss, aber keine Citadelle[207]); die Einwohner versorgen sich mit Wasser aus einer Wasserleitung.

Dschur ist kleiner als Tabesin, und liegt am Rande der Wüste, sie hat weder Schloss noch Citadelle; ihr Wasser kommt aus einer Wasserleitung.

Niajed[208]) ist grösser als Dschur, und hat ihr Wasser aus einer Wasserleitung. Zum Gebiete dieser Städte gehören wüste Strecken, die von Kurden bewohnt sind, welche sich mit der Kamel - und Schafzucht beschäftigen.

Tabes ist grösser als Niajed. Die Berge von Kuhistan, Tabesin und die übrigen hier genannten Orte gehören zum kalten Erdstrich. In Kuhistan kenne ich keinen Fluss mit fliessendem Wasser.

Beschreibung von Balch, Tocharestan, Chotl, Bendschehir, Badachschan und des Gebietes von Bamian.

Die Städte von Tocharestan und Chotl sind Chulm, Simindschan, Bagalan, Schekakend, Rualin, Efher, Rawen, Taikan, Sekimescht, Dura, Birai Aaszem, Hasab Enderab, Enderab, Modar, Kah. — Die Städte von Chotl sind Halawerd und Laukend; beide gehören zu Wachsch; Karik, Tamiliab (?), Hilik (?), Sekendra[209]), Munk, Madschara, Nafea und die Umgegend von Munk. Zum Gebiet von Bamian gehört die Hauptstadt Bamian, Basgurkand, Sekawend, Kabul, Bahma, Feruan, Gafna, Bendschehir. — Badachschan ist eine Gegend, die aus mehreren Landschaften besteht; die Hauptstadt ist Badachschan, und gehört dem Ebu'l Fatah.

Balch liegt in einer Ebene, und der nächste Berg ist vier Parasangen entfernt; dies ist der Berg Kerem. Die Stadt hat Mauern und Vorstädte; die Hauptmoschee liegt mitten in der Stadt, und ist von Marktplätzen umgeben, und von Menschen bewohnt. Die Stadt ist ungefähr $\frac{1}{2}$ Parasange lang und breit; ihre Gebäude sind aus Lehm; sie hat viele Thore; die Stadtmauern sind ohne Gräben, und aus Lehm aufgeführt.

In Tocharestan ist die Hauptstadt Talikan; dieselbe liegt in einer Ebene, einen Pfeilschuss von einem Berge entfernt; sie hat einen grossen

Fluss (oder Kanal); sie ist ungefähr ein Drittheil so gross, wie Balch; Warwalin kommt ihr an Grösse gleich.

Die Stadt Enderabe liegt in einem Thale zwischen Gebirgen; das in Charbane und Bendsehehir gefundene Silber wird hierher gebracht. Die Stadt hat zwei Kanäle; der eine heisst Nahr Enderair, der andere Nahr Kasan. Die Umgegend ist reich an Weinstöcken und Bäumen. Die Städte, welche in Tocharestan liegen, sind einander an Grösse alle gleich, und sämmtlich kleiner als Talikan.

Warwali und Deraje sind reich an Korn und Früchten.

Alle Städte in Chotl haben Flüsse und Bäume; die grösste derselben ist Munk; dann folgt Helbek, woselbst der Sultan wohnt. Chotl liegt zwischen dem Flusse Wachschab und dem Flusse von Badachschan; in dem Gebiete dieses Landes sind viele Flüsse, welche sich alle vor Termed vereinigen, und den Dschihun bilden.

Munk kommt Enderab ungefähr an Grösse gleich; Helbek ist kleiner. Die Gebäude dieser Städte sind aus Lehm, in Munk aber aus Kalk und Steinen. In Chotl werden viele Pferde gezogen und ausgeführt.

In Badachschan findet man Salmiak und Lasurstein; in den Gebirgen sind Bergwerke.

Bendschehir liegt auf einem Berge, und hat ungefähr 10,000 Einwohner, meistens Spitzbuben und Taugenichtse. Die Stadt hat einen Kanal und Gärten, aber keine Saatfelder.

Charbane ist kleiner als Bendschehir, beide Städte haben Silberbergwerke, und die Einwohner haben ihre Wohnungen neben diesen Minen.

Die grösste Stadt in Bamian ist ungefähr halb so gross, wie Balch und liegt an einem Berge; vor ihr fliesst ein grosser Fluss.

Die reichste Handelstadt im Gebiet von Balch ist Gafna; sie hat keine Gärten.

Kabul hat eine Citadelle[210]), die sich durch Festigkeit auszeichnet und zu welcher nur ein einziger Weg führt; die Stadt wird von Muselmännern bewohnt, die Vorstädte von Ungläubigen aus Indien. Der Schah gilt nicht eher als rechtmässiger König, als bis er in Kabul mit dem Schwert umgürtet ist. Die Stadt ist ein indisches Emporium.

Von Balch werden weibliche Trampelthiere ausgeführt, welche alle andern Trampelthiere übertreffen; es wachsen dort Orangen, Nymphäen und Zuckerrohr, aber keine Dattelpalmen; es fällt dort Schnee. Die meisten Produkte aus Gur werden nach Herat, Sedschestan und der Umgegend gebracht. Längs der Gränze von Gur erstreckt sich ein Gebirge von der Gränze von Chorasan, längs Bamian bis nach

Bendschehir, und vom Anfange bis zum Ende enthält es Silber- und Goldminen.

Amol und Sem sind zwei Städte am Ufer des Dschibun; sie haben fliessendes Wasser und Gärten; bei Amol laufen die Wege von Chorasan nach Mawarennahr zusammen.

Chowarefm ist ein Küstenland, und enthält sehr grosse Wüsten jenseits des Flusses.

Die schönsten Lastthiere kommen aus dem Gebiet von Balch; die schönsten Sklaven aus dem Lande der Türken; die schönsten baumwollenen und seidenen Kleider aus Nisabur und Meru; der beste Waizen kommt von Meru; das beste Hammelfleisch kommt aus dem Lande der Gufie; das süsseste Wasser ist das des Dschibun; die wohlhabendsten Leute von Chorasan wohnen in Nisabur; die kälteste und schneereichste Gegend von Chorasan ist Bamian, indem wir Chowarefm zu Mawarennahr rechnen.

Entfernungen in Chorasan.

Von Nisabur nach der äussersten Gränze gegen Komes zu; nach dem Kurdendorfe in der Nähe von Asadabad 7 Tage; von hier nach Damagan 5 Stationen. Von Nisabur nach Serachs 6 Stationen; von Serachs nach Meru 5 Stationen; von Meru nach Amol am Dschibun 6 Stationen. Von der ersten Gränze des Gebiets von Nisabur in der Nähe von Komes nach dem Bette des Dschibun in gerader Linie 26 Stationen; von Nisabur nach Esferain, dem äussersten Punkte des Gebiets von Nisabur, 5 Stationen; von Nisabur nach Bufdschan 5 Stationen; von Bufdschan nach Buschendsch 4 Stationen; von Buschendsch nach Herat 4 Stationen; von Herat nach Esferain 3 Stationen; von hier nach Dere, dem äussersten Punkte des Gebiets von Herat 2 Stationen; von Dere nach Sedschestan 7 Tage. Von Nisabur nach Tus 3 Stationen; von Nisabur nach Nisa 6 Stationen; von Nisa nach Forawe 4 Stationen; von Nisabur nach Kain, der Hauptstadt von Kuhistan, 9 Stationen; von Kain nach Herat 8 Stationen. Von Meru nach Meru el Rud 6 Stationen; von Meru nach Herat 12 Stationen; von Meru nach Abiwerd 6 Stationen; von dort nach Nisa 4 Stationen. — Wir wollen jetzt die Entfernungen zwischen Meru und Amol, und zwischen Meru und Serachs angeben. Von Meru nach Rud auf dem Wege nach Balch 6 Stationen; von Herat nach Serachs 5 Stationen; von Balch nach dem Ufer des Flusses auf dem Wege nach Termed 2 Tage; von Balch nach Enderabe 9 Stationen; von Balch nach Bamian 10 Stationen; von Bamian nach Gafna 8 Stationen. Von Balch nach Badachschan 13 Stationen; von Baleh nach dem Ufer des Flusses auf dem Wege nach Chotl 3 Stationen.

Breite von Chorasan von Badachschan längs dem Ufer des Flusses Dschihun nach dem See von Chowarefm (Aralsee). Von Badachschan nach Termed in gerader Linie längs dem Flusse ungefähr 13 Stationen; von Termed nach Sem 5 Stationen; dann nach Amol 4 Stationen; dann nach der Stadt Chowarefm 12 Stationen; von der Stadt Chowarefm nach dem See von Chowarefm 6 Stationen.

Entfernungen der Städte von Meru. Von Meru nach Keschmihin 1 Station; eine Parasange links von Keschmihin liegt ein Dorf an dem Wege nach der Wüste, die nach Chowarefm führt; Sinidsch liegt eine Station von der Stadt zwischen dem Wege nach Serachs und dem Wege nach Meru; Didanekan liegt 2 Stationen von Meru auf dem Wege nach Serachs; Karinin ist 4 Stationen von Meru an dem Flusse von Meru. —

Entfernungen der Städte von Herat. Von Herat nach Isfifar 3 Stationen; Isfifar besteht aus 4 Städten, welche alle weniger, als 1 Station von einander entfernt sind; von Herat nach Kindsch 3 Tage; von Herat nach Buschendsch 1 Tag; von Buschendsch nach Kerre 4 Parasangen; von Buschendsch nach Ferkerde ungefähr 2 Tage; von Ferkerde nach Herkerde 1 Tag; von dort nach Sufen 1 Tag. Von Herat nach Basan 1 Station; von Basan nach Hian 1 Station; nach Sinifian und Bariad 1 Station; nach Oka 1 Tag; nach Dschist 2 Tage; bei Dschist betritt man die Gränze von Gur. Von Herat nach Batic 2 Stationen; von Batie nach Keif 1 Station; von Keif nach Baasur 1 Tag.

Entfernungen der Städte von Balch. Von Balch nach Chulm 2 Tage; nach Waralin 2 Tage; von Talikan nach Badachschan 7 Tage; von Chulm nach Semendschar 5 Tage; dann nach Enderabe 5 Tage; dann nach Charbane 3 Stationen; dann nach Bendschehir 1 Tag; dann nach Ferawan 2 Stationen. Von Balch nach Bagolan 6 Stationen; von dort nach Simindschan 4 Stationen. Von Balch nach Modar 6 Stationen; von Modar nach Kah 1 Station; von Kah nach Bamian 3 Stationen. Von Balch nach Asburkan 3 Stationen; dann nach Fariab 3 Stationen; dann nach Talikan 3 Stationen; dann nach Meru el Rud 3 Stationen.

Entfernungen zwischen den Städten von Kuhistan. Von Kain nach Sufen 3 Stationen; von Kain nach Tabes Mesinan 2 Tage; dann nach Dschur 2 Tage; dann nach Chuast 2 Parasangen; von Kain nach Tabesin 3 Stationen.

Karte von Chorasan.

1. 2. Karte von Chorasan. 3. . . . . . 4. Gafna. 5. Indien. 6. Kabul. 7. Gränze von Wachschab. 8. Ost. 9. . . . . . 10. Bertan. 11. Dschargad.

KARTE VON CHORASAN.

Ost.

Wachschab Kabul Indien.

Techa

Gebiet v. Bochara.

Chowaresm.

Sandwüste von Meru

Nord.

Aral See.

9
10
11
12
13
14
15
17
18
19
20
21
22
23
24
25
26
27
33
34
35
36
37
38
41
42
43
46
48

12. Endermar. 13. Hia. 14. Badachschan. 15. Ladhain. 16. Dschanabkan.
17. Malian. 18. Hehem. 19. Balch. 20. Meindschane. 21. Modarab.
22. Kah. 23. Bamian. 24. Enderabe. 25. Chuarbane. 26. Bendschehir.
27. Ferawan. 28. 29. Tocharestan. 30. Fluss Hawas (als Var.). 31. Fluss
Meruab. 32. Ililedsch. 33. Talikan. 34. Fariab. 35. Aminurkan. 36. Meru.
37. Masan. 38. Hormufd Hara. 39. Keschmihin. 40. Sandwüste von
Mern. 41. Amol. 42. Sem. 43. Termed. 44. Karte von Chorasan.
45. Gränze von Bochara. 46. Dschihun. 47. Chowarefm. 48. Kai. 49.
50. See von Chowarefm. 51. Wüste von Nisa nach Chowarefm. 52. Fo-
ware. 53. Nisa. 54. Mihie. 55. Haru (Faru, als Var.). 56. Bidschak.
57. Hirendsch. 58. Karabin. 59. Nedschd Dilahan. 60. Susfan. 61. En-
diwerd. 62. Biware. 63. Berdgid. 64. Serachs. 65. Tageran. 66. Städte
Ku. 67. Berfaris. 68. Badindschan. 69. Radek. 70. Dschordschan.
71. Dehistan. 72. Gränze von Dschordschan. 73. Esferain. 74. Mihrdschan. 75. Sinidsch. 76. Chan Ruan. 77. Seferwar. 78. Sarwan.
79. Riware (als Var.). 80. Riwend. 81. Dschisrkerd. 82. Bähmenabad.
83. — 84. Afadwar. 85. Mobedan. 86. Gränze von Komes. 87. West.
88. Wüste zwischen Fars und Chorasan. 89. Keri. 90. Tabesin. 91. Nisabur. 92. Tersif. 93. Kunduf. 94. Niajed. 95. Tun. 96. Kain. 97. Sufen.
98. Majed. 99. Bikan. 100. Dschaikerd. 101. Biali. 102. Siurmek.
103. Hadadkerd. 104. Ferkerd. 105. Buschendsch. 106. Dschuidchan
(als Var.). 107. Burchan. 108. Kub. 109. Silberberg. 110. Badgis.
111. Herat. 112. Oka (Fluss von Herat, als Var.). 113. Tefsidschen.
114. Keruch. 115. Bagiun. 116..... 117.... 118. Kamrabad. 119. Städte von
Gur. 120. Ewel Saken. 121. Kerdin. 122. Erdisekr. 123. Kerum (als Var.).
124. Ferawan. 125. Karawan. 126. Malen. 127. Adasali Ferad. 128. Tabes.
129..... 130. Dschur. 131. Süd. 132. See Serc. 133. Theil von Sedschestan. 134. Isfifar. 135. Sandwüste von Sedschestan. 136. Serendsch.
137. Fluss Hindmend. 138. Sindhind (als Var.).

Mawarennahr (Transoxania).

Mawarennahr gränzt im Osten an Kain, Rast und Chotl, welche
zu Indien gehören, und in gerader Linie liegen; im Westen an das
Land der Gufic und Charlechie, welche Gränze eine Bogenlinie bildet
von Holwan bis nach Fariab, Sekender, Sogd, dem Gebiete von Bochara und Chowarefm bis zu dem Aralsee; im Norden an das Land der
Türken und Charlechie von der äussersten Gränze von Fergana nach
Taraf in gerader Linie, da Chotl zwischen den Flüssen Dschariab und
Wachschab liegt; im Süden an den Fluss Dschihun von Badachschan
bis zum See von Chowarefm in gerader Linie. Wir haben Chowarefm

und Badachschan zu Mawarennahr gerechnet, da Chotl zwischen den Flüssen Dschariab und Wachschab und dem Strombett des Dschihun liegt, und der Fluss Dschariab und alles, was unterhalb desselben ist, jenseits des Dschihun gelegen ist. Auch die Hauptstadt von Chowarefm liegt jenseits des Dschihun, und ist den Städten von Mawarennahr näher, als Chorasan.

Mawarennahr ist eins der fruchtbarsten, angenehmsten und reichsten Länder des Islam; die Einwohner sind alle zum Guten geneigt; sie folgen bereitwillig jedem, der sie dazu auffordert, und wenn er sie auch mit Strenge und Härte beherrscht, so folgen sie ihm doch im Glück und Unglück. Man findet dort alle Bergwerksprodukte; diejenigen Lebensbedürfnisse, die von den ihrigen verschieden sind, werden aus dem benachbarten Lande der Türken eingeführt; von dort kommen die besten Sklaven des Morgenlandes; von Tübet und dem Lande der Charchif bringt man Moschus, Safran und Kamelhaare. Von ihrer Gastfreiheit zeugt, dass oft hundert bis zweihundert Menschen mit ihren Lastthieren und Dienern unerwartet in ein Haus kommen, wo sie für sich und für ihre Thiere hinreichende Nahrung finden, ohne dass sich der Herr des Hauses um sie bekümmert. Es gibt in Mawarennahr keinen Wasserplatz, keine Wüste und kein Dorf, wo nicht Wirthshäuser sind, um daselbst einzukehren. In Samarkand sind über tausend Stellen, wo Eis-Wasser vertheilt wird.

Zu den Unannehmlichkeiten des Landes gehört, dass es im ganzen Gebiete des Islam keine Gegend gibt, wo so viel Kriegsgetümmel herrscht, als hier, denn ganz Mawarennahr ist von Feinden umgeben. Ich habe gehört, dass Motaszem Billah dem Abdallah ben Taher[211]) einen Drohbrief schickte; dieser schickte den Brief an Nuh ben Asad, welcher dem Chalifen zurückschrieb, dass in Mawarennahr 300,000 Dörfer wären, wovon jedes einen Reiter und einen Fusssoldaten stellte, ohne dass ihr Abgang eine Abnahme der Bevölkerung sichtbar machte. Ich habe ferner gehört, dass man in keiner Gränzfestung so gut gerüstet ist, wie in Sekasch und Fergana; ein einzelner Gemeiner hat oft zwischen hundert und zweihundert Lastthiere. Wegen der weiten Entfernung ihrer Wohnsitze sind sie die ersten, welche zur Wallfahrt aufbrechen; vor ihnen betritt keiner die Wüste, keiner verlässt sie vor ihnen. Nichts desto weniger sind sie die besten Menschen; sie sind ihren Vorgesetzten gehorsam, und äusserst dienstwillig gegen ihre Obern und gegen die Türken, die sich des Chalifats von Mawarennahr aus bemächtigt haben, als Afschin, Ebu'l Schadsch und Ichschid[212]).

Gegenwärtig herrschen über diese Gegenden und über Chorasan die Samaniden, welche Nachkommen des Bahram Dschubin sind[213]).

Wenn Leute aus diesen Gegenden sich treffen, so stehen sie sich gegenseitig bei, wie es unter Verwandten üblich ist, und wenn sie auch durch Zufälle getrennt werden, so vereinigen sie sich doch an einem Orte wieder.

Im ganzen Gebiet des Islam habe ich weder einen schönern Ort gesehen, noch davon gehört, als Bochara; denn wenn man die Citadelle besteigt, so sieht man in der ganzen Umgegend nichts als Grün, dessen Farbe sich der Himmelsfarbe nähert; die Menschen sind schön und die Felder gut angebaut. — Zu den schönsten Oertern auf der Erde gehören Sogd, Samarkand, der Fluss Obolla und die Guta von Damaskus; doch kommen auch Sabur und Dschur in Fars der Guta von Damaskus und dem Fluss Obolla gleich, wie wir schon bemerkt haben. Allein Sogd Samarkand übertrifft die Guta von Damaskus und den Fluss Obolla an Schönheit und Anmuth: denn von dem Gebiet von Bochara an längs dem Thalbett von Sogd sieht man rechts und links auf einer Strecke von acht Tagereisen in ununterbrochener Folge grüne Wiesen und Gärten, welche fliessende Ströme verbergen. In Oschrusna findet man Rosen bis zu Ende des Herbstes.

Die erste Landschaft von Mawarennahr, welche an den Dschihun stösst, ist Bochara, wenn man von Chorasan kommt; an dieselbe gränzt der übrige Theil von Sogd, welcher nach Samarkand benannt ist, Osruschna, Sekasch, Fergana, Reither, Tesnif, Szaganian mit dem Gebiete, Chotl, so wie die Gegenden am Dschihun von Termed an, Kowadian, Achsisak und Chowaresm. — Bariah, Isbidschab bis Taraf, und Ilak haben wir zu Sekasch, und Chodschande zu Fergana gerechnet; Bochara, Kesch und Nisf haben wir sämmtlich zu Szogd gerechnet.

Der Dschihun entspringt unter den Namen Dschariab in dem Lande Wadschan, welches zu Badachschan gehört; in Chotl und Wachsch erhält er mehrere Zuflüsse, wodurch er zu einem grossen Strome wird. Der erste Zufluss des Dschariab heisst Achas, auch Helbek; dann folgt der Fluss Bertan; der dritte ist der Fluss Faregi; der vierte der Fluss Andidschara; der fünfte der Fluss Wachschab, welcher der mächtigste von allen diesen Flüssen ist. Jene vereinigen sich alle mit dem Dschihun, ehe sich der Wachschab bei Kowadian in ihn ergiesst; hierauf vereinigen sich mit ihm die Flüsse von Botom und andere; dann die Flüsse von Szaganian und Kowadian, welche sich bei Kowadian in den Dschihun ergiessen. Der Fluss Wachschab entspringt im Lande der Türken, fliesst darauf durch das Land Wachsch, und erreicht die dortigen Berge, wo eine

32

Brücke über ihn führt; man kennt keinen Fluss von dieser Grösse, dessen
Bett sich so sehr verengert, wie der Wachschab in dieser Gegend. Diese
Brücke bildet die Gränze zwisehen Chotl und Waschdscherd. Von hier
fliesst der Dschihun längs dem Gebiet von Balch nach Termed, dann
längs Galef, Sem und Amol, erreicht dann Chowarefm und den See
Chowarefm. [214]) Von Chotl und Termed bis in die Umgegend von
Sem ergiesst sich kein Fluss in den Dschihun; er befruchtet die Felder
von Sem, Amol, Faraber, und erreicht dann Chowarefm.

Die erste Landschaft von Mawarennahr am Dschihun ist Chotl und
Wachsch; dies sind zwei Landschaften, die aber zu einem einzigen Gebiete vereinigt sind, und zwischen dem Dschariab und Wachschab liegen.
Sie gränzen an Wadschan und Sakia [215]), welches Wohnsitze der Ungläubigen sind, aus denen Moschus und Sklaven kommen. In Wadschan sind vortreffliche Silberminen; in dem Flusse von Chotl findet
man Gold, welches aus dem Lande Wadschan mit der Strömung dahin
gespült wird. Zwischen Wadschan und Tübet findet man Schwefel. —
In Chotl sind viele Saatfelder und Früchte; das Land ist sehr fruchtbar,
und nährt viele Pferde und Hausthiere.

Von Chotl und Wachsch kommt man nach Waschdscherd, Kowadian, Termed und Szaganian, welche mit den dazu gehörigen Distrikten
zu einem einzigen Gebiet vereinigt sind.

Die Stadt Termed liegt am Dschihun, und hat eine Citadelle und
Vorstadte, die mit Mauern umgeben sind. Das Regierungsgebäude liegt
in der Citadelle, das Bethaus innerhalb der Mauern in der Vorstadt.
Die Gebäude sind aus Lehm; die grössten Strassen und Marktplätze
sind mit Ziegelsteinen gepflastert. Die Stadt ist volkreich und ist der
Hafenort dieser Gegend am Dschihun. Die nächsten Berge sind eine
Station entfernt. Die Einwohner haben ihr Wasser aus dem Dschihun
und aus dem Fluss, der vom Szaganian kommt; zu dem Gebiete der
Stadt gehören die Stadte Szermendschan und Hasemkerd.

Kowadian ist eine Stadt, zu welcher ein Distrikt gehört; sie ist
kleiner als Termed; zu ihrem Gebiet gehört die Stadt Buden.

Waschdscherd kommt Termed an Grösse ungefahr gleich; Schuman ist kleiner, als Waschkerd. Von hier bis in die Nahe von
Szaganiau wächst viel Safran; von Kowadian kommt Krapp.

Die Stadt Szaganian ist grösser als Termed, Termed aber ist
volkreicher und wohlhabender.

Achsisak liegt Sem gegenüber; Sem liegt in Chorasan; sie sind
aber beide zu einem Gebiete vereinigt, und der Minbar ist in Sem; die
Umgegend der Stadt ist nicht sehr fruchtbar.

Die Stadt Faraber gehört zum Gebiet von Bochara.

Chowarefm ist der Name eines Landes, welches von Chorasan und Mawarennahr abgesondert, und auf allen Seiten von einer zusammenhängenden Wüste umgeben ist. Im Norden und Westen wohnen ihnen die Gufic gegenüber; im Süden und Osten ist Chorasan und Mawarennahr. Hier beendigt der Dschihun seinen Lauf, und es liegt weiter kein bewohnter Ort an ihm, denn er ergiesst sich in den See von Chowarefm; Chowarefm liegt zu beiden Seiten des Dschihun; die Hauptstadt liegt auf der Nordseite des Flusses. Im Süden desselben liegt eine grosse Stadt, welche Dschordschanie heisst, und die grösste Stadt in Chowarefm nächst der Hauptstadt ist. Es ist der Handelsplatz der Gufic, und von hier gehen die Karawanen nach Chorasan, nach dem Lande der Chafaren und nach Dschordschan ab.

Chowarefm sollte halb auf der Charte von Chorasan und halb auf der von Mawarennahr abgebildet sein.

Zu den Städten von Chowarefm gehören ausser der Hauptstadt noch Hefarasb, Dargan, Chiwa, Ardachmaschis, Saferun, Nufan, Kordan Chas, Chuabin, Kerden, das Dorf und die Stadt Abratkin, Kamenahabad, Chas, Murdachkan, Dschordschanie.

Die Hauptstadt heisst Chowarefmie Gath, und hat eine Citadelle; sie ist nicht volkreich; die Stadt lag früher an einer andern Stelle, wurde aber durch den Fluss zerstört, worauf man sich jenseits der alten Stadt anbaute. Jetzt fliesst der Fluss bei der Citadelle vorbei, und man fürchtet, dass auch diese zerstört werde. Mitten durch die Stadt fliesst ein Kanal, welcher Hordur heisst, und die Stadt in zwei Hälften theilt; der Marktplatz liegt zu beiden Seiten des Kanals; die Länge der Stadt ist ungefahr $\frac{1}{3}$ Parasange. Die Thore der Stadt sind zum Theil mit der Stadt zerstört worden, und da, wo diese zerstört ist, fehlen auch die Thore; hinter dieser Stelle, wo der Fluss seine Verwüstungen anrichtete, hat man wieder Thore erbaut.

Das Gebiet von Chowarefm beginnt bei Taberic in der Nähe von Amol, wo die bewohnten Landstriche im Süden des Dschihun liegen; die Nordseite ist dort unbebaut, bis man nach dem Dorfe Arabachsie kommt; von Arabachsie bis zur Stadt Chowarefm liegt das bewohnte Land zu beiden Seiten des Flusses; 6 Parasangen von Arabachsie ist aus dem Dschihun ein Kanal abgeleitet, an welchem bewohnte Landstriche bis zur Stadt liegen; er heisst Kachuare, d. h. Ochsen-Essend [216]). Die Breite des Kanals ist ungefähr 5 Klafter, und seine Tiefe ungefähr 2 Mannslängen; er ist schiffbar und theilt hier sein Bett; zwei Parasangen weiter heisst er der Fluss Keric [217]).

An dem Dschihun trifft man von Taherie bis Hefarasb die bewohnten
Strecken nur von geringer Breite an; bei Hefarasb aber wird das bewohnte Land breiter, und erreicht der Stadt gegenüber eine Breite von
einer Station; dann aber verengert es sich wieder, und wird ungefähr
zwei Parasangen breit; dann erreicht es die Berge, hinter denen die
Wüste ist.

Von Hefarasb bis zu den andern Orten auf der Westseite des
Dschihun trifft man mehrere Kanäle an, z. B. den Kanal von Hefarasb,
der bei Amol aus dem Dschihun abgeleitet ist; er ist ungefähr halb so
gross wie der Kachuare, und ist schiffbar. Ungefähr zwei Parasangen
von Hefarasb ist Kordan Chuas, welcher grösser ist, als der Hefarasb;
dann kommt der Kanal Cheire, welcher grösser als der Kanal Duas
ist; der Chuas ist schiffbar bis Cheire [218]). Vom Kanal Kachuare bis
zur Stadt sind 12 Parasangen; die Breite des Kachuare ist zwei Parasangen [219]). Der Kanal Lokusz ist vier Parasangen unterhalb der Stadt
Chowarefm abgeleitet, und besteht anfangs aus vier Kanälen, die nahe
bei einander sind, nachher aber sich zu einem einzigen vereinigen,
welcher dem vereinigten Buh (?) gleich kommt. Man sagt, dass der
Dschihun an dieser Stelle fliesse, und wenn sein Wasser abnimmt, so
nimmt auch das Wasser in diesen Kanälen ab. Bei jedem Dorfe zwischen
Kerden und der Hauptstadt ist ein aus dem Dschihun abgeleiteter Kanal.
Der Dschihun erreicht den See von Chowarefm an einer Stelle, wo
Fischer wohnen, aber kein Dorf und kein Gebäude ist; diese Stelle
heisst Childschan (Chalidschan). Diesem Orte Chalidschan gegen-
über an dem Ufer des Sees ist das Land der Gufie. Zu Friedenszeiten
kommen sie von dieser Seite nach dem Dorfe Beratkin, und von einer
Seite zur andern nach Dschordschanie; alle diese Orte liegen am
Dschihun, ungefähr eine Station vor dessen Vereinigung mit dem Kanal
Kachuare. Hier theilt sich der Dschihun, und sein Wasser verringert
sich so sehr, dass seine Breite ungefähr nur $\frac{1}{3}$-der früheren ist; diese
Stelle heisst Wabufasa, und ist gefährlich für die Schifffahrt, wegen
der gefährlichen Strömungen und Untiefen bei der Mündung. — Zwischen der Mündung des Dschihun und des Flusses Schasch sind ungefähr zehn Tagereisen. Der Fluss Dschihun gefriert oft im Winter, so
dass man mit Lasten über ihn gehen kann; das Gefrieren desselben
beginnt bei Chowarefm, und reicht von da hinauf, wo er das Eis erreicht [220]); die kältesten Oerter am Dschihun sind vom Thale von Chowarefm an. Am Ufer des Sees von Chowarefm ist ein Berg, welcher
Dschagrager heisst, bei demselben gefriert das Wasser, und das Eis
bleibt bis zum Sommer; es ist hier ein mit Rohr bewachsener Sumpf.

Der Umfang dieses Sees beträgt, wie ich gehört habe, ungefähr 100 Parasangen; sein Wasser ist salzig und hat keinen sichtbaren Abfluss; der Dschihun, der Schasch und andere Flüsse ergiessen sich in ihn, ohne dass dadurch sein Wasser süss wird oder zunimmt. Es scheint also, dass zwischen ihm und dem kaspischen Meere Kanäle sind, durch welche ihr Wasser abfliesst. Die Entfernung dieser beiden Seen ist ungefähr 20 Stationen[221]).

Chowarefm ist reich an mancherlei Früchten; es wachsen hier jedoch keine Wallnussbäume; die Einwohner sind wohlhabend und freundlich; von allen Bewohnern Chorasans sind sie die grössten Reisenden; sie reden eine besondere Sprache; ihre Kleidung ist die Kurtka und die Mütze; mit den Gufie leben sie in Feindschaft; ihr hauptsächlichster Wohlstand kommt von dem Handel mit den Türken und von der Viehzucht. Es kommen hier viele Sklaven aus den Landern der Slaven und Chafaren und den zu ihnen gehörenden Gegenden mit den türkischen Sklaven an; auch vortreffliche Felle werden hierher gebracht.

Bochara heisst eigentlich Bumahketh; die Stadt liegt in einer Ebene; die Häuser sind aus Holz und stehen dicht bei einander und sind von den Gebäuden der Schlösser und Gärten umgeben. Die Strassen sind gepflastert; alle Dörfer rings um die Stadt in einer Entfernung von 12 Parasangen sind mit einer einzigen Mauer umgeben, welche diese Schlösser, Gebäude, Dörfer und die eigentliche Stadt einschliesst; die Stadt selbst hat noch eine andere Mauer, welche eine Parasange lang und breit ist, und ihr als Befestigung dient; auch ist ausserhalb der Stadt eine Citadelle[222]), die mit der Stadt zusammenhängt; die Stadt ist nur klein. In derselben ist ein Schloss und die Wohnung des Herrschers von Chorasan von der Dynastie der Samaniden; die Stadt hat auch Vorstädte. Iu Chorasan und Mawarennahr gibt es keine Stadt, deren Gebäude so dicht gedrängt neben einander stehen, und deren Bevölkerung so zahlreich ist im Verhältniss zu ihrer Grösse. In der Vorstadt ist der Fluss Szogd, welcher die Vorstadt und ihre Strassen mit Wasser versorgt; hier ist das Ende des Flusses Szogd. Die Stadt hat 7 eiserne Thore, die Citadelle zwei Thore, wovon eins zur Hauptmoschee führt. Weder die Stadt noch die Citadelle haben wegen ihrer hohen Lage fliessendes Wasser; sie werden mit Wasser aus dem grossen Kanale versorgt, aus welchem viele Kanäle in die Stadt abgeleitet sind; auch ausserhalb der Stadt sind viele Kanäle aus dem Flusse Szogd in die Umgegend geleitet, an denen viele Dörfer und Felder liegen; die meisten derselben sind schiffbar. Die Ländereien von Bochara liegen sämmtlich am Wasser, weil dasselbe seinen Abfluss in den Fluss Szogd hat; eben desshalb wachsen die Bäume nicht sehr hoch. Die Früchte von Bochara sind die gesundesten und wohlschmeckendsten von Mawarennahr.

Das Gebirge in der Nähe des Dorfes Warka erstreckt sich bis Samarkand, und schliesst sich zwischen Kesch und Samarkand an das Gebirge Botom an, letzteres erstreckt sich längs Osruschna in der Breite von Fergana bis nach dem Gebiet von Scheldschi und Taraf, und von da nach der Gränze von China. Dies ist die Wüste von Osruschna in der Breite von Fergana, Ilak, Scheldschi und Leban bis nach dem Lande der Charchif, welche ihrer ganzen Ausdehnung nach sich an dieses Gebirge lehnt. Das Gebirge liefert Ammoniak im Gebiet von Botom; Vitriol, Eisen, Quecksilber, Kupfer, Bley, Gold, Naphtha, Theer, Pech, Türkise im Gebiet von Fergana. In dem Gebiet von Fergana findet man Steine, welche wie Kohlen brennen; auf den Gipfeln und Hochebenen bei Fergana wachsen Früchte, welche zum allgemeinen Gebrauche Jedermann erlaubt sind. Auf dem Gebirge im Gebiet von Botom und auf dem Gebirge Sak bei Samarkand sind Quellen, deren Wasser im Sommer während der stärksten Hitze gefriert; wenn aber der Winter kommt, thaut das Wasser auf, und wird heiss. Im Winter begeben sich die Heerden dahin, um sich daselbst zu erwärmen.

Bochara hat innerhalb und ausserhalb seiner Ringmauern Städte. Innerhalb der Ringmauern liegt Tawawis, welche nächst der Hauptstadt den grössten Minbar hat. Sie hat Märkte, wo sich die Leute aus allen Gegenden von Mawarennahr zu gewissen Zeiten des Jahres versammeln. Man verfertigt hier baumwollene Kleider, die nach andern Orten gebracht werden. Die Stadt hat viele Gärten und fliessendes Wasser, und liegt in einer fruchtbaren Gegend. Sie besitzt eine Citadelle; die Hauptmoschee liegt in der Stadt.

Die Städte innerhalb der Ringmauer sind einander an Grösse und Bevölkerung gleich, und jede derselben hat eine Citadelle und Festungswerke.

Kerminie ist grösser und volkreicher als Tawawis; auch die Umgegend ist fruchtbarer.

Faraber liegt in der Nähe des Dschihun; es gehören dazu mehrere Dörfer; die Umgegend ist fruchtbar.

Die Bewohner von Bochara reden die Sprache von Szogd, doch verändern sie einige Worter derselben; diese Sprache ist die Hofsprache (Deri); ihre Sitten sind von denen des Landes verschieden. Die Einwohner von Bochara erzählen als Segnungen des Schlosses in der Citadelle, dass noch nie eine Todtenbahre aus demselben herausgetragen ist, und dass eine dort geweihte Fahne, die in den Krieg auszog, noch niemals fliehend zurückkehrte. Man sagt, dass die Bewohner Bochara's aus Isztachr abstammen.

Im Osten gränzt Bochara an Szogd; der erste Ort jenseits Kerminie ist Debusie; dann kommt man nach Erbindschan, Koschanie, Ischtichen und Samarkand. Alle diese Orte liegen im Innern von Szogd; einige rechnen auch Bochara, Kesch und Nasaf zu Szogd. Die Hauptstadt von Szogd ist Samarkand, auf der Südseite des Wadi Szogd; sie hat eine Citadelle und Vorstädte, und ist von Festungswerken umgehen. Die Stadt hat vier Thore. Das fliessende Wasser kommt aus einem Kanale, der mit Bley ausgelegt ist; der volkreichste Theil der Stadt heisst Bab el Tak, und jedes Haus hat dort einen Garten und fliessendes Wasser. Einige glauben, dass ein Tobba die Stadt erbaute, und dass Dhu'l Karnein einige Gebäude vollendete. Ueber einem Thore war eine eiserne Tafel, worauf geschrieben stand, dass die Stadt zum Gebiet des Tobba gehörte, und dass die Entfernung von Szanaa nach Samarkand tausend Parasangen betrage. Das Klima ist gesund, allein ohne die grosse Menge der Weidenbäume würde die Ausdünstung der dichtgedrängten Häuser schädlich sein. Die Gebäude sind aus Holz und Lehm; die Einwohner sind sehr gut und bescheiden; sie sind höchst reinlich in ihrem Aeussern, und halten sehr viel auf ihren Körper, worin sie alle Bewohner von Chorasan übertreffen. . . . . Hier ist der Sammelplatz der Sklaven von Mawarennahr, und die besten Sklaven von Mawarennahr werden in Samarkand erzogen. Die meisten Strassen sind mit Steinen gepflastert; die Einwohner haben ihr Wasser aus dem Wadi Szogd, welcher auf dem Gebirge Botom im Gebiet von Szaganian entspringt. Für das Wasser ist hier ein Reservoir, welches einem See gleicht, um welches Dörfer sind, deren Felder von vielen Kanalen bewässert werden.

Zu den Ortschaften, deren Wohnungen ausserordentlich nahe bei einander liegen, gehört Kanimurg.

Saduan ist der Berg, welcher südlich von Samarkand liegt; die Luft ist dort sehr gesund, die Einwohner erfreuen sich einer beständigen Gesundheit und haben eine schöne Farbe.

Koschanie liegt mitten in Szogd; die Einwohner sind wohlhabend.

Osruschna ist der Name eines Landes, wie Szogd; die grösste Stadt ist Naubachket, mit 10,000 Einwohnern; die Gebäude sind aus Lehm und Holz; die Stadt hat Vorstädte und ist mit einer Mauer umgeben.

Botom ist ein stark befestigtes Schloss; in der Umgegend sind Minen, in denen man Gold, Silber, Vitriol und Ammoniak findet, welches nach andern Gegenden ausgeführt wird. In dem Berge ist eine Art Höhle, worauf ein mit Thür und Fenstern verwahrtes Haus erbaut ist. Es steigt dort ein Dampf auf, welcher des Tags wie Rauch und des Nachts wie Feuer aussieht; dieser Dampf verdichtet sich dort zu Ammoniak. Im Innern des Hauses ist es so heiss, dass Niemand es betreten kann, ohne sich zu verbrennen, wenn man nicht mit nassem Filztuch umhüllt ist; man geht rasch hinein und rafft von dem Ammoniak so viel auf als man kann. Dieser Dampf zeigt sich an verschiedenen Stellen, und man gräbt darnach, bis er sich zeigt; wenn er an einer Stelle verschwindet, so gräbt man an einer andern darnach. Wenn dieses Gebäude aber nicht darüber errichtet wäre, um die Verflüchtigung des Rauches zu verhindern, so würde man sich ihm ohne Nachtheil nähern können.

Das Gebirge Botom wird in das erste, mittlere und innere Botom getheilt; Samarkand, Szogd und Bochara liegen im mittlern Botom von der Stelle Dschebi (?).

Das Land Sehasch und Ilak ist zwei bis drei Tagereisen breit und gehört zu den angenehmsten Gegenden; die Hauptstadt heisst Binketh.

Von dem Berge Sablag erstreckt sich eine Mauer längs Kolasz bis zum Wadi Schasch, um die Einfälle der Türken abzuwehren; sie wurde von Abdalla ben Hamid erbaut.

Fergana ist der Name einer Landschaft.

Auf dem Gebirge Asbare findet man schwarze Steine, welche wie Kohlen brennen; drei Kamelladungen davon kosten einen Dirhem; wenn sie verbrannt sind, bedient man sich der Asche zum Bleichen der Zeuge.

In Fergana wachsen Rothweiden [223] und Buchen.

Auch in dem Lande der Türken wird fossiles Ammoniak erzeugt.

Die Stadt Nasaf hat vier Thore; sie liegt auf dem Wege von Bochara nach Balch in einer Ebene; das Gebirge ist ungefähr zwei Tagereisen in der Richtung von Kesch entfernt. Zwischen Nasaf und dem Dschihun ist eine Wüste, in welcher keine Berge sind. Mitten durch die Stadt fliesst ein Fluss, in welchen sich die Gewässer von Kesch ergiessen.

In den Gebirgen von Ilak gibt es Gold- und Silberminen; dieses Gebirge erstreckt sich bis zur Gränze von Fergana.

Die Städte Binketh und Saburketh kommen Charaschketh an Grösse gleich.

Die einzigen Münzgebäude in Mawarenuahr sind in Samarkand und Binketh.

Die Stadt **Isbidschab** ist ungefähr ein Drittheil so gross wie Bin-keth; sie hat eine Citadelle und vier Thore.

In **Schasch** und **Ilak** sind sehr viele Minbar.

Chodschende gränzt an Fergana; wir haben es mit zu Fergana gerechnet, obgleich es eigentlich ein abgesondertes Gebiet bildet; die Stadt liegt an der Westseite des Flusses Schasch, und ihre Länge ist grösser, als ihre Breite; die Häuser und Garten erstrecken sich auf eine Parasange weit. In ihrem Gebiet liegt keine andere Stadt, als **Kend**, deren Gärten und Häuser weit ausgebreitet sind. Sie hat eine Citadelle und liegt in einer anmuthigen Gegend, wo man vortreffliche Früchte findet. Die Einwohner sind gut und freundlich.

Fergana ist der Name eines Landes, dessen Hauptstadt **Achsi-keth** ist. Diese Stadt liegt am Rande einer Ebene, auf der Nordseite des Flusses, und hat in ihrer Mitte eine Citadelle. Ihre Länge ist un-gefähr $\frac{1}{4}$ Parasange, und ihre Vorstädte sind mit Mauern umgeben. Von Fergana kommen Produkte, die man anderswo in Mawarennahr nicht findet; in den dortigen Bergen sind Gold- und Silberminen in der Ge-gend von Bowad, Achsiketh u. s. w., und in den Gebirgen von Sudsch findet man Quecksilber und Zinnober. Ferner gibt es in diesem Lande Türkis-, Kupfer- und Bleiminen.

Entfernungen in Mawarennahr.

Vom Dschihun nach Fergana, der äussersten Gränze von Ma-warennahr 23 Stationen. Vom Dschihun nach Taraf 22 Stationen; von Bochara nach Balch 13 Stationen. Wer von Bochara nach Chowarefm durch bewohntes Land reisen will, bedarf 12 Stationen. Vom Dschihun bei Faraber bis nach Baikend eine grosse Station; von Baikend nach Bochara 1 Station; von Bochara nach Tawawis 1 Station; von Tawawis nach Kerminie 1 Station; von Kerminie nach Debusie eine kleine Station; von Debusie nach Erbindschen 1 Station; von Erbindschen nach Serman 1 Station; von Serman nach Samarkand 1 Station; von Samarkand nach Anariketh 1 Station; von Anariketh nach Rabat Saad 1 Station. Auf dieser Station theilen sich die Wege nach Fergana und Schasch, wenn man von Rabat Ebu Ahmed kommt. Von Rabat Saad nach Sermend 1 Station; von Sermend nach Ramin 1 Station; von Ramin nach Sabat 1 Station; von Sabat nach Urkend 1 Station; von Urkend nach Schariketh 1 Station; von Sebari-keth nach Chodschende 1 Station; von Chodschende nach Kend 1 Station; von Kend nach Nasuh 1 Station; von Nasuh nach Rischak 1 Station;

von Rischak nach Siruamisch 1 Station; von Siruamisch nach Kuba
1 Station; von Kuba nach Aras 1 grosse Station; von Aras nach Urkend
1 grosse Station; dies ist der Weg von Faraber nach Urkend, dem
äussersten Punkte von Mawarennahr. Wer von Chodschende nach
Achsiketh, der Hauptstadt von Fergana reisen will, geht von Kend nach
Charakend 1 grosse Station; von Charakend nach Achsiketh 1 Station;
hier sind 2 Wege; der eine führt durch Wüsten und Sandstrecken
7 Parasangen nach Bab Achsiketh; dann setzt man über den Fluss
Schasch nach Achsiketh; der andere führt über den Fluss nach Baban
5 Parasangen, und von Bab nach Achsiketh 4 Parasangen. Die ganze
Entfernung von Faraber nach Urkend beträgt 23 Stationen.

Weg von Schasch nach der äussersten Gränze des Islam. Von
Abanketh nach Batman 1 Station. Von Schasch und Fergana nach
Rabat Ebu Ahmed führt ein und derselbe Weg; von hier kürzt man
den Weg nach Norden ab, wenn man von Rabat Ebu Ahmed nach
der Station Katran Dere geht; man kann auch nach der Station Chor-
kane gehen. Von dort nach Sirek, Schak el Husein, Schak Dschumeid,
Ratikerd, Isturketh, Binketh, dann nach dem Rabat Ankarir in Kolasz;
von hier nach dem Dorfe Arkerd, dann nach Ischtidschab, Barachketh;
von Barachketh nach Taraf 2 Tagereisen, ohne dass man einen Rabat
oder eine Wohnung antrifft. Wer den Weg nach Binketh einschlagen
will, geht von Anariketh nach dem Rabat Saad; von dort nach Ramin,
Charis, Selketh, Saburketh. Vom Dschihun bis Taraf beträgt die Entfernung auf diesem Wege 22 Stationen.

Weg von Bochara nach Balch. Von Bochara nach Farahun 1 Station; von dort nach Mobarekak 1 Station; von Mobarekak nach Maimorg
eine grosse Station; von dort nach Nasaf 1 Station; von dort nach
Sudsch 1 Station; von dort nach Sirken 1 Station; von dort nach
Kendi 1 Station; von dort nach Bab el Chabirin 1 Station; von
dort nach Rabat Arik 1 Station; von Rabat Arik nach Haschemkerd
1 Station; von dort nach Termed 1 Station; hier setzt man über den
Dschihun nach Siahkerd 1 Station; von dort nach Baleh 1 Station;
von Bochara nach Balch sind also 13 Stationen.

Weg von Samarkand nach Baleh. Von Samarkand nach Kir 2 Tage;
von dort nach Kibek 3 Stationen; hier vereinigen sich die Wege von
Samarkand und Bochara nach Baleh.

Weg von Bochara nach Chowarefm. Der Weg durch die Wüste
beginnt von Bochara nach Berdsche 1 Station durch bewohntes Land;
hierauf 8 Stationen durch lauter Wüste, wo man weder Rabat, noch
Station oder Wohnung findet, und wenn man nicht über die Weide-

plätze reiset, so würde man gar keinen Haltpunkt finden. Man kann auch über den Dschihun setzen nach Amol, und von dort nach Chowarefm; alsdann ist von Bochara nach Faraber 2 Stationen; von Faraber über den Dschihun nach Amol und von Amol nach Wire 1 Station; von Wire nach Merdusch 1 Station; von Merdusch nach Esbas 1 Station; von Esbas nach Sida 1 Station; nach Taherie 1 Station; nach Dergan 1 Station; nach Dschekerbend 1 Station; nach Sedras 1 Station; nach Hefarschir 1 Station; nach der Hauptstadt von Chowarefm 1 Station; von Bochara nach Chowarefm durch bewohntes Land sind also 12 Stationen.

„Entfernungen in Chotl und Szaganian. Von Badachschan längs „dem Flusse Dschariab nach Munk 6 Stationen; von Munk über die „steinerne Brücke nach Wachschab 2 Stationen; wenn man bei dem „Flusse Wachschab anhält, so sind bis Bukende 2 Stationen; nach Ha„laverd 1 Station; Halawerd und Bunkend liegen am Ufer des Wach„schab, und gebören beide zu Wachsch. Von Main Efher nach Hala„werde 2 Stationen; von Main nach Helbek 2 Tage; von Helbek nach „Munk 2 Tage; Kaubendsch liegt eine Parasange oberhalb Main Efher „am Flusse Dschariab, Maliketh liegt 4 Parasangen von der steinernen „Brücke auf dem Wege nach Munk; von Main Wachschan nach der „Umgegend von Munk 2 Stationen; von der Umgegend von Munk setzt „man über den Fluss Abdendscharag, ehe man dahin kommt; von der „Umgegend von Munk nach dem Abdendscharag ist eine Station; vom „Abdendscharag setzt man über den Fluss Faragen, welche eine Tage„reise von einander entfernt sind; dann setzt man über den Fluss Suman „nach Helbek; dies sind die Entfernungen zwischen Wachsch und Chotl. „Weg von Termed nach Szaganian. Von Termed nach Dschermikan „1 Station; von Dschermikan nach Szermindschi, eine Station. Szer„mindschi ist eine schöne Stadt, wo der von Ebu'l Hasan ben Ebu'l Hasan „erbaute Rabat Hasan ist. Von dort nach Dar Sendschi 1 Station; auch „hier ist ein von Ebu'l Hasan erbauter Rabat; den er aber nicht bewohnte. „Von Dar Sendschi nach Szaganian 2 Stationen; hier ist wiederum ein „von Ebu'l Hasan ben Hasan erbauter Rabat. Szaganian gehört der Fa„milie des Muhtadsch; hier wurde Ebu Ali dem Omar ben Mohammed „ben Muthaffer, dem Oberfeldherrn des Nuh ben Naszr ben Ahmed ge„boren. — Weg von Szaganian nach Waschdscherd; nach Schuman 2 „Stationen; von Schuman nach Amidiar 1 Tag; von Amidiar nach „Waschdscherd 1 Tag; von Waschdscherd nach Ilan 1 Tag; von Ilan „nach Derbend 1 Tag; von Derbend nach Dschavekan 1 Tag; von „Dschavekan nach el Kalaa (Schloss) 2 Tage; das Schloss gehört zu

„Rascht*). Von Szaganian nach Basend 2 Stationen; von Szaganian nach
„Sinur 1 Station; von Szaganian nach Bowareth 1 Station; von Szaganian
„nach Rika 6 Parasangen; dieser Weg nähert sich dem Wege nach Bowareth
„auf 2 Parasangen, darauf dem Wege nach Kend auf 3 Parasangen in gerader
„Linie. Von Termed nach Kobadan 2 Stationen; von Kobadan nach
„Szaganian 3 Stationen; von Waschdscherd nach der steinernen Brücke
„1 Tag. Dies ist die Entfernung von Szaganian nach dem äussersten
„Punkte von Chotl.

„Entfernungen in Chowaresm. Von Chowaresm, d. h. von der Haupt-
„stadt, welche auch Kath heisst, nach Chiwa 1 Station; von Chiwa nach
„Hefarasb 1 Station; von Kath nach Dschordschanie 3 Stationen; von
„dort nach Efdachschemin 1 Station; von Efdachschemin nach Burwar
„1 Station; von dort nach Dschordschanie 1 Station; von Hefarasb
„nach Kerdkan Chasch 3 Parasangen; von Kerdkan Chasch nach
„Chiwa 5 Parasangen; von Chiwa nach Saferfen 5. Stationen; von
„Saferfen nach der Hauptstadt 3 Parasangen; von der Hauptstadt
„nach Kerdeh 1 Station; von Kerdeh nach Karatekin 2 Tage; Mo-
„daninie und das Dorf Karatekin sind nahe bei einander, ersteres
„liegt dem Dschihun am nächsten, und ist 4 Parasangen von dem-
„selben entfernt; von Murdachfan nach dem Dschihun 2 Parasangen;
„dieser Ort liegt Dschordschanie gegenüber; von Dschordschanie nach
„dem Dschihun eine Parasange. Von Bumahketh oder Bochara nach
„Baikend 1 Station; von Bumahketh nach Chodschende 3 Station, eine
„Parasange zur Rechten des Weges von Bochara nach Baikend, von
„Naakan nach der Hauptstadt 5 Parasangen, ungefähr 3 Parasangen zur
„Rechten des Wegs von Baikend. Seidie liegt 4 Parasangen nördlich
„von der Hauptstadt. Von Kerminie nach Tembaken 1 Parasange gegen
„Sogd zu. Von Samarkand nach Ajarketh 4 Parasangen; von Wa-
„rasch nach Bihanketh 5 Parasangen; von Samarkand nach Wendar 2
„Parasangen; in der Stadt Wendar werden die Wendarischen Baum-
„wollenzeuge gewebt, welche Zeuge ungebleicht und ungewalkt zu
„Kleidern verarbeitet werden. Es giebt in Chorasan keinen Emir, We-
„fir, Kadhi, Vornehmen, Geringen, Soldaten, der nicht im Winter ein
„Oberkleid von Wendarischem Zeuge trüge; es ist immer rein, und hat
„eine gelbliche Farbe; dabei ist es leicht und angenehm; übrigens ist
„es nur grob gewebt. Ein solcher Anzug kommt auf 2 bis 20 Dinare,
„und dauert 5 Jahre. Sie werden nach Irak und anderswo ausgeführt.
Von Samarkand nach Kebudebchiketh 2 Parasangen; von Samarkand

---

*) Bei Isztachri: Dadasb oder Darasb.

„nach Istidschen 7 Parasangen nordwärts; von Istidschen nach Koschanie „1 Station; nach Ertidschen 1 Station"[224]) oder 5 Parasangen westwärts; von Istidscherd nach Serkan 3 Parasangen; von Koschanie nach Ertidschen 2 Parasangen.

Entfernungen zwischen Kesch und Nachscheb. Von Resch nach Nasaf 3 Parasangen westwärts; von Resch nach Bukadkaris 5 Stationen auf dem Wege nach Nasaf; von Resch nach Sarich 2 Stationen; über Bukadkaris links ist der Weg näher. Iskofker ist 1 Parasange von Subach; Subach ist näher an Nasaf als Iskofger; von Nasaf nach Reshe 1 Parasange auf dem Wege nach Bochara, unterhalb des Weges, dessen wir so eben gedacht haben. Von Nasaf nach Berde 6 Parasangen. Dies sind die Entfernungen der Städte von Nasaf und Kesch.

Entfernungen der Städte in Osruschna. Von Charwane nach Derek 5 Stationen; von Charwane nach Ramin 9 Stationen; von Ramin nach Sabat 3 Parasangen; von Ramin auf dem Wege von Dscharis nach Kokab 13 Parasangen zur Linken des Weges nach Fergana. Von der Hauptstadt von Osruschna nach Sabat 3 Parasangen südostwärts; von Buhiketh nach Fergana 2 Parasangen südostwärts von Fergana. Ersaniketh liegt 7 Parasangen ostwärts von Fergana; Maakit liegt 3 Parasangen von der Stadt auf dem Wege nach Chodschende; von Muketh nach Ark 2 Parasangen; von Ark nach Chodschende 6 Parasangen.

„Entfernungen zwischen den Städten von Sehasch, Ilak, Istidschab „und den Ortschaften am Flusse Sehasch. Von dem Flusse nach Istu„niketh 3 Parasangen; von dort nach Jafganiketh 2 Parasangen; von „dort nach Niketh 2 Parasangen; dies sind die Städte auf dem Wege „von Binaketh nach Niketh; was die Städte auf dem Wege von Niketh „und Thuiketh, der Hauptstadt von Ilak betrifft, so ist von Niketh nach „Nuiketh 2 Parasangen; von dort nach Balaman 2 Parasangen; von „dort nach Nuiketh 1 Parasange; von dort nach Bachdschasch 2 Para„sangen; von dort nach Sekalet 1 Parasange; von dort nach Bunketh „1 Parasange. Was die Gegenden zwischen dem Flusse Tirek und dem „Flusse Ilak ostwarts von dem Wege von Ilak betrifft, so ist Niketh „von Hinuketh 2 Parasangen; von dort nach Ferenketh 2 Parasangen; „von dort nach Jaguniketh 1 Parasange; von dort nach Iradiketh 2 Para„sangen; eben so weit ist es nach Wagduanek, Kerme und Ark"[225]).

Karte von Mawarennahr.

1. Ost. 2. Arkend. 3. Hanilam. 4. Balas. 5. Dilan. 6. Werbebar. 7. Maskan. 8. Talas. 9. Mohakes. 10........ 11. Karte von Mawarennahr. 12. Fluss Wachschab. 13...... 14. Farger. 15. Riabas. 16. Süd.

17. Dschariab. 18. Badachschan. 19. Fluss Dschihun. 20. Gränze von Chorasan. 21. Sem. 22. Hefarasb. 23. . . . . . . 24. Kerdan. 25. Chiwa. 26. Erdidschenk. 27. Amol. 28. Sammlung von Wasser. 29. Kefit. 30. Birke. 31. Termed. 32. Waschkerd. 33. Diketh. 34. Herwane. 35. Balasramal. 36. Faradi. 37. Haschemkerd. 38. Wakerkir. 39. . . . . 40. Szaganian. 41. Binahketh. 42. Bile. 43. Asud. 44. Ferganin. 45. Resch. 46. Berg Behar. 47. Nesuh. 48. Nasaf. 49. Fariab. 50. Ain Usch. 51. Bochara. 52. . . . . . . 53. Rune. 54. . . . . . . 55. Dschedimetken. 56. Samarkand. 57. Erbidschen. 58. . . . . . 59. Fluss Szogd. 60. Anarkend. 61. Wirleb. 62. Kehketh. 63. . . . . . . 64. Farmake. 65. . . . . . . 66. Barichketh. 67. . . . . . 68. . . . . . 69. Bochara. 70. Baikend. 71. Maakan. 72. Barankes. 73. Farabe. 74. Rudene. 75. Naubachketh. 76. Fluss Sehasch. 77. Choware. 78. Farabe . . . . 80. Land . . . . 81. . . . . . . 82. Mauger. 83. Kedad. 84. Bariah. 85. Sanilkend. 86. Dscherbam. 87. Siraf. 88. Kokab. 89. . . . . . 90. Ramin. 91. Wamar. 92. Sabat. 93. Chodschende. 94. . . . . . 95. . . . . . . 96. Ahsiketh. 97. Lasuketh. 98. . . . . . 99. . . . . . . 100. Bar. 101. . . . . 102. Waseh. 103. Haketh. 104. Burtag. 105. Iradsch. 106. Iledsch. 107. . . . . . 108. Gränze der Türken. 109. Aburketh. 110. Beketh. 111. Nehrdad. 112. Bahtial. 113. Awinak. 114. Ark. 115. Kirie. 116. . . . . . 117. Elkas. 118. . . . . . 119. Bunketh. 120. Fakeb. 121. Defen. 122. Barketh. 123. Fluss Ilak. 124. . . . . . 125. Biurafketh. 126. Dscherafketh. 127. Nub. 128. Baketh. 129. Bohaketh. 130. Dschenunketh. 131. . . . . . . 132. Asketh. 133. . . . . . . 134. . . . . . 135. Rakus. 136. Abuketh. 137. . . . . . . 138. . . . . . . 139. Nisaniketh.

Anmerkungen und Erläuterungen.

---

[1] Unter Türkenland versteht der Verfasser im Allgemeinen Gegenden, die von türkisch redenden Völkern bewohnt sind; wir werden in der Folge sehen, dass er mehrere solcher Nationen namentlich kennt, und zwar solche, die nach den neueren Forschungen noch heutiges Tages dafür gelten. Die Benennung Tataren, Tatarei etc., welche bei späteren arabischen Geographen und Historikern, und nach ihnen in europäischen Werken so viele Verwirrungen in die Geschichte des Mittelalters gebracht hat, kennt er gar nicht.

[2] Die Lage China's wird nach Isztachri's Angaben weit nach Nordwesten verschoben, so dass sein China weit mehr mit der Serica der Alten, als mit dem heutigen himmlischen Reiche übereinkommt.

[3] Unter dem persischen Meere hat man sich durchgängig den indischen Ozean zu denken.

[4] Jadschudsch und Madschudsch (Gog und Magog) bedeuten in der mohammedanischen Geographie, was Scythen in der alten und Tataren in der neueren Geographie, nämlich alle im Norden wohnenden Völker, von denen man nichts weiter weiss. Da von den Jadschudsch und Madschudsch die Zerstörung des Islam nach Mohammed's Weissagung ausgehen soll, so identificirt der Türke sie mit den Russen.

[5] Das rothe Meer.

[6] Diese Stelle ist in dem Original lückenhaft, und daher aus Ibn Haukal ergänzt. Im Ganzen lässt sich aus ihr und den folgenden Angaben über die Wohnorte nicht-mohammedanischer Nationen wenig Belehrung schöpfen. In den Gufie erkennt man leicht die Ogusen; zu Abulfeda's Zeit (1330) bewohnten sie den sogenannten truchmenischen Isthmus zwischen dem kaspischen Meere und dem Aralsee. Die Chafaren hatten ihre Wohnsitze von der Mündung der Wolga an nach dem asowschen und schwarzen Meere. Ob unter Kaimak

Kalmücken stecken, wage ich nicht zu entscheiden. Die Charlechie sind mir unbekannt. In Charchif erkennt man ohne Mühe die Kirgisen.

[7]) Dass Isztachri über die ost- und nordasiatischen Völker und Gegenden nichts wissen konnte, lässt sich schon a priori dartbun, und wird durch seine Verpflanzung der Slaven an die russische und an die chinesische Gränze augenscheinlich. Was er aber von den Petschenegern erzählt, wird von seinem Zeitgenossen Kaiser Konstantin (um 948) de administr. Imper. vollkommen bestätigt; S. 105: „Anfänglich wohnten die Patzinakiter an dem Flusse Atil, so wie auch an dem Flusse Geich, und hatten die Mazaren und ein anderes Volk, Uz genannt, zu Nachbaren. Vor 50 Jahren aber verbündeten sich die Uzen mit den Chazaren, überzogen sie mit Krieg, überwanden sie, und vertrieben sie aus ihrem Lande. Dieses ehemalige Land der Patzinakiten haben die Uzen noch bis auf den heutigen Tag inne. Die fliehenden Patzinakiten irrten herum und suchten neue Wohnplätze. Endlich kamen sie in das Land, wo sie jetzt sind, verdrängten die Türken daraus und schlugen da ihre Hütten auf. Hier herrschen sie seit 55 Jahren bis auf den heutigen Tag.“ — Scherif Edrisi erzählt von den Petschenegern: „Der siebente Abschnitt des siebenten Klima's enthält das Uebrige des Landes Besdschirt, den nördlichen Theil des faulen Landes, und den grossten Theil des Landes der Bedschinak. Zu den Städten des äussern Besdschirt gehören Masira und Kasira; beide sind nur klein, und es kommen nur wenige Kaufleute zu ihnen, weil die Einwohner des Landes jeden Ankömmling todten; diese beiden Städte liegen an einem Flusse, der sich in den Atel ergiesst. Das Land der Bedschinak ist klein, und ich habe nicht gehört, dass daselbst eine grössere Stadt sei, als Banamuni; sie bestehen aus vielen türkischen Völkerschaften, und führen Krieg mit den Russen und mit den nächstgelegenen Theilen von Rum; sie haben sich auf dem Gebirge befestigte Wohnsitze gemacht.“

[8]) Auf unsern Karten Zanguebar.

[9]) Atel = Wolga. Chafarisches Meer = Kaspisches Meer.

[10]) Tobba ist der Titel der alten vormohammedanischen Könige von Jemen und bedeutet Nachfolger.

[11]) Stationen (Arab. mirhale مرحله) bedeuten hier und im Laufe des Werkes diejenigen Stellen, wo man übernachtet, so dass man also vor 900 Jahren die Reise vom Indus bis zum Tajo in zehn Monaten vollendete. Jetzt macht man eine etwas grössere Reise (von Bombay bis London) in einem Monat.

[12]) Wörtlich: „Seine Geradheit ist weit schöner, als die des persischen Meeres.“

¹³) Abulfeda in seiner Geographie Pg. 106 giebt diese Entfernung auf 70 Miglien an. „Farma, sagt er, ist ein Ort an der Küste des mittelländischen Meeres, der jetzt wüste ist; es liegt in der Nähe von Katie. Nach Ibn Haukal befindet sich hier das Grab des Dschalinus (Galenus). Nach Ibn Said nähert sich hier das mittelländische Meer dem Meere von Kolſum am meisten, so dass die Entfernung nur noch 70 Miglien beträgt. Amru ben Aaszi wollte diese Entfernung an der gegenwärtig unter dem Namen „Krokodilschwanz" bekannten Stelle durchstechen lassen, allein Omar widersetzte sich diesem Vorhaben, weil alsdann die Griechen die Wallfahrt nach Mekka unterbrechen könnten."

¹⁴) In den Zahlen ist augenscheinlich ein Fehler.

¹⁵) Der Aralsee.

¹⁶) In Abulfeda Pg. 347 Bedaha. Wahl in seiner Beschreibung von Hindostan und Dekan Pg. 299 Nedehe; es ist ein Distrikt im Lande der Beludschen.

¹⁷) Bei Abulfeda Pg. 365 ist Chamdan ein Fluss, an welchem die Stadt Chanku liegt.

¹⁸) Jemen ist ein Schreibfehler des Textes statt Jambo.

¹⁹) Für die Ethnographie ist diese Stelle sehr wichtig, da sie das ganze System der arabischen Urgeschichte über den Haufen stösst; denn Ismael und Esau liessen sich hier nieder, und gründeten den Staat Edom. Arabische Traditionen führen zwar diese Nachkommen Abraham's weiter hinab nach Mekka, und bauen darauf ihr System von Ur-Arabern (Nachkommen Joktan's) und naturalisirten Arabern (Nachkommen Ismael's); allein hier haben wir einen verständigen Geographen, der eben jene Nachkommen Abraham's nicht für Araber ansieht, und ihre Wohnplätze von dem Umfange Arabiens ausschliesst: „weil Araber hier keine Wasser- und Weideplätze haben," sondern Edomiter, Hebräer. Eben so schneidet er die Hälfte der antiken Arabia Petraea von Arabien ab, und lässt nur noch die andere Halfte vom älanitischen Meerbusen bis Mekka zu Arabien.

²⁰) Sirrein liegt nach Abulfeda 19 Parasangen nördlich von Hali und 4 starke Tagereisen von Mekka am rothen Meere.

²¹) „Die Zeit der Unwissenheit" bedeutet im Sinne des Mohammedaners die Zeit vor dem Islam.

²²) Wadi, eigentlich ein Regenstrom, dessen Bett im Sommer trocken ist, dann überhaupt Fluss, z. B. Wadi el Kebir (Guadalquivir) der grosse Fluss.

²³) Dschemre el awali heisst die erste Dschemre; Dschemre el waseti, die mittlere Dschemre; Dschemre el akabe, die letzte Dschemre.

Dschemre selbst erklärt Golius (Lexicon Arab. Pg. 531): Ritus sacer peregrinationis, seu solemnitatis Meccanae qui peragitur in valle Muna; estque illa Dschemre triplex, prima, media et postrema. In hac imprimis lapillorum seu silicum jactu Satanam, quasi impetentes eum, execrantur atque averruncant.

²⁴) Bei Abulfeda heisst dieser Ort immer Ga f n a.

²⁵) Thebeir ist der Berg, auf welchem Abraham nach mohammedanischer Sage seinen Sohn opfern wollte.

²⁶) Abulfeda nennt diesen Ort Hodaibie. In europäischen Reisewerken habe ich diesen Namen noch nicht gefunden.

²⁷) Der Begräbnissplatz von Medina.

²⁸) D. h. in der Richtung nach Mekka, also in Bezug auf Medina südlich. Nach Burkhardt liegt Roha ¾ Stunden von Medina.

²⁹) Anszarier d. h. Helfende, nannte man die Einwohner Medina's, welche Mohammed nach seiner Flucht aufnahmen und unterstützten.

³⁰) Als Hafen von Medina wird Dschar auch noch von Edrisi und Abulfeda genannt; zu des Ersteren Zeiten war es ein bevölkerter Ort. Seetzen dagegen berichtet, man finde daselbst jetzt weder ein Haus noch Dattelbäume, und es sei durch Jambo so verdunkelt, dass es in Medina nicht einmal dem Namen nach bekannt ist.

³¹) In Abulfeda p. 101 kommt noch folgende Bemerkung über Tajef vor: „Man sagt, das Thal von Tajef habe seinen Namen daher, weil es bei der Sündfluth Noah's von Syrien losgerissen, und, von dem Wasser getragen, an seinen jetzigen Platz versetzt wurde. Die Früchte Syriens wachsen dort noch fortwährend." (Taf im Arabischen heisst umher, herum gehen.)

³²) Dieses Hadschr, verschieden von dem obigen Hadschr (mit د) pg. 6 und 9, ist im Text mit ح geschrieben, und das h ist also etwas stärker gehaucht.

³³) Koran, Sure 89. V. 11.

³⁴) Koran, Sure 26. V. 148.

³⁵) Näheres über die Themuditen, deren Geschichte in das Ogygische Zeitalter hinaufsteigt, s. Pocock Specimen historiae Arabum p. 37; Michaelis Commentatio de Troglodytis, Sciritis et Themudenis; Muradgea d'Ohsson Tableau général de l'empire Othoman I. p. 186.

³⁶) Jethro.

³⁷) Koran, Sure 7. V. 8.; S. 11. V. 85.

³⁸) Zu Abulfeda's Zeiten war der Ort schon unbewohnt. In europäischen Berichten habe ich den Namen nicht gefunden.

³⁹) Diese Stelle ist mir unverständlich.

⁴⁰) Abulfeda (Ann. Mosl. T. II. p. 288 ff.) gibt folgende Nachrichten, welche das hier bloss fragmentarisch Erzählte erläutern. „Im Jahre 290 des Hedschra (903 der christl. Zeitrechnung) nahm die Macht der Karmaten so zu, dass sie Damaskus belagerten, nachdem sie das Heer des Emir von Damaskus, Tagadsch ben Dschaff in die Flucht geschlagen hatten. Die Syrer stellten ein Heer wider sie auf, und tödteten ihren Anführer Jahja, genannt der Schech. Die Karmaten wählten jetzt seinen Bruder, Husein, genannt Ahmed, zu ihrem Anführer. Derselbe hatte in seinem Gesichte ein Muttermahl, welches er für ein Zeichen seiner göttlichen Sendung ausgab. Die Damascener kauften sich von ihm vermittels einer Summe Geldes los, und er eroberte nun Himsz, wo er das Kanzelgebet auf seinen Namen, mit Hinzufügung der Titel „Mehdi, Fürst der Gläubigen" verrichten liess, und seinen Vetter zu seinem Nachfolger erklärte, und ihm den Namen Mudather beilegte, welcher im Koran vorkommt. Von hier zog er nach Hama, Maarra und andern Orten, wo er die Einwohner mit Weibern und Kindern erwürgte; Salamia ergab sich ihm, nachher aber vertilgte er alle Einwohner. Nun zog der Chalife Moktafi aus Bagdad, lagerte sich bei Rakka, und schickte das Heer gegen die Karmaten." — „Im folgenden Jahre, am 6. Muharrem (28. Novemb. 903) trafen sich die beiden Heere bei einem Orte, welcher 12 Miglien von Hama entfernt ist; die Karmaten wurden besiegt, und ein grosser Theil auf der Flucht getödtet. Der Szaheb es Schame (d. h. der Besitzer des Muttermahls), sein Vetter Mudather und ein griechischer Sklave wurden auf der Flucht in der Wüste gefangen genommen und nach Rakka zum Chalifen geführt, der sie nach Bagdad nahm und tödten liess; das Haupt des Anführers wurde umhergetragen. Nach dem Scherif el Abed fand die Schlacht bei dem Orte Temna statt, welcher zum Gebiet von Maarra gehört und auf dem Wege von Haleb nach Hama liegt."

Mudather heisst der Bedeckte, und bezieht sich auf die Sage, dass Mohammed bei Gelegenheit einer Erscheinung Gabriels sich in sein Gewand aus Ehrfurcht verhüllte, wesshalb der Engel ihn anredete (Koran, Sure 74, Anfang): O du Bedeckter, erhebe dich und predige, und verherrliche deinen Herrn, und reinige deine Kleider u. s. w.

⁴¹) So lautet wörtlich diese Stelle im Original, wo augenscheinlich durch ein Versehen des Abschreibers etwas fehlt.

⁴²) Was hier von Chaulan gesagt ist, berichten Edrisi und Abulfeda von der Stadt Chaiwan. Im Isztachri ist die Lesart Chaulan unzweifelhaft und so deutlich, dass der Name gar nicht zu verkennen ist; sie wird unterstützt 1) durch den Zusatz belad, welches

zwar zuweilen eine Stadt bedeutet, hier aber gewiss in seiner gewöhn-
liebsten Bedeutung Land steht, wie die ganze Beschreibung beweist;
2) durch die Autorität Niebuhr's, welcher in seiner Beschreibung von
Arabien zwei Landschaften Chaulan kennt, wovon die eine zwischen
Jemen und Hedschaf, westlich von Saade liegt, und die andere ostwärts
von dem Gebiete des Imams von Szanaa. Hier ist wahrscheinlich die
erstere zu verstehen, weil sie in Tehama liegt. Bekanntlich ist schon
von Niebuhr die Hypothese aufgestellt, und von J. D. Michaelis gebil-
ligt, dass das heutige doppelte Chaulan das doppelte Hevila der heiligen
Schrift (1. Mos. X. 7. 29) repräsentire. — Andererseits lässt der Umstand, dass Abulfeda den Namen Chaiwan nicht nur schreibt, sondern
auch seinen Lesern vorbuchstabirt (Géogr. p. 94) gar keinen Zweifel
zu. Es ist mir daher höchst wahrscheinlich, dass Abulfeda durch Isztachri's Abschreiber, Ibn Haukal (wovon ich die neuere Bearbeitung
von Hamaker nicht kenne; in der ältern von Ouseley fehlt die
Beschreibung von Arabien) irre geleitet sei, und so die Beschreibung der Stadt Chaiwan mit der des Landes Chaulan zusammenge-
worfen habe.

43) Die hier genannten Dschaaferiden sind wohl verschieden von
den S. 11 genannten, und haben ihren Namen von dem Freigelassenen
Dschaafer, welcher während der Regierung des Chalifen Mamun in
dieser Gegend Unterstatthalter eines gewissen Mohammed war, der zur
Stillung eines Aufruhrs nach Jemen geschickt wurde. Dschaafer baute
diese Stadt ungefähr im J. 822. Abulfedae Ann. Mosl. II. p. 122. Künf-
tigen Untersuchungen muss es anheim gestellt werden, wie der Ort
eigentlich heisst; im Abulfeda heisst er Modihera, im Isztachri Modidschera, und im Ibn el Wardi Modichera. Die Beschreibung
des Letzteren (übersetzt von Deguignes in den Notices et Extraits
des Manuscrits de la Bibliothèque du Roi, Vol. II. p. 19) lautet: „Au nord de Senaa, la montagne Al Moudakbkhar offre sur son
plateau élevé une plaine de 60 milles, remplie de villages, et une cam-
pagne couverte d'arbres fruitiers; on y trouve du safran excellent et la
plante ouars (qui sert à la teinture).“

44) Aehnlich wird die Stadt in den Commentarios de Afonso Dal-
boquerque beschrieben: „A Povoação de Soar he mui grande, e mui
fermosa, e de muitas boas casas.“ Dagegen sagt der dem Zeitraume nach
dazwischen liegende Bericht Abulfeda's (Pg. 99), es sei ein wüstes
Städtchen.

45) Im Text unpunktirt, so dass es auch Terwi, Nerwi heissen
kann.

⁴⁶) Es ist hier von den Karmaten die Rede, welche nach Abulfeda, Elmacin, Abulfaradsch u. s. w. im J. d. H. 286 (899) sich in Bahrein, Katif etc. zeigten. Von ihren Unternehmungen im folgenden Jahre 900 schweigen sie, so dass wahrscheinlich die von Isztachri erzählten Begebenheiten in dieses Jahr fallen, zumal da der Chalife Motadhed vor Freude über die Besiegung der Karmaten, am 3. April 902 starb; (Bahr el Mewwadsch, Msct. der Kgl. Bibl. in Berlin, Bd. I, fol. 88. 89.)

⁴⁷) Hamdan liegt auf Niebuhr's Karte von Jemen westwärts von Szanaa; Aschaar ist vielleicht Aschara am rothen Meere; Kenda ist mir unbekannt; das hier genannte Chaulan ist vielleicht das zweite Chaulan Niebuhr's, ostwärts von Szanaa.

⁴⁸) Von hier bis zum Schlusse der Beschreibung von Arabien ist der Text theils verstümmelt, theils unleserlich; der Herausgeber hat diese Lücke durch eine. Stelle aus Ibn Haukal ergänzt, wovon hier die Uebersetzung ist.

⁴⁹) Vermuthlich ist hier von der Vena Medinensis die Rede, welche sich in Jemen häufig findet. Nach Niebuhr führt der Wurm in Loheia den Namen Ark. Im Text des Isztachri ist freilich nicht von einem Wurm die Rede, sondern von einem grossen Landthiere (dabé), welches den Menschen verwundet; dudé, welches im Allgemeinen einen Wurm bedeutet, und in dieser Stelle steht, ist auch der Name des Wurms, welcher jene endemische Krankheit verursacht, und wovon Forskål (Descriptiones Animalium etc. P. XXVI.) sagt: „Gordius vena medinensis. Dudac. Non licuit mihi disquirere, annon vermis hic sit caussa morbi ad Lohajam vulgaris, Erk vocati: crura vulneribus corrosivis foedantur, e quibus se exserit tendo (rectius forsan Gordius)."

⁵⁰) So steht wörtlich in der Stelle des Ibn Haukal, welche offenbar durch den Abschreiber verstümmelt ist. Abulfeda (p. 84) gibt die Entfernungen auf der Nordgränze folgendermassen an: „Von Aila nach Schora ungefähr 3 Stationen; von Schora nach Belka ungefähr 3 Stationen; von Belka nach Mescharik in Hauran ungefähr 6 Stationen; von Mescharik in Hauran nach Mescharik in der Guta von Damaskus ungefähr 3 Stationen; von Mescharik in der Guta nach Salamia ungefähr 4 Stationen; von da nach Balis ungefähr 7 Stationen; von Balis ungefähr 7 Stationen; von Balis nach Kufa ungefähr 20 Stationen; von Kufa nach Baszra ungefähr 12 Stationen." Schon Abulfeda fand diese Bestimmungen nicht in dem Text des Ibn Haukal, den er excerpirte, indem er für sie seine eigene Autorität mit dem Worte „akul" (ich sage) anführt.

⁵¹) Ibn Haukal schrieb kurz nach Isztachri zu einer Zeit, wo noch die Karmatischen Wegelagerer den Pilgerkarawanen auflauerten.

[52]) Der Text ist mir hier etwas undeutlich, und ich bin nicht sicher, ob ich die eingeklammerte Stelle richtig übersetzt habe.

[53]) Damals Fostat; jetzt versteht man unter Miszr Rahira, welches sich bald nach Isztachri, im J. 969 neben Fostat erhob.

[54]) Sinai.

[55]) Diese Stelle findet ihre Erklärung im Koran Sur. 7. V. 163— 166: „Frage sie (die Juden) nach dem Orte, welcher am Meere liegt, als sie den Sabbath übertraten und die Fische an ihrem Sabbathtage sich öffentlich zeigten, und an dem Tage, wo sie keinen Sabbath feierten, sich ihnen nicht zeigten. So prüften wir sie, denn sie waren Uebelthäter. Da sagte ein Theil des Volkes: Wozu nützt es ein Volk zu warnen, welches Gott verderben und mit schwerer Strafe heimsuchen will? Sie sagten: die Strafe soll uns eine Entschuldigung sein bei eurem Herrn, und vielleicht bekehren sie sich noch. Nachdem sie aber vergessen hatten, was sie erwähnten, erretteten wir die, welche sich des Bösen enthielten, und belegten die, welche Böses thaten, mit schwerer Strafe, weil sie Uebelthäter waren. Und weil sie noch immer nicht ablassen wollten, sagten wir zu ihnen: Werdet Affen und ausgeschlossen von der menschlichen Gesellschaft."

[56]) Im Text steht bloss das Adjektiv S i n i ſ i, und ich bin nicht im Stande zu bestimmen, ob das fehlende Substantiv von Isztachri ausgelassen, weil das Adjektiv schon hinlänglich die Waare bezeichnet (ähnlich im Deutschen z. B. Maroquin, Corduan, Saffian) oder ob es bloss durch ein Versehen des Abschreibers vergessen ist. Abulfeda erläutert nichts; zu seiner Zeit lag die Stadt wüste.

[57]) Zu Abulfeda's Zeiten war sie verwüstet. Die citirte Koranstelle steht Sur. 18. Vs. 78.

[58]) D s c h e ſ i r e B e n i R a i ist A l g i e r; Edrisi und andere orientalische Geographen schreiben immer Dscheſair Beni Maſgana, ein Name, der von den Urbewohnern A m a ſ i r g abgeleitet ist, und schon bei Ammianus Marcellinus als die Insel des Leuchtthurms, Insula Mazucana, vorkommt. Isztachri's Schreibart, sowohl im Text als auf der Karte, beruht auf einem offenbaren Irrthum, den ich jedoch in der Uebersetzung selbst nicht ändern wollte.

[59]) Galicia.

[60]) Ischbilie = Sevilla; Dscheſira Dschebel Tarik = Gibraltar; Belisa ist ein Schreibfehler für Valencia; die andern Namen sind theils sogleich kenntlich, theils völlig unkenntlich; Szalie ist vielleicht ein Schreibfehler für Malaka = Malaga.

[61]) Ueber die Eroberung von Fes s. die Einleitung.

⁶²) Dai, der für einen Kronprätendenten Anhänger wirbt; es ist ein arabisches Wort, welches einen „Einladenden" bedeutet, und nicht zu verwechseln mit dem türkischen Worte Daji (Dey) „Oheim mütterlicher Seite," welchen letzteren Namen in Algier und Tripolis der Bruder der Republik führte, indem die Republik als die Mutter der Unterthanen angesehen wurde.

⁶³) Ein Dinar ist ungefähr ein Dukaten.

⁶⁴) Diese Stelle ist mir nicht ganz klar, und ich habe sie daher nur vermuthungsweise übersetzt. Ob unter der Scheidewand, die im Folgenden noch einmal erwähnt wird, die Pyrenäen zu verstehen sind, ist mir gleichfalls ungewiss.

⁶⁵) Ich muss es der Beurtheilung der Kenner Spaniens überlassen, zu entscheiden, ob unter dem Namen Batara, der immer ohne diakritische Punkte geschrieben ist, und also auf mancherlei Weise gelesen werden kann, die Pyrenäen stecken. Wenigstens kann man das Adjektiv, welches in dieser und der nächstfolgenden Stelle steht, Birene lesen. Die arabische Sprache hat bekanntlich kein P.

⁶⁶) Die Mark?

⁶⁷) Die Gasaniden waren Vasallen der Byzantinischen Kaiser, und wohnten in der Wüste an der syrischen Gränze. Ihr letzter Fürst, Dschabala, Sohn des Aiham, trat zum Islam über, fiel aber in Folge eines Streites mit Omar wieder ab, und begab sich mit einem grossen Theile seines Volkes im J. 637 nach Konstantinopel, wo er wieder Christ ward. Später gebrauchte ihn der Kaiser Heraklius zu allerhand Diensten gegen die anstürmenden Araber; unter andern schickte Dschabala auf des Kaisers Wunsch einen Meuchelmörder, um den Chalifen Omar aus dem Wege zu räumen. Von allen diesen Ereignissen wissen die Byzantinischen Geschichtschreiber kein Wort, und selbst die morgenländischen Historiker sind nicht alle gleich gut unterrichtet. Der versuchte Meuchelmord ist wohl nur eine Erfindung Wakedi's, aus welchem diese Anekdote in Lebeau's Histoire du Bas Empire überging; die Auswanderung und der Abfall Dschabala's sind aber historisch begründete Thatsachen.

⁶⁸) Die Festlichkeiten der mekkanischen Wallfahrt (Hadsch) finden im letzten Monat des mohammedanischen Mondjahres Statt, welcher davon seinen Namen (Dhulhadsche) hat; der Muharrem ist der erste Monat des Jahres.

⁶⁹) Das Wort, welches ich durch Strassen übersetzt habe, kann auch Weichbild, Distrikt bedeuten; im letzteren Sinne ist aber von Baszra und Kufa der Ausdruck Sowad gebräuchlich, worunter man die nächsten Dörfer und Wohnplatze um jene beiden Städte versteht.

⁷⁰) Dieser Fisch ist ausführlich beschrieben in P. Forskål: Descriptiones Animalium, Avium, Amphibiorum etc. quae in itinere orientali observavit, p. 15 unter Raja Torpedo. Nach Forskål heisst er in Aegypten **Raasch (Zitterer).**

⁷¹) Der Imam Schafei, Stifter einer der vier orthodoxen Sekten der Sunniten, wurde im J. 767 zu Gafa geboren, und starb im J. 819.

⁷²) Diese Uebersetzung ist offenbar unrichtig, allein der Text ist an dieser Stelle so sehr von diakritischen Punkten entblösst, dass ich den wahren Sinn nicht zu entdecken vermag. Vielleicht wollte der Verfasser sagen, dass der Thurm über 300 Fuss hoch sei.

⁷³) Um 750. Merwan war der letzte Ommiade.

⁷⁴) Dhu'l Nun (Ebu'l Feidh Tuban ben Ibrahim) der Aegypter, Stifter einer mohammedanischen Sekte, starb im J. d. Hedschra 245 (859). Ein anderer Dhu'l Nun, Verfasser eines kabbalistischen Werkes, war gleichfalls aus Achmim; s. Herbelot Bibl. Or. p. 950.·951.

⁷⁵) J. D. Michaelis in seinen Noten zu Abulfeda's Beschreibung von Aegypten vermuthet, dass hier eine Verwechslung mit Pompejus Statt gefunden habe, welcher letzterer in der Nähe von Farma auf dem Kasius-Gebirge begraben ist.

⁷⁶) Ain es Schems liegt nicht westwärts, sondern ostwärts von Fostat. Szeif ist mir nicht bekannt; dagegen hat Edrisi, der diese Stelle aus Ibn Haukal kopirte, **Menf** (Memphis); indessen wollte ich die Lesart des Textes nicht ändern.

⁷⁷) Der Text ist hier etwas undeutlich.

⁷⁸) Rafeh wird schon von Polybius als der äusserste Punkt im Süden von Syrien nach Aegypten zu angegeben. „(Ραφία) ἥ κεῖται μετὰ Ῥινοκόλουρα (El Arisch), πρώτη τῶν κατὰ Κοίλην Συρίαν πόλεων ὡς πρὸς τὴν Αἴγυπτον" (Lib. V. c. 80). — Das Wort **Thogur** erklärt Abulfeda (Géogr. p. 234): „**Thogur** heisst jeder Ort, der dem Feinde gegenüber liegt." Zufolge dieser Erklärung habe ich bei der Beschreibung von Spanien das Wort Thogur durch „Gränzfestungen" übersetzt, weil dort die Rede von Städten war; hier gebrauche ich den Ausdruck „Mark," weil nicht nur die Festungen Malatia, Hadith, Tarsus etc. sondern auch die ganze umliegende Gegend unter der Benennung Thogur begriffen sind.

⁷⁹) Der Leser wird sich aus der Einleitung erinnern, dass der Verfasser ostwärts vom Euphrat schrieb, und ihm also Syrien, Cilicien u. s. w. jenseits des Euphrat lagen.

⁸⁰) Der Text scheint hier fehlerhaft zu sein.

⁸¹) Abulfeda, ungefähr 400 Jahre später, als Isztachri, hat eine ganz andere Benennung des durch Syrien streichenden Gebirgszuges. Da der

königliche Geograph in Syrien lebte, so verdient seine Angabe mit jener älteren verglichen zu werden. „Dschebel el Thildsch, Dschebel Libuan und Dschebel Lokam, sagt er (Géogr. p. 68) sind alles Namen eines zusammenhängenden Gebirges, so dass es eigentlich nur ein einziges Gebirge ist, das sich von Süden nach Norden erstreckt. Die Südgränze dieses Gebirges ist in der Nähe von Szafed. Der Verfasser des Rism el Erdh sagt: Es heisst Dschebel el Thildsch (Schneegebirge), wo die Länge 59 Grad 45 Minuten, und die Breite 32 Grad ist; es erstreckt sich nach Norden bis Damaskus. In Norden von Damaskus heisst es Dschebel Sinir, und dessen Südrand, der Damaskus beherrscht, geht westlich bei Baalbek vorüber, und heisst da, wo es Baalbek gegen-über liegt, Dschebel Libnan (Libanon). — Hier ist die Länge 60° und die Breite 33° und einige Minuten. Von Baalbek bis ostwärts von Tarablus heisst es Dschebel Akkar. Akkar ist ein Schloss in dem er-wähnten Gebirge. Dann streicht es nordwärts, und nähert sich dem Meridian von Tarablus bis Hiszn el Akrad (Kurdenschloss), ferner eine Tagereise westwärts von Himsz; dann erstreckt es sich durch den Me-ridian von Hama, von Scheifar, von Afamia, und heisst da, wo es diesem Orte gegenüber liegt, Dschebel el Lokam. — Der Verfasser des Rism sagt: Das Gebirge Lokam ist unter der Länge von 60° 50' und unter der Breite von 35° 10'. Dann erreicht es die Länge von 62° und die Breite von 37°. — Wenn es westwärts von Afamia kommt, erreicht es den Rand eines andern östlichen Gebirges, und heisst bei Afamia Dschebel Schachschabu, von dem Dorfe Schachschabu benannt, welches an dessen Südabhange liegt. Das Gebirge Schachschabu erstreckt sich von Süden nach Norden, streicht westwärts von Maarra, Sarmin und Haleb vorbei, und wendet sich darauf westwärts, und erreicht das Ge-birge von Kleinasien.. Das Gebirge Lokam aber erstreckt sich nordwärts, und zwischen ihm und dem Gebirge Schachschabu ist ein etwa ½ Tage-reise breites Thal, in welchem die Seen von Afamia sind. Das Gebirge Lokam erreicht dann Szahiun, Schogar, Bakas und Koszeir, und erstreckt sich bis Antakia; hier hört es auf, und liegt dem armenischen Gebirge gegenüber; zwischen beiden fliesst der Aaszi, der sie von einander trennt, bis er sich bei Suweidie in's Meer ergiesst."

[82]) Die Lesart des Originals "afki" ist den Lesarten Ibn Haukal's, und Abulfeda's, welche beide diese Stelle kopirt haben, unstreitig vor-zuziehen, da sie einen natürlicheren Sinn giebt, als „adhki" (Ibn Haukal) und „archi" (Abulfeda).

[83]) So steht im Original. Abulfeda, der diese Stelle aus Ibn Haukal ko-pirte, hat (Géogr. p. 227) „auf Bergen", welches ohne Zweifel vorzuziehen ist.

[84]) Haschem ist Mohammed's Urgrossvater,

[85]) Abulfeda scheint den Geist der Bevölkerung nicht so günstig beurtheilt zu haben, denn in seinem Excerpt aus Ibn Haukal hatte er zwar diese Worte abgeschrieben, aber später eigenhändig durchgestrichen. (Géogr. p. 282. Not. 23).

[86]) Diese Angabe schien Abulfeda, welcher Antiochia sehr genau kannte, doch zu hyperbolisch, wesshalb er sie in seinem Excerpt aus Ibn Haukal wegliess, und dagegen eine andere Angabe aus dem Aſiſi setzte, nach welcher die Mauern einen Umfang von 12 Miglien haben. Damit stimmt Kinneir (Journey through Asia Minor p. 151) überein, der den Umfang der Mauern auf 10 bis 12 Miles schätzt.

[87]) Minbar, ein erhöhter Ort in den Moscheen, auf welchem der Imam das Freitagsgebet verrichtet.

[88]) Im Jahr 838.

[89]) Auch zu Abulfeda's Zeiten scheint Iskenderie noch nicht in den Händen der Mohammedaner gewesen zu sein. Er sagt in der Beschreibung des mittelländischen Meeres (P. 29): „Von Suweidie wendet sich das Meer nach Nordwesten, bis es sich der Gränze der islamitischen Reiche nähert; dann fliesst es wieder nordwärts bei **Bab Iskanderuna** vorbei, welches die Gränze zwischen den Moslemin und den Armeniern ist." Es ist indessen leicht möglich, dass Isztachri geschrieben habe „ala sahel bahr el Rum" (an der Küste des mittelländischen Meeres), obgleich der lithographirte Text deutlich „lil Rum" (den Römern gehörend) statt „el Rum" hat.

[90]) Bajas ist das alte Issus.

[91]) Im Jahre 900. M. s. Bar Hebraei Chronicon ad annum 287. Waszif war General in Cilicien, und wollte zu Schiffe entflichen; allein die Schiffe wurden auf Befehl des Chalifen verbrannt, wodurch die Griechen den Mohammedanern zur See überlegen wurden.

[92]) Heutzutage ist Maszisza ein Dorf auf dem rechten Ufer des Dschihan, so dass die Stadt auf dem linken Ufer gänzlich verschwunden ist, die steinerne Brücke ist indessen noch vorhanden. (Kinneir, Journey through Asia Minor, p. 133.) Maszisza ist bekanntlich das alte Mopsuestia.

[93]) Mallus in Cilicien.

[94]) Adana, nach Kinneir (Journey, p. 131) unter 37° N. B. „on a gentle declivity, surrounded by groves of fruit trees (the peach, apricot, mulberry, fig and olive) and vineyards. There is a bridge over the Seboun said to have been built by Justinian."

[95]) Tarsus, einst die Nebenbuhlerin von Athen, Antiochia und Alexandria, Geburtsort des Rhetors Hermogenes und des Apostels Paulus

(noch jetzt zeigt man dort einen Baum, den der Apostel mit eigner Hand gepflanzt haben soll), durch Harun er Reschid zur wichtigsten Gränzfestung gemacht, zeigt jetzt nach vielfältigen Revolutionen nur noch einen Schatten der ehemaligen Grösse. Die doppelte Mauer fand Kinneir wieder. „A portion of the city", sagt er (Journey p. 126) „is surrounded by a wall, probably the remains of that erected by Haroun ul Rescheed. I traced the foundations of another wall, still more ancient, which appears to have extended far beyond the limits of the modern town."

⁹⁶) Im Text, Dschufan.

⁹⁷) Gemahlin des Chalifen Harun er Reschid.

⁹⁸) Der Rechtsgelehrte und Imam Ebu Omar Abderrahman, Sohn des Amru ben Johmed, vom Stamme Aufaa, war geboren zu Baalbek im J. d. H. 88 (707) und starb zu Beirut im J. 157 (774). Er galt seiner Zeit für einen der berühmtesten Rechtsgelehrten, und soll an siebzigtausend Rechtsgutachten abgegeben haben. (Abulfedae Annales Mosl. T. H. p. 30. 32.)

⁹⁹) Die Beschreibung von Suweide fehlt im Text, vielleicht weil der Ort schon damals zu derselben Unbedeutendheit herabgesunken war, in welcher ihn Kinneir (Journey, p. 159. 160) fand. Er besteht aus 5 — 6 Häusern, 1½ Miles vom Meere. In der Nähe sind die Ruinen von Seleucia Pieria, dicht am Meere, am Fusse des Pierius; der künstliche Hafen ist versandet; ein Theil der Stadtmauern steht noch, aber die Paläste und Prachtgebäude, womit Seleukus Nikanor seine neuangelegte Stadt schmückte, sind spurlos verschwunden.

¹⁰⁰) Solche Loskaufungen im Orte Lamis fanden Statt in den Jahren der Hedschra 189 (805 nach Chr.), 192 (808), 231 (845 — 846), 241 (855), 246 (860), 253 (867), 292 (905), 295 (908), 305 (917 — 918), 313 (925), 326 (938), 335 (946 — 947*).

¹⁰¹) Dass hier an eine Sperrung des Bosporus, an eine Zusammenkettung zweier Erdtheile nicht zu denken ist, leuchtet von selbst ein. Der Verfasser verwechselt aus einer Unkunde, die er mit vielen andern Schriftstellern seiner Zeit gemein hat, den Bosporus mit dem goldenen Horn (dem eigentlichen Hafen von Konstantinopel), welcher wirklich mehrere Male gegen Araber und Russen durch eine Kette gesperrt wurde. Diese Kette war befestigt an dem Thurm von Galata in der Vorstadt Galata, etwa 5 Minuten vom Strande, ging dann queer

---

*) Unsere Karten nennen den Ort Lamuzzo, der nach den Berichten anderer orientalischer Geographen 33 Miglien oder 12 Parasangen von Tarsus liegt.

über den Eingang des goldenen Horns, eine Strecke von ungefähr 3 Stadien (wobei die Last der Kette wahrscheinlich von einzelnen Kähnen unterstützt wurde, so dass die Kette nicht allzutief in's Wasser hing, und dadurch ihren Zweck verfehlte), nach dem gegenüberliegenden Konstantinopel, in der Gegend des heutigen Gumruk Chane (Zollhauses), oder nach der Behauptung anderer dahin, wo jetzt das Gefängnissthor (Sindan Kapusi) ist; denn da auf dieser Seite alle Spuren einer solchen Stelle verschwunden sind, wo die Kette hätte möglicherweise befestigt werden können, so schwanken die Angaben darüber. In dem noch immer klassischen Werke des Petrus Gyllius (De Bosporo Thracio) findet sich nichts darüber.

[102]) Kafr Tutha, jetzt ein Dorf, 5 Stunden südlich von Mardin, mit den Ruinen einer alten Stadt und einer Brücke.

[103]) Dieses und ähnliche augenfällige Versehen Isztachri's habe ich nicht verbessert, indem ich es vorziehe, den Text wieder zu geben, wie er ist. Wer einigermassen mit jenen Ländern bekannt ist, wird solche Irrthümer ohne Weiteres berichtigen können.

[104]) Dies ist ein offenbares Versehen des Abschreibers, denn der Chalife Kajem Beamrillah Abdalla V. regierte von 1031—1075, also ungefähr hundert Jahre nach Isztachri; auch weiss die Geschichte nichts davon, dass er je in Anbar residirte. Dagegen brachte der erste abbasidische Chalife Ebu'l Abbas Abdalla I. seine beiden letzten Lebensjahre (Juli 752 bis Juni 754) in Anbar zu.

[105]) Onis ben Malek war noch ein Zeitgenosse des Mohammed; Hasan el Baszri war ein mohammedanischer Theologe aus dem achten Jahrhundert.

[106]) Es scheint überhaupt, dass die Schiiten das Begräbniss Ali's, zu welchem sie noch bis jetzt Wallfahrten anstellen, den Sunniten verborgen gehalten haben; mit welchem Erfolge, sieht man, dass selbst Abulfeda, der Fürst von Hama (um 1330) in- seinem Geschichtswerke (Annales Moslemici T. I. p. 338) vier verschiedene Angaben enthält, ohne sich mit völliger Gewissheit für eine derselben zu entscheiden.

[107]) Die Lage von Deskere ergibt sich aus der Karte Isztachri's; nach Abulfeda ist es 6 Parasangen von Bagdad; nach Rich, Rawlinson und Ritter entspricht dieser Lage das heutige Eski Bagdad. Ausser dem Namen Deskere, Deskere el Melik, finden sich noch die Namen Deskerck (im Mirchond), Discarthas (Acta Sanctorum, XXII. Januar p. 430), Destegir (Tarich-i-Fenai fol. 20), Destagerd-i-Melik (im Dscheihani, einem von Rawlinson citirten Geographen des eilften Jahrhunderts, welcher den Isztachri an dieser Stelle ausgeschrieben hat.) Destagir bedeutet

einen **Helfer**, **Deskere** ein Bergschloss. Dieses Schloss wurde im J. 270 von 'dem persischen König Hormuf I. erbaut, und dem von der Intoleranz der Magier verfolgten Mani (Manes) zum Aufenthaltsorte angewiesen. Unter dem Schutze eines aufgeklärten Fürsten verlebte der persische Jean-Jacques hier zwei Jahre in philosophischer Ruhe, und stellte astronomische Beobachtungen an, zeichnete seine Weltkarte, und vollendete kunstvolle Gemälde: lauter Werke, deren Verlust sehr zu beklagen ist, wie überhaupt dieser Mann, den die christliche Kirchengeschichte nur als einen bösen Häresiarchen kennt, in den persischen Geschichtswerken, trotz der argen Verketzerungen, womit auch sie ihn überhäufen, als einer der geistreichsten Denker und Gelehrten erscheint. Hormuf' Nachfolger Bahram I. opferte ihn der Intoleranz seiner Feinde auf, und liess ihn lebendig schinden. Deskere ward später ein Lieblingsaufenthalt der Sassaniden; Heraklius eroberte und verwüstete es im Anfang des J. 628; doch scheint die anmuthige Lage des Ortes die Ursache zu sein, dass es sich nachher noch einmal, wiewohl nicht zu solchem Glanze, wieder erhob.

[108]) Die der Uebersetzung beigegebene Kopie der Karte von Irak enthält dieselben Zahlen, wie das Original, mit Ausnahme derjenigen Namen, welche bereits übersetzt auf der Kopie lithographirt sind und also keiner Erklärung bedürfen; die im Text befindlichen Erklärungen gelten für Original und Kopie der Karte.

[109]) Hormuf Scheher wurde von dem ersten Sassaniden, Ardeschir I. (reg. 226—238) angelegt, und hiess eigentlich Hormuf Ardeschir. Als Hauptstadt von Chufistan nahm sie später den Namen des Landes an, denn Ahwaf und Chuf sind offenbar nur verschiedene grammatische Formen desselben Stammes.

[110]) Die gründlichste Erörterung über diesen durch Sapor mit Hülfe seiner römischen Kriegsgefangenen ausgeführten Wasserbau findet man in Ritter's Asien, Bd. IX. S. 186, wozu ich nur bemerke, dass Isztachri's Karte die Stadt Toster auf die Westseite des Flusses verlegt.

[111]) Ein offenbarer Schreibfehler für „das Wasser."

[112]) Hiermit vergleiche man den etwas widersprechenden Bericht des Benjamin von Tudela (ed. Bergeron, p. 43; ed. Frankfurt a. M. $\frac{471}{1711}$ p. 22.) Sir W. Ouseley theilt in Walpole's Memoirs relating to European and Asiatic Turkey, Vol. II. p. 429 folgenden Bericht des Ibn Aaszim (der im 8. Jahrhundert lebte) über die hier erwähnten Umstände mit: „Abu Musa, having pillaged the territory of Ahwaz, proceeded to Sus, where he slew the governor, a Persian prince, named Shapur, the son of Azermahan. Then he entered the castle and palace of that

prince, and seized all the treasures deposited there in different places, until he came to a certain chamber, of which the door was strongly fastened, a leaden seal being affixed to the lock. Abu Musa inquired from the people of Sus what precious article was guarded with such care in this chamber; they assured him, that he would not regard it as a desirable object of plunder; but his curiosity was excited, and he caused the lock to be broken and the door opened. In the chamber he beheld a stone of considerable dimensions, hollowed into the form of a coffin; and in this the body of a dead man, wrapped in a shroud or winding-sheet of gold brocade. The head was uncovered; Abu Musa and his attendants were astonished; for, having measured the nose, they found that, proportionally, this dead personage must have far exceeded in stature the common race of men. The people now informed Abn Musa that this was the body of an eminent sage who formerly resided in Irak, and that whenever the want of rain occasioned a famine or scarcity, the inhabitants applied to this holy man, and, through the efficacy of his prayers, obtained copious showers from heaven. It happened once that Sus likewise suffered from excessive drought; and the people in distress requested that their neighbours would allow this venerable personage to reside a few days among them, expecting to derive the blessing of rain from his intercession with the Almighty; but the Irakians would not grant this favour. Fifty men were then deputed by the people of Sus, who again petitioned the ruler of Irak, saying, „Let the holy personage visit our country, and do thou detain the fifty men until his return." These terms were accepted, and the holy personage came to Sus, where, through the influence of his prayers, rain fell abundantly, and saved the land from famine; but the inhabitants would not permit him to return, and the fifty men were detained as hostages in Irak: at length he died. Such, said those who accompanied Abu Musa, is the history of this dead man. The Arabian general then inquired by what name so extraordinary a person had been known amongst them; they replied, „The people of Irak called him Danial Hakim, or Daniel the sage." After this, Abu Musa remained some time at Sus, and dispatched to Omar, the Commander of the Faithful, an account of all his conquests in Khuzistan, and of the various treasures which had fallen into his possession; he related also the discovery of Daniel's body. When Omar received this account, he demanded from his chief officers some information respecting Daniel, but all were silent except Ali, on whom be the blessing of God! He declared that Daniel had been a prophet, though not of the highest order; that in ages long past he dwelt with

Bakhtnasser (Nebuchadnezzar), and the kings who succeeded him; and
Ali related the whole history of Daniel, from the beginning to the end,
with all the circumstances of his death. Omar then, by the advice of
Ali, caused a letter to be written, directing that Abu Musa should
remove, with due respect and religious reverence, the body of Daniel
to some place where the people of Sus could no longer enjoy the possession of it. Abu Musa immediately on receipt of this order obliged
the people of Sus to turn the stream which supplied their city with
water from its natural course; then he brought forth the body of Daniel, and having wrapped another shroud over the gold brocade above
described, he commanded that a grave should be made in the dry channel
of the river, and therein he deposited the prophet's venerable remains;
the grave was then firmly secured, and covered with stones of considerable size; the river was restored to its former channel, and the waters
of Sus now flow over the body of Daniel."

Ebendaselbst, p. 422 wird aus einer handschriftlichen Reisebeschrei-
hung folgende Notiz über den jetzigen Zustand des Grabes Daniel's
gegeben: „I was finally driven by the heat to the tomb of Daniel or,
as he is called in the East, Danyall, which is but a few hundred feet
from the Kala, situated in a most beautiful spot, washed by a clear
running stream, and shaded by planes and other trees of ample foliage.
The building is of Mohammedan date, and inhabited by a solitary Dervish, who shows the spot where the prophet is buried beneath a small
and simple square brick mausoleum, said to be, without probability,
coeval with his death. It has however neither date nor inscription to
prove the truth or falsehood of the Dervish's assertion. The small river
running at the foot of this building, which is called the Bellarou, it
has been said, flows immediately over the prophet's tomb, and, from
the transparency of the water, his coffin was to be seen at the bottom;
but the Dervish and the natives whom I questioned, remember no tradition corroborating such a fact; on the contrary, it has at all times
been customary with the people of the country to resort hither upon
·certain days of the month, when they offer up their prayers at the tomb
I have mentioned, in supplication to the prophet's shade; and by beco-
ming his guests for the night, expect remission from all present grie-
vances, and an ensurance against those to come."

[113]) Die jährliche Erneuerung des Kaaba-Vorhanges liegt dem jedes-
maligen Oberhaupte der islamitischen Nationen ob, also zu Isztachri's
Zeiten dem Chalifen von Bagdad; jetzt bekanntlich (seit 1517) den os-

manischen Sultanen. Die Sitte ist schon uralt, und stammt aus der vormohammedanischen Zeit her.

¹¹⁴) Golius (Lex. Arab. p. 703) beschreibt diesen Stoff folgendermassen: chaff, Plur. chofuf, Pers. kaf, Sericum netum grossiusque. Bombycum enim folliculi, a papilionibus perrupti, plusculum coquuntur cum sapone, emollitique & cohaerentes a mulieribus in fila ducuntur fuso. item Pannus ex eo serico contextus. aliis Lana seu pili animalis marini, castoris puto, ex quibus texuntur vestes.

¹¹⁵) Im Text steht „susendscherd“, welches in den Wörterbüchern nicht aufzufinden ist; „surendschan“ dagegen hat die in der Uebersetzung ausgedrückte Bedeutung.

¹¹⁶) „Sitr“ von „satar“ bedecken, kann beides bedeuten, nur ist mir nicht bekannt, welche Bedeutung zu damaliger Zeit im Handel gäng und gäbe war. Interessant aber ist es zu sehen, dass das Nachahmen der Fabrikzeichen schon damals eine nicht unbekannte Sache war.

¹¹⁷) Ram Hormuf (Hormufruh) wurde von Hormufd I. erbaut, Gondischapur (arabisirt Dschondi Sabur) von seinem Vater Schapur I. Letzterer Ort zeichnete sich vorzüglich durch seine medizinische Akademie zur Zeit der Sassaniden aus. — Jakub der Sohn Leith's, war anfangs ein Kupferschmied (szoffari), und errichtete mit einem Szaleh ben Nadher ein Freicorps gegen andere politisch-religiöse Ketzer in Segestan; endlich kam er mit dem Schatzmeister Dirhem (d. h. Drachme, ein ominöser Name für einen Finanzminister) des Statthalters von Segestan in Verbindung, und benutzte diese Bekanntschaft, um alle Gold- und Silbermünzen aus dem Schatze wegzutragen. Im Schatze fand er einen kleinen weisslichen Stein, und in der Meinung, es sei ein Edelstein, steckte er ihn in den Mund, wodurch er sich aber überzeugte, dass es Steinsalz war. Ob durch einen geheimen Aberglauben getrieben, oder aus einer unbekannten Ursache, er brachte sofort alles Geld zurück, und gestand dem Statthalter offenherzig seinen Streich. Diesem musste die Sache spasshaft vorkommen, wesshalb er ihm nicht nur verzieh, sondern ihn auch in seine Dienste nahm. Nach dem Tode des Statthalters suchte er sich der Provinz zu bemächtigen; in einem Streifzuge gegen Chorasan nahm er den dortigen Vicekönig Mohammed ben Taher gefangen. Nach der Eroberung von Schiraf und Kirman bekriegte er Irak und Mafenderan, wo er einen Alidischen Werber (den grossen Dai) besiegte. Seine weiteren Entwürfe gingen auf Arabien und das Chalifat, er wurde aber von dem Bruder des Chalifen besiegt, und musste nach Chufistan flüchten, wo er bald darauf am 19 Sehual 265 (13 Juni 879) in Gondischapur an der Kolik starb.

(Nach dem Bahr el Mewwadsch, einem pers. Manuscript der kgl. Bihl. in Berlin Vol. I., fol. 97. 98.).

¹¹⁸) Aus der Beschreibung von Chufistan, dem ersten Lande inner-halb der geographischen Gränzen von Persien, sieht man, dass Isztach-ri's Werk an Interesse gewinnt; vergebens würde man bei einem an-deren Lande, Syrien, Aegypten u. s. w. solche Nachrichten suchen, wie hier selbst bei einzelnen Dörfern.

¹¹⁹) Seit den Zeiten Alexander's, der sich indess nur kurze Zeit in Susiana aufhielt, wo er mit der Bezwingung der Uxier beschäftigt war, bis auf die Zeiten der arabischen Eroberung war das Land frei von verheerenden Kriegsereignissen geblieben. Nur einmal wagte es ein Seleucide, aus blosser Raubsucht einen Zug gegen Elymais anzutreten, wo er aber von der gut bewaffneten Bürgerschaft so nachdrücklich em-pfangen wurde, dass er sein Leben verlor, und nach ihm keiner an ähnliche Unternehmungen dachte. Von den Parthern blieb es unab-hängig; unter den Sassaniden aber ward es eine Provinz, welche sich besonderer Vorliebe der Fürsten zu erfreuen schien. Ardeschir I. grün-dete dort mehrere Städte; sein Sohn Schapur I. ebenfalls; auch veran-lasste er den gigantischen Wasserbau in Gondischapur; Hormufd I., sein Sohn, fuhr in gleichem Sinne fort; Nuschirwan (Kesra I.) grün-dete in Gondischapur die berühmte medizinische Akademie; auch die Anpflanzung des Zuckerrohrs und die Gewinnung des Zuckers in Chu-fistan rührt aus diesen Zeiten her; vieles, was damals geschah, hat uns kein schriftliches Denkmal aufbewahrt; aber noch jetzt kann der Wan-derer fast keinen Schritt in diesem Ländchen thun, ohne auf Spuren Sassanidischer Baukunst zu stossen. Der mannhafte Geist der Bevöl-kerung hatte sich unter diesen Herrschern und unter einer Verfassung, die der Ausbildung konstitutioneller Formen und ständischer Körper-schaften günstig war, erhalten; denn die Eroberung dieser kleinen Pro-vinz kostete den Arabern einen grösseren Aufwand von Zeit und Menschen, als die Eroberung von ganz Syrien und Aegypten; die ein-zige Stadt Abwaf hielt ein besonderes arabisches Heer 28 Monate auf. Dass unter der arabischen Herrschaft der blühende Zustand Chufistan's nicht abnahm, beweist die Beschreibung Isztachri's, und überhaupt scheint dies erst der Fall seit den verheerenden Zügen der Mogolen gewesen zu sein. Seitdem hat der Verfall zugenommen, und die De-moralisation kann jetzt schwerlich noch tiefer sinken; eine funfzigjäh-rige Anarchie (seit Nadir's Tode bis auf Feth Ali Schah, 1796) und die vierzigjährige Regierung Feth Ali Schah's, die noch abscheulicher

war, als die wildeste Anarchie, haben das Werk der Zerstörung und
der Demoralisation vollendet. Aber die Bedingungen zu einem besseren Zustande sind noch immer
vorhanden: ein fruchtbarer Boden, viel fliessendes Wasser, gesunde
Luft sind noch immer da, und eignen das Land zu einem fabrikthätigen,
gewerbreichen Staate, obgleich der Zustand der kleinen Küstenstrecke,
wo nirgends ein Seehafen ist, die Verbindung mit den Weltmärkten
abschneidet. Um aber jenen glücklichen Zustand wieder hervorzubringen,
wäre vor allen Dingen eine Ausrottung der jetzigen Bevölkerung uner-
lässlich; denn diese ist so schlecht, dass an eine Verbesserung gar nicht
zu denken ist. Durch Religion intolerant, durch Polygamie für häus-
liches Familienleben verdorben, durch Erpressungen aller Art zum
Theil verarmt, überall aber verlogen, arglistig und argwöhnisch geworden, ist mit ihr nichts anzufangen. Aber in den Händen einer
europäischen Macht, von christlichen Bewohnern bevölkert, könnte dieses
von der Natur so herrlich ausgestattete Ländchen bald wieder ein kleines
Paradies werden und die Wunder von Susa, die Reichthümer von Elymais erneuern.

Alexander's Gefährten haben dieses Land nur nothdürftig beschrieben; spätere Geographen konnten also noch weniger davon wissen; kein
seleucidischer Eroberer, kein römischer Centurion, kein byzantinischer
Commissair hatten in achthundert Jahren dieses Land betreten (mit Ausnahme des Kaisers Valerian und seiner Unglücksgefährten, die nicht
wieder zurückkehrten, und der griechischen Gefangenen von Dara, die
im Jahre 588 aus dem Schlosse der Vergessenheit Giligerdon, jetzt
Kala Gilgird, dem alten Susa gegenüber, entsprangen.) Von den morgenländischen Geographen wird Isztachri, der erste derselben, erst jetzt
bekannt; Abulfeda, Edrisi, Bakui, Ibn Wardi, das Dschihannuma u. a. m.
geben nur kümmerliche Bruchstücke; von europäischen Reisenden waren
Rich (1820) und Rawlinson (1838) die ersten seit Alexander dem Grossen, deren Berichte wieder nach Europa kamen, und diese fanden nur
noch die Trümmer dessen, was hier ehemals blühte. Dies möchte wohl
die Ursache sein, wesshalb vielleicht niemand früher seine Aufmerksamkeit auf diesen fast vergessenen Erdenwinkel richtete.

[119]) Fast sämmtliche Namen der Landschaft sind arabisirt; die persischen Formen sind Istachr, Ardeschir Churre, Darabgerd, Argan,
Schapur. Auch das ganze Land selbst heisst eigentlich Pars (Persis).

[120]) Um diese Flüsse nachzuweisen, bedarf es einer noch viel ge-
naueren Durchforschung von Pars; bis jetzt sind selbst unsere besten

Karten und Geographien mit den barbarischen Namen Cyrus, Araxes u. s. w., die niemals existirt haben, verunstaltet.

[121]) Der Ausdruck ſem wird nirgends vom Verfasser erklärt; aus dem Folgenden scheint hervorzugehn, dass die Sem abgesonderte Militairdistrikte waren, deren Besatzungen nicht der landschaftlichen Verwaltung unterzogen wurden. Das Wort ſem bedeutet im Neupersischen nach dem grossen Wörterbuche Heft Kolſum (The Seven Seas) einen Docht „fatile“, was hier zu nichts führt; vielleicht hängt es mit ſemin Erde, im Send ſao (von dem Thema ſem) zusammen.

[122]) Ahl el Kitab d. h. Leute der Schrift, bedeuten solche, welche göttliche Offenbarungsschriften annehmen; solche Religionsbekenner sind nach Mohammed die Juden, Christen und Mohammedaner, und als göttliche Offenbarungsschriften gelten der Pentateuch, die Psalmen, das Evangelium und der Koran; von diesen sind aber die drei ersten durch Juden und Christen verfälscht, indem sie die in demselben auf Mohammed bezüglichen Weissagungen theils weggelassen, theils verdreht haben. Diese Distinction ist nicht ohne Wichtigkeit, indem sie Einfluss auf die Stellung der unterworfenen Völker hat, die den Islam nicht annehmen. Solche, die gar keine göttliche Schriften hatten, wurden weit schonungsloser behandelt, als Juden und Christen. Dies Schicksal traf namentlich die Perser, welche zwar den Send Avesta von Zoroaster besassen, den Mohammed aber nicht als göttliche Offenbarungsschrift anerkannte. Isztachri scheint aber die Benennung „Schriftbekenner“ für seine Vorfahren in Anspruch nehmen zu wollen.

[123]) Dieses Register würde ein höchst schätzbarer Beitrag zur Topographie Persiens sein, wenn nicht fast sämmtliche Namen ohne diakritische Punkte geschrieben wären. So wie es jetzt ist, enthält es für uns fast nur voces nihili, die erst dann ihre Erklärung finden werden, wenn uns ein neuerer Statistiker mit einer ähnlichen Arbeit über Persis beschenkt, oder wenn eine andere Abschrift des Isztachri zum Vorschein kommt. Ich habe fast sämmtliche Namen nach blossem Gutdünken gelesen, und Buchstabenklauber werden daher hier, wie auch sonst hin und wieder im Laufe des Werkes Inkonsequenzen finden, namentlich in Betreff der Vokalisirung. Ich muss gestehen, dass ich nicht die Geduld hatte, dieses ganze Chaos von Hieroglyphen beständig bei der Uebersetzung, Correktur und Anfertigung des Registers sowohl unter sich, als mit den in andern orientalischen Werken zerstreuten Notizen zu controlliren, um eine Consequenz hervorzubringen, die zwar übereinstimmende Namen geben würde, allein immer noch ohne die Garantie der Richtigkeit. — Das nun folgende Verzeichniss der Kurdenstämme ist

etwas besser; die wenigen zweifelhaften Namen habe ich mit einem (?)
versehen. Unter ihnen finde ich jedoch nur die Dschelilie unter den im
eigentlichen Kurdistan befindlichen Stämmen wieder.

[124]) Kai Chosru war der dritte Kajanier; Gudarf war einer seiner
tapfersten Generale.

[125]) Dies wäre also eine der interessantesten Lokalitäten Persiens;
der Lage nach zu urtheilen kann es nicht einmal sehr weit von Abuschehr
(Buschir) entfernt sein. Magier werden freilich nicht mehr dort sein,
wenn aber das Schloss noch existirt, so wäre es nicht unmöglich, dort
noch einige Pehlviurkunden aufzufinden.

[126]) Das Land Wakwak gehört zur geographischen Fabel der Morgen-
länder; es sollen dort die Menschen auf den Bäumen wachsen.

[127]) So heisst es wörtlich im Text, welcher hier augenscheinlich
verdorben ist. Abulfeda, der diese Stelle aus Ibn Haukal excerpirt hat,
nennt den See Dschimkan oder Dschokman, welches auch wohl richtig
ist, da der See Bachtikan bereits vorher beschrieben ist. Dann sagt er,
das eine Ende sei zwei Parasangen von Schiraf, und das andere Ende
in der Nähe der Gränze von Chufistan; allein hiermit ist nicht viel
gewonnen, so dass wir noch jetzt mit Abulfeda ausrufen können: w'allah
aalem! (Gott weis es am besten).

[128]) Hier versteht Isztachri jene prachtvolle Colonnade, welche unter
dem Namen Tschehel Minar (Tschilminar, d. h. Vierzig Thürme) bekannt ist.

[129]) Darabdscherd ist die arabisirte Form von Darabgerd (Darius fe-
cit); Darab ist der persische Namen des Darius, und gerd kommt von
gerden, thun, machen, Dän. at gjöre, Schwed. gjöra.

[130]) Dschur ist die arabisirte Form des Namens Gur, den die hier
beschriebene Stadt im Alterthume führte; Ardeschir nannte sie Ardeschir
Chorre, und Adhad ed Daula, der sie aus ihrem späteren Verfalle wieder
aufrichtete, nannte sie Pirufabad, (Firufabad), welchen Namen noch jetzt
die Trümmer führen. Jenes grosse Gebäude, welches zugleich einen militairischen und religiösen Zweck hatte, hiess Terbal oder Terbali, und
die Ruinen desselben ziehen noch jetzt die Aufmerksamkeit der Reisenden
auf sich.

[131]) Dass eine solche Etymologie unstatthaft ist, bedarf keiner Erin-
nerung; sie ist vielleicht die Erfindung eines Spassvogels.

[132]) Im Text steht: „Dies ist ein Distrikt von Iszfahan Kerdem es
Sird“, welches mir unverständlich ist.

[133]) Das letztere zeigt schon der Name an; rud bedeutet im Persischen
einen Fluss.

[134]) Beidha arab. weiss; der Ort führt desshalb auch den persischen Namen Kala Sepid (weisses Schloss, Belgrad).

[135]) Nudsch ist wahrscheinlich der Ort Nuh auf der Karte von Fars, No. 40. Ich hielt es anfangs für einen Schreibfehler für Naubendschan, was aber wohl nicht der Fall ist. Die Uebersetzung ist demnach so zu berichtigen: „Nudsch liegt in einer Vertiefung, so dass die Hitze hier sehr stark ist. Ihre Häuser sind aus Lehm. Es sind hier viele Dattelpalmen. — Bei Naubendschan sind nur wenige Dattelpalmen. In der Nähe ist Schaab Buan u. s. w."

[136]) Das Jahr 324 entspricht dem christlichen Jahre 936. Uebrigens ist die Zahl mit Ziffern geschrieben, und zwar einmal falsch, vom Abschreiber durchstrichen, und darüber 324 gesetzt. Das Durchgestrichene zeigt auch noch deutlich die Zahl 24; eine andere Zahl als 324 aber konnte nicht richtig sein, denn im J. 224 (839) lebte Isztachri noch nicht, und im J. 424 (1033) hatte schon Ibn Haukal längst .seinen Auszug aus Isztachri gemacht.

[137]) In diesen Angaben ist ohne Zweifel viele Uebertreibung.

[138]) Von allen diesen angeblichen Bildwerken hat sich nur eine beschädigte Bildsäule Schapur's I. wiedergefunden, und es scheint, dass auch niemals dort mehr vorhanden gewesen sind.

[139]) Diese Stelle, die im Isztachri verstümmelt ist, ist aus Ibn Haukal übersetzt, . allein auch dessen Text ist durch eine Unzahl von Schreibfehlern sehr unverständlich.

[140]) D. h. ein Regal ist. Kämpfer, Amoenit. Exot. p. 517—519 gibt einen interessanten Bericht über die Einsammlung der Mumie, der die Nachrichten Isztachri's nicht nur vollkommen bestätigt, sondern auch vortrefflich erläutert. Nachdem er erwähnt hat, dass es zwei Arten von Mumie gibt, (die er Mumia primaria und M. secundaria nennt) fährt er fort: „Natalis locus Mumiae primariae, ab hominum aditu, pagis, fontibus est remotissimus, et maxime desertus, situs in provincia Darab, unius diaetae intervallo ab urbe Dara, ita a Dario conditore nuncupata, Persarum Monarcha ultimo. Incunabula ei hic praebet caverna quaedam angusta, geminam orgyjam instar putei demissa in petram sub radice montis Caucasii. Nam hic (Caucasus) ex Iberia surgens, Asiam, ut Curtii verbis utar, perpetuo jugo dividit, sparsis ubique ramis Persidem pererrans, locis plerisque sterilis, at hoc potissimum incultus et asperrimus.

„Eius collectio aliquot retro seculis intermissa dicitur, vel quod proventus cessaverit, vel quod locus bellorum turbis amissus et oblivione obliteratus fuerit. Inventus iterum, et collectio redauspicata est, in principio seculi a Christo sexcentesimi supra millesimum; a quo tempore

41

magna pompa et splendore Mumia inde quotannis petitur. Et ne
pretioso rori legitimae originis fides deficiat, quippe inter cariora Domus
Regiae adoptando, ab ipsis ibidem supremis Provinciarum Directoribus
excipiendus est, ea quidem aestatis parte, qua ex intensis Sirii caloribus
maxime mollescit, ac laterum asperitatibus faciliori opere abscedit. Ritus
et colligendi modus hic est: Supremus provinciarum Laar et Daraah
praefectus, cum ceteris ex utroque territorio Regiis admi-
nistris, indicto tempore, ad montis radicem conveniunt,
lustrant et reserant sigilla, quibus cavernam superiori anno
obsignaverant. Tum saxo ingentis molis, quod ingressum claudebat,
viginti bajulorum lacertis devoluto, unus ad extergendum bitumen intro-
mittitur, instructus cochleari ferreo, ad rimanda latera, probe rostrato.
Ne vero colligenti, in obscura solitudine, latebrae ac vestimenta furandi
occasionem suppeditent, his totus exuitur, et praeter pudenda nudus
dimittitur: data prius, qua ingluviem claudat, aqua limpida, plenis buccis
continenda, donec redeat. Speluncam ingressus, abradit quicquid supe-
rioris anni decursu petra eliminavit, circiter horam unam in illo opere
conficiens; dum interim deputati, id tempus epulando daturi, repetunt
tentorium, quod eum in finem e regione cavernae magnifice expande-
hatur. E puteo redux, et Mumiam deponit Inspectoribus, et retentam
aquam in patellam argenteam egerit, ab omnibus censendam, an pro
accepta lotium suum substituerit: quin papilione eductus, in ano ipso
immissis digitis visitatur, si vel inter sterquilinia gemmeum rorem con-
diderit. Tum vero Mumia igni illico liquatur, ut lapidosa excrementa
una cum bitumine abrasa subsideant, limpida eius substantia in pyxidem
argenteam, eam in rem noviter fabricatam, inclinatione effunditur, quanti-
tatem plerumque referens viginti quinque Mescalium, i. e. uncia-
rum paulo plus quatuor; nam Mescaal drachmam unam cum granis
paucis continet. Obsignata pyxis, a praesentis coronae primoribus
quinque, hemerodromo porrigitur, sine mora in Regiam Ispahanensem
exportanda. Quae impura remanet portio, eam inter se, connivente
Rege, curatores dividunt. Dehinc, clauso rursus signatoque aditu, concio
dimittitur."

¹⁴¹) Ein beträchtlicher Theil dieser Namen ist aus Mangel an diakritischen Punkten unsicher.

¹⁴²) Die Aufzählung gibt nur 70 Parasangen. Lieut. Alexander's
Itinerarium gibt 284 engl. Miles oder 71 Parasangen, welches mit Isztachri sehr genau übereinstimmt. Derselbe verlegt die Gränze von Pars
und Irak bei Jefdichast, welches nach seinem Routier 200 engl. Miles
(50 Parasangen) von Schiraf entfernt ist.

¹⁴³) Nach der Sprache zu urtheilen, scheinen sie mit den Afganen ein Mittelglied zwischen Indiern und Ariern in der grossen Indo-Germanischen Völkerklasse zu sein.

¹⁴⁴) Oder vielleicht: „welcher einen Wasserfall hat." Einen solchen besitzt er wirklich; das Wort „wedschbe" (im Text steht „wehbe") bedeutet eigentlich Sonus cadentis rei, so dass die wörtliche Uebersetzung wäre: „eique est sonus cadentis rei." M. s. Wahl's altes und neues Vorder- und Mittelasien S. 745.

¹⁴⁵) Das hier beschriebene Hormuſ ist das heutige Bender Abasi auf dem Festlande, und nicht das auf der Insel Serun in Trümmern liegende Hormuſ, welches letztere erst bei dem Einbruche der Tataren in Persien erbaut wurde. Durra ist eine Hirseart, welche im südlichen Arabien das Hauptnahrungsmittel der Bewohner ist.

¹⁴⁶) Ein Mann (im britischen Indien sagt man Maund) hàlt 2 Rotl.

¹⁴⁷) Nämlich die Sprache der Beludschen.

¹⁴⁸) Diese Stelle ist mir undeutlich.

¹⁴⁹) Lieut. (jetzt Sir) Henry Pottinger machte die Reise von Bamm nach Sirdschan (auf seiner Karte Bumm und Kirman) nicht auf dem hier beschriebenen Wege, sondern über Suraé, Subzistan, Teheroot und Mahoon (letzteres heisst auf Isztachri's Karte Mahan), nördlich von obigem Wege, so dass die Vergleichung hier, wie in den meisten andern Fällen unmöglich ist.

¹⁵⁰) Was hier folgt, ist wahrscheinlich der Anfang der Beschreibung von Mekran, wovon ein zweites Bruchstück in der Beschreibung von Sind vorkommt. Vermuthlich boten die beiden Handschriften, die dem Copisten vorlagen, solche Abweichungen dar, dass sie die Gränzen seines kritischen Scharfsinnes überstiegen.

¹⁵¹) Dies ist die ältere Aussprache derjenigen Landschaft von Afganistan, wo die bekannten Duranier ihre ursprünglichen Wohnsitze hatten; verschieden von dem Turan der persischen Geographie, welches letztere die nordlich von Persien liegenden Länder mit türkisch redenden Bewohnern bezeichnet.

¹⁵²) Dies bezieht sich auf die im Orient übliche Weise, durch eigene Biegungen der Finger jede beliebige Zahl anzudeuten, welche vorzüglich bei'm Handel gebräuchlich ist. Wenn ich nicht irre, so wird die Zahl 4 dadurch angezeigt, dass die Spitze des Daumens an die Spitze des Zeigefingers gelegt wird.

¹⁵³) So schreibt Isztachri hier und noch an einigen andern Stellen den Namen, welcher bei späteren Schriftstellern beständig Arran heisst,

und den Herr Dr. Möller im lateinischen Index zum Isztachri **Irana** ausdrückt, welches aber leicht zu Missverständnissen führen könnte.

¹⁵⁴) Isztachri nennt den Kaukasus immer **Kabak**, Abulfeda **Kaitak**. Der eigentliche orientalische Name ist bekanntlich **Elbrus**; jener Name ist wahrscheinlich aus **Kavk**, **Kasp** oder **Kasf**, einer Verstümmlung des griechischen Namens entstanden.

¹⁵⁵) So steht im Texte und in einer Handschrift des Abulfeda, in einer andern steht **Sebelan**, so wie auch bald nachher im Isztachri; eben so nennt auch Olearius (p. 461) den Berg.

¹⁵⁶) **Meraga**, 37° 20ʹ N. B., wo der bekannte Naszireddin von Tus um die Mitte des dreizehnten Jahrhunderts seine Sternwarte hatte, hält noch jetzt 4500 Häuser mit 20,000 Bewohnern. Die getrockneten Früchte, besonders Rosinen, machen noch immer einen bedeutenden Handelsartikel aus; s. Porter, Travels Vol. II. p. 494.

¹⁵⁷) **Tiflis**, georgisch **Tflissi**, **Tflis-Kalaki** d. h. warme Stadt (vergl. Töplitz in Böhmen, Tibilis in Numidien, Ortel. Thes. geogr. Slav. teplo, warm, tepidus) nach Klaproth 41° 30½ʹ N. B., nach russischen Beobachtungen 42° 45ʹ, nach Capt. Monteith 41° 43ʹ, war ursprünglich ein Dorf, bei welchem der persische Gouverneur unter der Regierung des **Warza Bakur** von Georgien im J. 380 die Festung **Schuris-tsiche**, und im J. 469 der König **Wachtang Gurgaslan** die Stadt **Tflissi** erbaute. S. J. Klaproth Voyage au Mont Caucase T. II. p. 2. Sir R. K. Porter hat offenbar Reineggs ausgeschrieben, wenn er berichtet (Travels, Vol. I. p. 115): The city has no claim to an antiquity beyond the laps of a few centuries, having been founded in the year 1063, by the Tzar Liewvang who wished to derive personal benefit from certain warm springs in its neighbourhood. Abgesehen davon, dass um 1063 gar kein Fürst dieses Namens in Georgien herrschte, und dass die georgischen Fürsten erst seit der Zeit, wo sie russische Vasallen wurden, den Zarentitel annahmen, so wird durch die blosse Erwähnung des Namens Tiflis in Isztachri obige Angabe Reineggs' ohne Weiteres entkräftet.

¹⁵⁸) **Gandsche**, Ganzaca der Alten. Dschanfe ist die arabisirte Form wie Adherbaidschan, Dschilan etc. für Aferbaigan, Gilan.

¹⁵⁹) Diese Stelle scheint durch die Schuld des Abschreibers etwas gelitten zu haben. Deir Chorkan ist Day Gurgan bei Porter Trav. II. p. 499, zwischen Meraga und Tebrif, und ist eins der grössten Dörfer der Umgegend.

¹⁶⁰) Es könnte auch heissen: „Man fängt dort den Fisch Tarich, welchen man in andere Länder ausführt," wenn Tarich der Name

eines besondern Fisches wäre. Es scheint indessen richtiger, das Wort Tarich für eingesalzene Fische überhaupt zu nehmen, wie auch schon Golius dieses Wort mit dem Griechischen ταριχεύω vergleicht. Nach der Versicherung des Engländers Cartwright sollen die Fische, welche man im See Van fängt, den Heringen ähnlich sein.

¹⁶¹) d. h. der Fisch Su.

¹⁶²) Dieser Umstand hat auch wahrscheinlich den Namen der Landschaft veranlasst, denn Mokan (oder vielmehr Mogan) ist der Plural von mog, ein Magier.

¹⁶³) Der persische Titel Salar entspricht ungefähr dem dentschen Herzog.

¹⁶⁴) Unter den Namen Harith und Hawirith beschreibt Isztachri die beiden Absätze des Ararat, Bingöl und Aladag; sein Abschreiber Ibn Haukal, oder dessen Abschreiber Abulfeda hat Debil mit Ardebil verwechselt, und beschreibt unter den Namen Harith und Hawirith den Berg Seilan (oder Sawalan) bei Ardebil.

¹⁶⁵) Hamadan, 34° 53′ N.B., das alte Ekbatana (Agbatana), die Sommerresidenz der parthischen Könige, die alte Hauptstadt von Medien, verlor seinen Glanz bereits unter den Sassaniden, deren Lieblingsaufenthalt weiter südlich und westlich in Chusistan und Irak war, und sank vollends zur Unbedeutendheit durch die Zerstörungen, welche Timur hier anrichtete.

¹⁶⁶) Das Wort, welches ich nicht übersetzt habe, gibt gar keinen passenden Sinn; der Abschreiber hatte eine Variante an den Rand geschrieben, wovon aber, wenigstens in dem lithographirten Text, nur der Artikel übrig geblieben ist.

¹⁶⁷) Diese ganze Stelle ist mir nicht recht verständlich.

¹⁶⁸) Géogr. d'Abulféda p. 409: „Der Verfasser des Lohab sagt: Kom wurde im J. d. H. 83 (702) erbaut von Abdalla Saadan, Achusz, Ishak, Noaim und Abderrahman, den Söhnen des Saad ben Malek ben Amer ben Eschaari. Sie waren Anhänger des Abderrahman ben Mohammed ben Eschaath, und als dieser von Hedschadsch ben Jusuf dem Thakefiten geschlagen wurde, liessen sie sich in diesem Orte nieder. Es waren hier sieben Dörfer nahe bei einander; sie sammelten sich hier einen Anhang, tödteten die Häuptlinge dieser Dörfer, und bemächtigten sich derselben. Dann bauten sie Häuser, und die sieben Dörfer wurden sieben Strassen der Stadt. Eins derselben hiess Komidan, woraus mit einigen Veränderungen der Name Kom entstand. Abdalla Saadan hatte einen Sohn Musa, welcher sich von Kufa nach Kom begab, und daselbst das Schisma veranlasste." — Kom liegt 34° 15′ N.B., und ist jetzt fast gänzlich verödet. Porter Travels Vol. I, p. 375.

[169]) „Möge dich der Skorpion von Kaschan stechen", ist ein gewöhnlicher Fluch in Persien. Es ist allgemein angenommen, dass diese Stadt die grösste und giftigste Art dieses Insektes erzeugt, obgleich, wie man versichert, auch der Skorpion von dem Geiste der Gastfreundschaft, der das persische Volk auszeichnet, beseelt sein, und nie einen Fremden stechen soll". Leben und Sitte in Persien (von Gen. Malcolm).

[170]) Wollte man auch nur die erstere Angabe annehmen, so müsste der Berg Denbawend wenigstens zwei deutsche Meilen hoch sein, also fast noch einmal so hoch, als die höchsten Berge der Erde. Schiraf ist beinahe sechs Breitengrade, also über 110 Parasangen von Denbawend entfernt. Isztachri selbst scheint es nicht zu glauben, was er erzählt, denn er berichtet es nur von Hörensagen, obgleich er selbst in der Nähe von Schiraf geboren ist. Abulfeda setzt die Entfernung, in welcher man den Berg sehen kann, auf 60 Parasangen herab, was aber auch noch unmöglich ist.

[171]) Nihsitun (Neun Säulen) ist wohl nur ein Schreibfehler statt Bisitun (ohne Säulen).

[172] Kesra und Schirin bilden den Gegenstand vieler grösseren orientalischen Gedichte. Kesra's erstes Zusammentreffen mit Schirin, die Gluht ihrer gegenseitigen Liebe, die interessante Episode von dem Bildhauer Ferhad, welcher auf Kesra's Befehl die Skulpturen am Berge Bisitun ausführte, der tragische Tod Kesra's durch seinen Sohn Schiruie, der in unreiner Liebe zu Schirin entbrannte, worauf diese am Sarge ihres Gatten Gift zu sich nahm, um den Nachstellungen Schiruie's zu entgehen: alle diese, zum Theil historischen Ereignisse bilden den Stoff einer Dichtung, mit welcher sich in Hinsicht der Lieblichkeit, der Farbengluht und der Begeisterung ächter Poesie höchstens Petrarca's Sonnette and Shakespeare's Romeo und Julie messen können.

Die beste Beschreibung des Berges Bisitun unter den Neueren verdanken wir Sir R. Porter (Travels, Vol. II.) der auch eine Abbildung desselben liefert (Pl. 59). Seine Beschreibung bestätigt Isztachri's Bericht in allen Theilen, und erläutert sie ganz vortrefflich, wesshalb ich sie hier folgen lasse. Er kam in Gesellschaft einer grossen Pilgerkarawane an, die hier ihr Nachtquartier aufschlug. „This huge mass of crags (sagt er p. 150) which rises so stupendously over our present quarters, from the spot where I stood to view its ancient chiselling, preseñs a nearly perpendicular face of fifteen hundred feet. The lower part of it, (at heaven knows how distant a time) has been smoothed to a height of one hundred feet, and to a breadth of a hundred and fifty; beneath which projects a rocky terrace of great solidity, embracing the same extent, from end to end, of the smoothed cliff above, and sloping gradually in a shelving direction to the level of the ground below.„ — Und p. 151: „About fifty yards from this rocky platform, more towards the bridge, and at the foot of the mountain, bursts a beautifully clear stream. Just over its fountain-head, on a broad protruding mass of the rock, the remains of an immense piece of sculpture are still visible, but so lamentably defaced, that it is almost impossible to make out any one continued outline." Dies bezieht sich offenbar auf die Skulptur, welche Isztachri für Kesra Parviſ und sein Pferd Schebdiſ hielt. Es geht indessen aus' Porter's Bericht hervor, dass die Alterthümer von Bisitun aus einer weit früheren Zeit herstammen, als von Kesra Parviſ, indem eine griechische Inschrift aus der parthischen Zeit mitten auf der Skulptur vorhanden ist. Porter ist nicht ungeneigt zu glauben, dass eine der Skulpturen den Sieg Salmanasser's über die zehn Stämme des Reiches Israel darstelle: eine Vermuthung, die viel Annehmbares hat, allein noch einer weiteren Bestätigung bedarf, bis ein neuer Porter das Glück hat, die über jeder Figur befindliche Inschrift zu kopiren, und ein neuer Grotefend und Lassen uns diese Inschriften erklärt.

[173]) **B a t e n** bedeutet diejenige Auslegungsweise des Koran, welche unter den Worten desselben noch einen geheimen Sinn suchte, und entspricht ungefähr der **t y p i s c h e n A u s l e g u n g** des Alten Testament's in der christlichen Theologie; die Exegese **A b a b e** hielt sich an dem einfachen Wortlaut. Babek Churremi stellte neue Lehrsätze über die Seelenwanderung auf, und widerstand an der Spitze von 150,000 Mann zwanzig Jahre lang allen Heeren der Chalifen. Er herrschte in Aferbaigan, Armenien und Dschebal, und verbreitete Schrecken bis Bagdad, während die griechischen Kaiser mit ihm im Bunde standen, und von der andern Seite das Chalifat bedrohten. Der Chalife Motaszem (Mohammed III.) hatte einen Preis von 50,000 Dinaren auf seinen Kopf gesetzt, und 100,000 Dinaren demjenigen versprochen, der ihn lebendig einfangen würde. Letzteres gelang dem General Chaidber Afschin ben Keawus, der ihn im J. 222 (837) besiegte, und bald darauf seine Veste Bad erstürmte, wobei er mit seiner ganzen Familie gefangen wurde. Der Tag seines Einzuges in Bagdad war ein öffentliches Fest für ganz Irak; Motaszem liess diesem Häresiarchen die Arme und Beine abhauen, und seinen Körper mehrere Tage dem Anblicke des Volkes aussetzen.

[174]) So viel mir bekannt, ist Isztachri der einzige orientalische Schriftsteller, der den Namen der Kadusier kennt, welche schon über tausend Jahre früher an derselben Stelle wohnten.

[175]) So liest auch der Leidener Codex des Abulfeda, obgleich dies augenscheinlich falsch ist, und Hasan heissen muss, wie bereits die Herausgeber des Abulfeda verbessert haben. Seit 864 herrschte in Dilem und Tabaristan eine Nebenlinie der Aliden, die von Hasan, dem Sohne Ali's abstammte.

[176]) Die Dynastie der Karenier war eine Nebenlinie der parthischen und armenischen Arſaciden, welche in Verbindung mit einer andern Nebenlinie, die in Balch residirte, den Sassaniden manche Unruhe verursachte.

[177]) Dschordschan ist der arabisirte Name für Gurgan (Hyrkanien); gürk heisst im Pers. ein Wolf.

[178]) Dieses London des Orients, das Rhages des Tobias, die Wiege des parthischen Reiches, ist jetzt eine weite Ruine, von keinem menschlichen Wesen bewohnt; nur wenige Thürme und Gebäude bezeichnen die Stelle, wo es gestanden hat. Nachdem Dschinkiſ Chan es zerstört hatte, diente es zum Aufbau der jetzigen Hauptstadt Persiens, Teheran, welches 5 engl. Miles nordwestlich davon entfernt ist. Die Beschreibung der Ruinen findet man bei Sir R. Porter (Travels, Vol. I. p. 357). — Der Grammatiker Ebu'l Hasan Ali ben Hamſa el Kosai, ein Perser von Geburt, starb im J. d. H. 181 oder 189 (797 oder 805) zu Raj. Er wird zu den sichen Koranslesern gerechnet, zu denjenigen Lehrern, welche bei den verschiedenen Varianten und bei der Vokalisirung des Korans als Autorität gelten.

[179]) In diesem Namen hat sich das Andenken der alten Daher erhalten.

[180]) Bak ist vielleicht das türkische Beg; ob Balk einerlei ist mit Bolan, wie der erste jüdische König der Chaſaren in der Einleitung zum Sepher Coſri heisst, wage ich nicht zu entscheiden.

[181]) Dasselbe sagt der russische Chronist Nestor (herausgegeben von A. L. von Schlözer), Th. 2, S. 90: „Die Wolga fliesst aus dem Wolkovschen Walde, und geht durch 70 Mündungen in das Chwaliſische Meer". Dagegen führt der Herausgeber in einer Note folgende Worte des Gouverneurs von Astrachan, Tatischtscheff an: „Eben das (dass die wahren Quellen des Dnepr, der Düna und der Wolga immer noch unbekannt sind) lässt sich von diesen 70 Mündungen der Wolga sagen. Nach sorgfältiger Untersuchung habe ich deren nur 18 gefunden."

[182]) Kuthaba ist unstreitig Kiev; vermuthlich hat Isztachri Kujaba geschrieben. Sein Zeitgenosse, Kaiser Konstantin kennt Kiev unter dem Namen Κιόαβα: bei Eggehard heisst es Kitawa, bei Abulfeda Kutaba, bei Naszireddin und Ulug Beg Kujava.

¹⁸³) Der Text hat hier eine Lücke, welche durch die Karte des kaspischen Meeres veranlasst wurde, indem die Farbe des Meeres einen Theil des anliegenden Papiers abriss. Der persische Text, den der Herausgeber am Schlusse zur Ergänzung dieser Lücke hinzufügte, ist keineswegs eine wörtliche Uebersetzung, sondern nur ein Auszug mit allerlei Veränderungen, und ist, wenigstens in dem Abdruck, sehr unverständlich.

¹⁸⁴) Der Kerkeskuh scheint also vulkanischer Natur zu sein.

¹⁸⁵) Madini liest Bab el Dschedid (statt El Hadid) das neue Thor, welches eben so richtig sein mag. Die ganze Differenz beruht auf einem einzigen Punkte.

¹⁸⁶) Madini übersetzt: „La maggior parte dell'acqua di questi fiumi vien fermata allo scopo di mettere in moto dei mulini.“ Von einer Stauung des Wassers in den Kanälen steht im Texte nichts.

¹⁸⁷) I. A. Donndorff schreibt in seiner Geschichte der Erfindungen (Quedlinburg 1817) Band 4, S. 380: „Windmühlen haben die Römer noch nicht gehabt. Dass sie im Orient erfunden wären, ist unwahrscheinlich. In Frankreich sind sie wenigstens um's Jahr 1105 bekannt gewesen, u. s. w.“ Nach den vorliegenden klaren Worten Isztachri's, deren Sinn nicht dem geringsten Zweifel unterliegt, muss nunmehr Europa auf das Verdienst der Erfindung Verzicht leisten, und es dem Orient überlassen. Auch geht hieraus hervor, dass die Erfindung der Windmühlen gegen 200 Jahre älter ist, als man bisher annahm. Bis man vielleicht durch spätere Forschungen noch Näheres darüber lernen wird, werden also die Nachkommen der alten Saken — Sedschestan ist nur die arabisirte Form für Segestan, Sacastene d. h. Land der Saken — in der Culturgeschichte einen nicht unrühmlichen Platz einnehmen. Oder ist vielleicht einer der nach Baktrien versprengten Griechen auf diese Idee gekommen?

¹⁸⁸) Madini lässt hier eine Lücke in seiner Uebersetzung, indem er in einer Note erklärt: „Le parole che qui mancono non le ho potute decifrare.“ Es reducirt sich aber nur auf ein einziges Wort, nämlich تِكَنّالرى vom Zeitwort خال, welches in der VIII. Form technani, machinam struxit, bedeutet.

¹⁸⁹) Lieut. Pottinger (Travels in Beloochistan etc. p. 135) spricht ebenfalls von diesen Staubwirbeln. „They are vast columns of sand, sagt er, which begin by a trifling agitation with a revolving motion on the surface of the desert, and gradually ascend and expand, until the tops of them are lost to the view, in which manner they move about with every breath of wind like a pillar of sand. I have seen thirty or forty

of them at the same time of different dimensions, apparently from one to twenty yards in diameter. Those who have seen a water spout at sea may exactly conceive, the same formed of sand on shore."

[190]) Serendsch, Sereng, repräsentirt das Drangiana und die Zaringaeos der klassischen Schriftsteller.

[191]) Die persische Uebersetzung und Ibn Haukal haben Kuthi.

[192]) Die persische Uebersetzung und Ibn Haukal haben Kirman.

[193]) Kämpfer, der sich lange in den Gegenden aufhielt, wo Assa Fötida wächst, bestätigt diese Angabe, welche schon ein früherer Schriftsteller, Garzias, in seiner Arom. Hist. machte. Renodaeus in seiner Mat. Med. stellte es zwar in Abrede; si hoc fabula non est, sagt er, ex duabus alterum conjecto: aut asam foetidam in India non foetere, aut Indos aeneum habere guttur. Kämpfer dagegen versichert (Amoenit. Exot. p. 544), er habe einen mit Assa Fötida geschwängerten Bissen gegessen, und bei weitem nicht so fürchterlich gefunden, als er es sich einbildete. Dem Lieut. Pottinger wurde in Beludschistan eine in ranziger Butter gekochte junge Assafötidapflanze als ein ausserordentlicher Leckerbissen angeboten (Travels p. 111).

[194]) In den Childsch erkennt man ohne Mühe die Gildschis, welche im J. 1722 den Thron der persischen Szeffevi stürzten, und im Winter 1841/$_{42}$ den Engländern in Kabul und Churd Kabul eine schreckliche Lektion über die historische Nemesis gaben. Dass sie Afganen und keine Türken sind, brauche ich nicht erst zu erinnern.

[195]) Der Name der Stadt fehlt, und die folgende Beschreibung ist mit der von Farra verbunden; man sieht aber, dass von Farra nicht mehr die Rede ist. Vermuthlich spricht Isztachri von der Stadt Neh.

[196]) Madini übersetzt: „la maggior parte de' suoi abitanti sono Fakih (possessori di terreni?);" im Text steht indessen ganz deutlich haké Plur. von haïk, Weber.

[197]) Der Text ist hier lückenhaft; Madini ergänzt ihn so: „e tra Ferra ed il suo fiume havvi circa una merhila, e questa città trovasi di contro al fiume, dalla parte del deserto." Diese Conjectur wäre annehmbar, wenn nicht Farra unmittelbar an dem Flusse läge, wie Lieut. Pottinger's Karte zeigt. Capt. Christie, der den Ort besuchte, sagt: „Furrah is well watered by a stream from the mountains." (Pottinger's Travels p. 411.).

[198]) Madini hat in seiner Erklärung der Karte den Zug, welcher auf den Karten eine Variante anzeigt (eine Abkürzung von nesche) und meistens sehr undeutlich ist, für eine Abkürzung von nahr (Fluss) ge-

halten, und beständig durch finme übersetzt, wesshalb man daselbst mehremale den unerklärlichen-Ausdruck sotto fiume findet.

[199]) Nisabur ist die arabisirte Form für Nischapur. Das Heft Kolfum gibt als eigentliche Form des Namens Nih Schapur an, welches im Alt-persischen die Stadt Schapur's bedeuten soll. Dasselbe Werk gibt neben Iranschehr auch noch Abar Schehr als den alten Namen dieser Stadt.

[200]) Ebu Muslem veranlasste um 750 den Sturz der Ommiaden und die Erhebung der Abbasiden.

[201]) Neben dem Worte tahuné (Mühle) steht noch ein Wort رزك, welches man rafk oder fark lesen kann; beides aber gibt hier keinen Sinn; einer der vier Kanäle von Meru heisst Bafik; wollte man an-nehmen, dass dieser Name hier stände, so fehlt ein Buchstabe (j), wel-ches nicht unmöglich ist, indessen wäre alsdann die Construktion etwas ungewöhnlich. Ich habe es daher gewagt, رزك statt رزك zu lesen, eine Veränderung, welche so unbedeutend ist, dass über ihre Zulässigkeit der lithographirte Text gar nicht entscheiden kann, sondern nur die Ansicht des Originals in Gotha. Sollte sich diese Lesart später aus andern Manuscripten bestätigen, so hätten wir hier eine Stelle, welche die Be-reitung des Papiers als eine gewöhnliche Sache schon im siebenten Jahrhunderte darstellte. Jefdegerd wurde im J. 651 von einem Müller erschlagen.

[202]) Die Hoffarbe der Abbasiden war schwarz, und ihr Obergewand glich gänzlich der Summarie der protestantischen Geistlichen.

[203]) Barfuie, ein Arzt Nuschirwan's, nach einigen Angaben ein sy-rischer Christ, nach andern aus Nischapur, reiste im Auftrage seines Herrn nach Indien, um die Hitopadesa zu holen, welche er unter dem Namen Kalila und Dimna in die Pehlvisprache übersetzte, und die unter diesem Namen, so wie unter den Namen „Euwar Soheili," „Humajun Name," „Bidpai's Fabeln" allgemein bekannt ist. Barfuie war nicht nur als Arzt, sondern auch als Philosoph und Gelehrter einer der merk-würdigsten Manner seiner Zeit, so dass Bufurdschmihir, Nuschirwan's Minister, sich veranlasst sah, durch einen eigenen, dem Buche Kalila und Dimna einverleibten Aufsatz sein Andenken zu verewigen.

[204]) Auch diesem Manne, Kesra II. Parvis' Hofmusikus, ist die Un-sterblichkeit zugesichert durch den Namen des von ihm erfundenen In-struments (Barbiton).

[205]) Golius citirt bei dem Worte uschtergaf den Ibn Beitar, welcher letzterer sagt, es sei eine Pflanze, deren Gestalt und medizinische Heilkräfte dem Silphium ähnlich seien. Dr. Sontheimer, der Heraus-

geber des Ibn Beitar, fügt zur Erläuterung nichts weiter hinzu, und die Vergleichung mit dem Silphium macht die Sache nur noch schlimmer; denn die Ausleger der klassischen Schriftsteller sind sich über die Bedeutung des Wortes σίλφιον so wenig einig, dass einige es für Zuckerrohr, andere für Assa Fötida halten (wiewohl die Stelle Arrian de exped. Alex. L. III. c. 28 beiden Auslegungen zu widersprechen scheint). Besseren Aufschluss geben folgende Stellen.

Kämpfer, Amoen. Exot. p. 725: „Sed quid tellus arida & deserta pariat? praeter alias paucissimas nihil, nisi plantam exhibet bipedalem spinosam, a vulgo Chari sjntur, id est, spina camelina propterea nuncupata, quod in desertis camelos satiet; Botanicis vocatur Aru sjirin, id est, Aru dulcis, ad differentiam Aru talch, seu amarae, quod illins folia in Carmania colligendam praebeant Mannam notae praestantissimae, quam Persarum officinae appellant Terendsjubiin. Hic frutex, nullo quidem melle hic loci rorifer, pabulum camelis exhibet.“

Pottinger, Travels in Beloochistan and Sind, p. 102; „The Shinz, called by the Persians Kharé Shootoor or camelthorn, is likewise to be seen here (zwischen Kelat und Nuschki in Beludschistan) but not in such plenty as in lower countries. „Shinz“ erklärt der Verfasser durch Hedysarum Alhagi eine Esparsettengattung, aus deren Zweigen die persische Manna schwitzen soll.

Mignan, Winter Journey, Vol. I., p. 214: „Another plant, eminently deserving of notice, grows in thick round tufts covered with long spines. It covers the lowest tracts of country, sometimes to such an extent as to obstruct a traveller's progress through it. This lowly shrub affords a most beautiful exemplification of the merciful care of Providence and the fitness of the Creator's designs. It abounds also in Arabia, India, Africa, Tartary and Persia. In the vast deserts of those countries, it is the only food of the camel, that valuable inhabitant of such unfriendly wastes. These noble animals browse upon it in preference to any other herb. Their mastication of it produces a frothy salivation at the mouth, which appears to impart to them a very pleasurable sensation. Its lasting verdure refreshes the eye of the traveller, and, from the property possessed by its deep-searching, tough, fibrous roots, of collecting the scanty moisture of an arid plain, well known to the Bedouin, it is converted to the essential purposes of aiding the production of a grateful and healthy nourishment for man. The stem of the plant is, in spring, divided to near the root; a single seed of the water melon is then inserted in the fissure, and the earth replaced about the thorn. The seed becomes a parasite, and the nutritive matter, which the brittle, succulent roots of the melon are ill-adapted to collect is abundantly supplied by the deeper searching and tougher fibres of the root of this thorn. An abundance of good water melons is thus periodically forced from saline soils, incapable of other culture. This valuable plant is the Hedysarum albagi. It bears its small oval leaves but a few days in early spring; the beautiful crimson flowers appear later in the same season, and are succeeded by the short moniliform pod peculiar to this genus."

206) Hier hätten wir also die ältesten Nachrichten über die Siah-Posch, den äussersten nordwestlichen Zweig der Sanskritvölker, welche erst in neuerer Zeit wieder durch Elphinstone und Burnes einigermassen bekannt geworden sind. M. s. den interessanten Bericht des Herrn Prof. Ritter in den Monatsberichten über die Verhandlungen der Gesellschaft für Erdkunde in Berlin, Erster Jahrgang, S. 1—4, mit welchem Berichte Isztachri's Angaben merkwürdig übereinstimmen.

207) D. h. die zu der Stadt gehörende Festung liegt ausserhalb derselben (in welchem Falle das Wort hiszn gebraucht wird). Kohundif bedeutet eine Festung in der Mitte der Stadt, z. B. in Haleb, Bochara.

208) Niajed ist der richtigere Name statt des kurz zuvor erwähnten Majed.

209) D. h. Alexandria, ein Name, dessen Vorhandensein in Chotl (dem Lande der Hajateliten) nicht ohne Interesse ist.

210) Bala Hiszar, 1842 von den Engländern in die Luft gesprengt.

211) Der Chalife Motaszem Billa regierte 833—842; Abdalla ben Taher war Statthalter von Chorasan von 828—845.

212) Afschin, der Besieger des Babek, lebte um 840; Ichschid beherrschte Aegypten 935—945.

213) Die Samaniden herrschten seit 900. Bahram Tschupin empörte sich 590 gegen Hormufd, und zwang dessen Sohn Kesra Parvif, sich dem griechischen Kaiser Mauricius in die Arme zu werfen, welcher im J. 592 dessen Restauration bewirkte. Bahram Tschupin fand eine Zuflucht in Mawarennahr, wo er sich mit dem früher von ihm besiegten Türkenchakan verschwägerte.

214) Für die Entscheidung der bekannten geographischen Streitfrage, ob der Dschihun (Oxus) jemals ganz oder theilweise in das kaspische Meer ausgemündet habe, ist diese Stelle klassisch, da sie die älteste Nachricht von der gänzlichen Ausmündung des Dschihun in den Aralsee ist. Aus gleichem Grunde ist auch Isztachri's Karte von Chorasan ein wichtiges Dokument, wesshalb ich denjenigen Theil derselben, welcher den Lauf des Oxus bis zu seiner Mündung darstellt, mit allen ihren

44

Fehlern und in der völligen Rohheit der Zeichnung habe kopiren und gegenwärtiger Uebersetzung beifügen lassen. Das Mährchen von der Bifůrkation des Oxus, von der Abdämmung des einen Arms aůs Furcht vor dem Kosaken Stenko Rasin u. s. w., das nach den Forschungen Neuerer aus geologischen Gründen schon widerlegt worden ist, fällt hiernach gänzlich zusammen, und selbst als Mahrchen ist es nicht einmal mehr ehrwürdig, da wir aus Isztschri sehen, dass es nicht einmal die Tradition der Vorzeit für sich hat. Dass auch Abulfeda nichts von einer Ausmündung des Dschihun in das kasp. Meer weiss, ist bekannt, und das Ganze ist daher eine sehr junge Tradition. Kafwini beschreibt den Lauf des Dschihun in seinem Werke Adschaib el Machlukat etc. (fol. 75, r.), nach Isztachri folgendermassen: „Isztachri sagt, der Dschihun entspringt im Gebiet von Badachschan; hierauf ergiessen sich in ihn viele Flüsse im Gebirge (Kafwini las also Dschebel statt Chotl) und in Wachsch, wodurch er zu einem grossen Strome wird. Dann fliesst er bei vielen Städten vorüber, bis er nach Chowarefm kommt, es hat aber kein Land Nutzen von ihm, ausser Chowarefm, welches niedriger liegt; hierauf ergiesst er sich in den See von Chowarefm; zwischen dem See und Chowarefm ist eine Entfernung von 6 Tagen. Ungeachtet seiner Wassermenge gefriert der Dschihun im Winter wegen der heftigen Kälte; anfangs gefriert nur ein Theil der Oberfläche an den Ufern; dann vereinigen sich die gefrornen Theile, bis die Oberfläche des Dschihun eine einzige gefrorne Fläche bildet; die Dicke des Eises ist gewohnlich 5 Spannen; unter dem Eise fliesst das Wasser. Die Einwohner von Chowarefm graben Brunnen mit spitzen eisernen Werkzeugen, um sich Trinkwasser zu verschaffen. Wenn das Eis fest ist, so gehen Karawanen und Lastwagen über dasselbe, und zwischen dem Eise und dem festen Lande ist kein Unterschied. Dieser Zustand dauert zwei Monate; wenn aber die Kälte aufhört, so geht das Eis in derselben Ordnung wieder auf, und der Fluss kehrt in seinen früheren Zustand zurück. In dem Flusse ereignen sich viele Unglücksfälle, da nur wenige dem Ertrinken entgehen.“

[215]) Dieser Name in der Gegend, wo die Sacae ihre Ursitze hatten, ist ein Beweis von der zähen Lebenskraft orientalischer Namen. Vergl. Chowarefm und Χοράσμιοι, Sogd und Σογδοί, (Herod. III. 93 nebst Qwarafmiah, Sugd in der Inschrift des Darius zu Persepolis) Dschihun und Gihon (1. Mos. II. 13.).

[216]) Nach dieser Erklärung müsste der Name des Kanals Kachurde sein; indessen ist der Name Kachuare zu deutlich im Texte ausgedrückt.

[217]) Diese Stelle ist mir nicht ganz klar.

[218]) Statt Cheire ist wahrscheinlich beidemal Chiwa zu lesen.

[219]) Hier ist augenscheinlich ein Schreibfehler.

[220]) Diese Stelle ist mir nicht deutlich.

[221]) Nach dieser Stelle zu schliessen, dürfte sich Dr. Eversmann (Reise von Orenburg nach Buchara. Berlin 1823) irren, wenn er p. 65 schreibt: „Es kann gewiss nicht viel über tausend Jahre her sein, dass dieser See mit dem kaspischen Meere zusammen gehangen hat."

[222]) Nach dem Plan von Bochara bei Dr. Eversmann und dessen Beschreibung (p. 71) ist die Citadelle innerhalb der Stadt.

[223]) Tabrchun ist nach Meninski eine Weidengattung mit rothen Zweigen.

[224]) Da S. 123 und 124 des Originals durchlöchert sind, so hat Dr. Moeller im Anhange diese Stelle aus Ibn Haukal ergänzt, und die Ueber-setzung, so weit solche mit Gänsefüssen bezeichnet ist, habe ich nach diesem Zusatze gemacht. Uebrigens ist dieses Stück an manchen Stellen völlig unverständlich, so dass selbst der durchlöcherte Text des Isztachri zuweilen eine bessere Lesart gab.

[225]) Von hier bis zum Ende ist sowohl der Text des Ibn Haukal als des Isztachri so verstümmelt und unleserlich, dass fast nichts als unverständliche Namen und voces nihili herauskommen, wesshalb ich es vorgezogen habe den Schluss wegzulassen.

Nachträge und Verbesserungen.

Seite 8, Zeile 8 von oben: In der Uebersetzung ist etwas weggefallen, welches so zu ergänzen ist: „vermittelst einer Wasserleitung, welche von einem Statthalter, und zur Zeit des Chalifen u. s. w."

S. 10, Z. 19 v. o. „Gefährten el Ajeka," ist wohl richtiger durch Hainbewohner zu übersetzen. Koran, Sure XV. 77. 78. „Auch die Hainbewohner waren Frevler. Wir rächten uns an ihnen, und stellten beide (die Bewohner Sodoms und des Haines)' als Beispiel auf."

S. 10, Z. 2 von unten: statt „auch Saire" heisst es vielleicht richtiger „und noch ein anderer Wadi Namens Saire".

S. 13, Z. 8 v. o. „dass die Einwohner — — — Sommer wissen." Richtiger lautet die Uebersetzung: „dass die Einwohner wegen der gleichförmigen Temperatur im Sommer und Winter denselben Ort bewohnen, und in ihrem ganzen Leben nicht verlassen".

S. 17, Z 2 v. o. „zu einer Stadt, welche Aidhab heisst"; im Text steht noch: „am Ufer des Nil", welches aber ein Irrthum des Verfassers ist, denn Aidhab liegt am rothen Meer und nicht am Nil.

Ebend. Z. 10: „so dass man — — — — — sehen kann"; richtiger: „so dass man an manchen Stellen das andere Ufer sehen kann."

S. 19 Z. 15 und 19 v. o. Chufistan statt Chufiftan.

S. 22 Z. 13 v. u. Früchten statt Datteln.

S. 23 Z. 16 v. o. Früchten statt Datteln.

S. 24 Z. 1 v. u. Afila statt Afila.

S. 26 Z. 3 v. o.: Hier fehlen die Worte: „Sirin ist ein grosser Distrikt, dessen Hauptstadt Bahranie ist."

Ebend. Z. 5. v. u. „in Markase — — — viele Zobel". Diese Uebersetzung ist falsch; es muss statt dessen heissen „in Markasn (oder Murcia) und in der Nähe von Cordoba bei einem Orte Namens Kulis (?), welches auf arabisch riav (satt vom Trinken) heisst. Bei Tolaitela findet man viele Zobel." Ein solcher Ort in der Nähe von Cordoba ist mir unbekannt.

S. 27 Z. 15 v. o. „Die meisten Sekten — — — — Ursprungs"; richtiger wohl: „die meisten Bewohner in Magreb bekennen sich zur Tradition", d. h. sie sind Sunniten.

S. 28 Z. 4 v. o. Natalia, vielleicht Batalia (Badajoz).

S. 28 letzte Zeile. 13 und 14 sind vermuthlich Damanhur und Fua.

S. 30 Z. 5 v. o. Lahun statt Lahum.

S. 31 Z. 13 v. o. von statt vom.

S. 31 Z. 19 v. o. Früchte statt Datteln.

S. 31 Z. 15 v. u. „wenn aber das Wasser im Norden durch die Hitze abnimmt".

S. 35 Z. 8 v. o. Früchten statt Dattelpalmen.

S. 36 Z. 13 v. o. Kafwini führt in seinem Werke Adschaib el Machlukat etc. (Msct. der Hamb. Stadtbibl. No. 130) fol. 70 r. ebenfalls diese Stelle aus dem Koran an, und bezieht sie auf den Berg Rebwa, eine Parasange von Damaskus. Rebwa heisst ein Hügel, und so habe ich es S. 36 übersetzt, ehe ich die Stelle im Kafwini kannte. Die citirte Koranstelle steht Sure XXIII, V. 52.

S. 38 Z. 3 v. u. Früchten statt Datteln.

S. 39 Z. 6 v. u. Erdh statt Erth.

S. 39 Z. 6 v. u. findet statt finbet.

S. 39 letzte Zeile, statt „den Einwohnern — — — — Petschafte"; lese man „die meisten dieser Steine sehen aus, als wären sie gravirt".

S. 41 Z. 2 v. u. Ruris statt Furis.

S. 42 Z. 6 v. o. Kuris, statt Furis.

S. 42 Z. 16 v. o. Nach dem Worte Konstantinopel fehlt: „dann erstreckt es sich längs den Küsten von Athìnas und Rumia."

S. 45 Z. 6 v. u. Früchten statt Datteln.

S. 46 Z. 20 v. o. nach dem Worte ausser fehlt der Name des Ortes Hial (auf der Karte Hal, No. 34).

S. 47 Z. 13 v. u. Früchten, statt Dattelpalmen.

S. 49 in der Erläuterung der Karte von Dschefìra No. 35 ist der Ort Sokir, welcher im Text S. 46 vorkommt.

S. 60 Z. 6 v. o. Tib ist wohl die Stadt, in welcher Antiochus Epiphanes im J. 164 v. Ch. G. starb, nachdem er einen vergeblichen Raubzug gegen die Tempel von Susa versucht hatte. Polybius (Fragm. lib. XXXI, cap. 11.) nennt die Stadt Τάβαι τῆς Περσίδος, allein über Pars konnte er unmöglich nach Antiochia zurückkehren.

S. 66 Z. 13 v. o. „unter der steinernen Brücke Adie"; hier fehlen die Worte: „welche Schuk heisst."

S. 78 Z. 16 v. u. Ahwas, statt Ahwaf.

S. 79 Z. 8 v. o. „Diese Magier waren ungemein tapfer". Die Uebersetzung ist fehlerhaft, und es muss heissen: „Nichts destoweniger blieben sie unlenksam bis auf die Zeiten des Sadscharia."

S. 86 Z. 2 v. u. Früchte, statt Datteln.

S. 89 Z. 14 v. o. „es leben in demselben Fische". Diese Angabe steht mit den Berichten neuerer Reisenden im gänzlichen Widerspruch. Mignan (Winter Journey through Russia etc. London 1839. Vol. I, p. 189) sagt: „No living creature is found in either lake (in dem Urmiasee und dem todten Meere); for as soon as the rivers carry down any of their fish, they instantly die and become putrid."

S. 93 Z. 14 „Keredsch Ebu Delaf". Ebu Delaf war ein angesehener Mann unter den Chalifen Emin, Mamun und Motaszem, und starb im J. 225 (840). Sein voller Name ist Ebu Delaf Kasim ben Isa ben Idris el Adscheli; er war ein geschickter Musikus und Sänger, und verfasste mehrere Bücher, z. B. über Falknerei und Fischfang, über Waffen, über Fürstenerziehung. Die Stadt Keredsch soll er angelegt und mit Einwohnern bevölkert haben. Cf. Abulfedae Annal. Mosl. T. II, p. 152. 174 und Reiske Annotationes historicae ib. p. 685.

S. 117 Z. 14 v. o. Aehnliches oder vielmehr dasselbe erzählt Marco Polo von der Stadt Sopurgam, (wahrscheinlich die heutige Stadt Schaburkan, westlich von Balch) Lib. I. cap. 30.: Ubi omnium victualium reperitur copia: praesertim ibi abundant pepones, quos filis dividunt non secus quam cucurbitae dissecantur, et desiccatos ad proximas terras vendendos portant, a quibus avide comeduntur, quum mellis fere habeant dulcedinem.

S. 132 Z. 17 v. u. Kafwini citirt in seinem Werke Adschaib el machlukat (Msct. der Hamb. Stadtbibl. No. 130) fol. 68 diese Stelle, und da das Citat ausser der Berichtigung des Namens noch einige andere Veranderungen des Textes gibt, so will ich es hier anführen: „Der Berg Asire im Gebiet von Sehasch in Mawarennahr. Isztachri sagt, es seien daselbst Berge, wo man viele Naphthaquellen, Eisen, Zinn, Blei, Kupfer, Türkise und Gold findet. Auch sind daselbst Steine, so schwarz wie Kohlen, welche brennen; man kauft davon eine und zwei Kamelladungen für einen Dirhem; wenn sie verbrannt sind, so ist die Asche äusserst weiss, und wird zum Bleichen der Zeuge gebraucht. Etwas Aehnliches kennt man an andern Orten nicht." Cf. Marco Polo L.II . c. 26.

Geographisches Register.

47

Historisches Register.

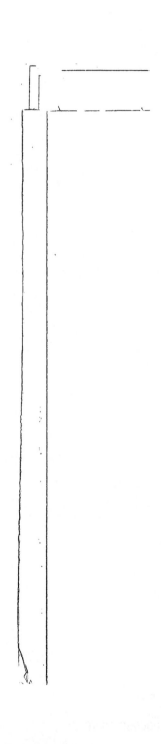

Lightning Source UK Ltd.
Milton Keynes UK
UKHW021457030219
336610UK00006B/194/P